Microsoft
Office

2019

Manual Imprescindible

Microsoft Office

2019

José María Delgado

ANAYA
MULTIMEDIA

Manual Imprescindible

Diseño y realización de cubierta: Celia Antón Santos
Revisión: Gelsys M. García Lorenzo
Diseño de maqueta: Laura Apolonio Guerra
Maquetación: José María Delgado
Responsable editorial: Eugenio Tuya Feijoó

Todos los nombres propios de programas, sistemas operativos, equipos hardware, etc., que aparecen en este libro son marcas registradas de sus respectivas compañías u organizaciones.

Edición española:
© EDICIONES ANAYA MULTIMEDIA (GRUPO ANAYA, S.A.), 2019
    Juan Ignacio Luca de Tena, 15. 28027 Madrid
    Depósito legal: M-40213-2018
    ISBN: 978-84-415-4099-6
    Printed in Spain

*A Nacho por sus ganas de vivir, a Carlos por su bondad
y a Fátima por su alegría.*

José María Delgado Cabrera

José María Delgado Cabrera ha escrito durante los últimos veinte años más de medio centenar de libros de diferentes materias como Photoshop, Illustrator, Microsoft Office o Windows. También ha coordinado y desarrollado materiales formativos para el Centro Nacional de Formación del Profesorado, organismo dependiente del Ministerio de Educación y Ciencia. Actualmente combina su actividad profesional como administrador de sistemas con la gerencia de varias empresas familiares. Todo esto sin abandonar sus grandes pasiones: el diseño gráfico, la fotografía y, por supuesto, sus tres pequeños diablillos.

En un mundo conectado como el nuestro es difícil pasar desapercibido. Sería fácil hacer una búsqueda por Internet y encontrar los datos de nuestro autor, si bien él preferiría que lo hicieras mediante un mensaje de correo electrónico a la dirección *josemdelgado.ba@gmail.com*. No dudes en enviarle cualquier opinión o comentario.

Muchas gracias por elegir este libro y sinceramente esperamos que cumpla todas tus expectativas.

gracias

Quiero agradecer de todo corazón a mi editor Eugenio Tuya su confianza después de tantos años. Un gran abrazo, amigo.

También dar las gracias a mi mujer por aguantar estos meses en los que he tenido que abandonar mis obligaciones como padre.

Índice de contenidos

Elementos comunes 35

Primeros pasos con Word 51

Formato de carácter y párrafo   68

Formatos de página y documento 95

Estilos de párrafo y de carácter 111

Herramientas de escritura   154

Compartir   165

Excel, tareas básicas   173

Un nombre para todo 204

Cálculos y funciones 217

Gráficos de datos 236

Herramientas de análisis 251

PowerPoint   273

Mejorar la presentación   288

Transiciones y efectos especiales 312

OneNote 322

Fundamentos de Access   337

Consultas e informes

Relacionar tablas

Combinar correspondencia

Índice analítico   412

Introducción

Microsoft Office es ahora mucho más intuitivo, potente, accesible y, en resumen, más útil para los usuarios que lo usamos a diario. Este manual recoge los contenidos necesarios para conocer y aprovechar las posibilidades de las aplicaciones más utilizadas de la suite: Word, Excel, Access, OneNote y PowerPoint.

Atendiendo al carácter de iniciación de este libro, los primeros capítulos describen conceptos fundamentales y elementos comunes a todas las aplicaciones. A partir de ahí, este manual se divide principalmente en cinco bloques, dedicados a cada una de las aplicaciones básicas que componen el paquete Microsoft Office.

Compartir trabajos a través de correo electrónico, editar de forma colaborativa y utilizar la nube es fundamental en estos días. OneDrive es una pieza fundamental en el ecosistema de Office en particular y en el resto de aplicaciones de Microsoft en general.

De Word, el procesador de textos de Microsoft Office, tratamos desde técnicas básicas de creación de documentos hasta la aplicación de formatos y el uso de herramientas más avanzadas como estilos, plantillas y tablas.

Excel se ha convertido por méritos propios en la aplicación estrella de Microsoft Office. Partimos de la definición de hoja de trabajo para mostrar toda la potencia de este tipo de herramientas. La creación de cualquier tipo de presupuesto, análisis o valoración de posibilidades se verá facilitada con el uso de Excel. En los últimos capítulos, veremos también cómo mejorar la apariencia de las hojas de trabajo e, incluso, añadiremos vistosos gráficos de datos a nuestro trabajo.

OneNote se ha convertido en el complemento ideal de sistemas de escritorio y aplicaciones móviles. Permite organizar pequeñas notas y apuntes de manera cómoda y sencilla.

Access es el gestor de bases de datos relacional de Office. Déspués de un capítulo dedicado a comentar los conceptos básicos sobre la teoría de bases de datos, el resto de lecciones analizan los elementos básicos que puede incluir una base de datos de Access: tablas, formularios, consultas e informes.

Los capítulos dedicados a PowerPoint muestran cómo crear presentaciones llamativas gracias a las posibilidades de esta aplicación. Además, proponemos interesantes ideas para realizar espectaculares presentaciones y tener éxito en cualquier escenario.

Con este manual hemos intentado satisfacer las necesidades tanto del usuario novel como del que ya dispone de conocimientos previos.

Siguiendo la filosofía de la colección, el manual que tienes entre tus manos está pensado para aquellas personas que nunca han trabajado con Microsoft Office o, si lo han hecho, no conocen realmente las posibilidades de aplicaciones como Word, Excel, PowerPoint, OneNote o Access. Sí necesitas disponer de unos conocimientos básicos sobre el manejo de Windows y sus elementos como las carpetas, los archivos, etcétera.

En cuanto a las características del equipo, Office no es una aplicación demasiado exigente por lo que podrás ejecutarla incluso en dispostivos con recursos limitados. Es cierto que algunas funciones como los elementos 3D u otras más complejas exigen algo más de potencia, pero en general bastará con un equipo de gama media.

Cómo usar
este libro

Por qué elegir este libro

Si te encuentras decidiendo entre este y otros tantos libros sobre Office que hay en las estanterías de su librería, intentaremos ayudarte un poco, por lo menos en lo que a este manual se refiere.

El propósito del libro que tienes entre tus manos no es otro que hacerte mucho más sencillo el aprendizaje de la mejor herramienta ofimática que existe actualmente en el mercado. Si nunca has tenido ningún contacto con Office o solo lo has utilizado para trabajos sencillos y desconoces el verdadero alcance de sus posibilidades, no lo dudes, este es tu libro. Si, por el contrario, dispones de conocimientos avanzados deberías buscar otro manual.

Cada vez que iniciamos el trabajo de elaboración de un manual de este tipo surgen miles de cuestiones: ¿la estructura será la correcta?, ¿cubre las necesidades planteadas por la mayoría de los usuarios?, ¿ofrecemos los contenidos apropiados en cada caso? En fin, todo un mar de dudas que tras la revisión final de los expertos quedan resueltas y aunque pequemos de vanidosos, podemos decir que tienes entre tus manos un libro completo y eficaz para obtener todo el partido de las principales aplicaciones de Office.

Por supuesto, es imposible plasmar en poco más de cuatrocientas páginas todo lo que se puede hacer con estas potentes aplicaciones. Los contenidos del libro se han desarrollado teniendo en cuenta la opinión de muchos usuarios y la experiencia del autor.

Estructura del presente manual

La organización de este libro está planteada de modo que la curva de aprendizaje sea progresiva y el avance en el conocimiento de las distintas aplicaciones no suponga ningún problema.

Teniendo en cuenta el carácter de iniciación del manual que tienes entre tus manos, los primeros capítulos están dedicados a describir conceptos básicos sobre el manejo de archivos y temas fundamentales de Office. A partir de ahí, hemos dividido el libro en varios bloques, dedicados a cada una de las aplicaciones básicas que componen el paquete Microsoft Office. No en todas sus distribuciones se incluye Access, pero hemos querido hablar de esta aplicación ya que realmente nos parece una de las más importantes del conjunto. También dedicamos un capítulo al magnífico bloc de notas digital OneNote.

De Word, el procesador de textos de Microsoft Office, describimos desde técnicas básicas de creación de documentos hasta la aplicación de formatos y el uso de herramientas más avanzadas, como estilos de párrafo y texto, plantillas y tablas.

También dedicamos varios capítulos a la hoja de cálculo, Microsoft Excel. Partimos de las definiciones más sencillas y llegamos a las fórmulas y funciones que recogen la verdadera potencia de este tipo de herramientas. La creación de cualquier tipo de presupuesto, análisis o valoración de posibilidades se verá facilitada con el uso de Excel.

En los últimos capítulos, describimos cómo mejorar la apariencia de las hojas de trabajo e, incluso, añadiremos vistosos gráficos de datos a nuestros proyectos. Las herramientas de análisis ocupan un apartado importante dentro de la aplicación y por este motivo describimos aquellas que consideramos más útiles.

Access es el gestor de bases de datos relacional de Office y además de comentar los conceptos básicos sobre teoría de bases de datos, el resto de los capítulos analizan los elementos básicos que puede incluir una base de datos de Access: tablas, formularios, consultas e informes.

En los capítulos dedicados a PowerPoint se explica cómo crear presentaciones llamativas con vistosas transiciones y efectos de texto. Además, enumeramos algunos consejos sobre cómo realizar presentaciones elegantes y eficaces para que tengas éxito en la exposición de tus proyectos e ideas.

Qué necesitas para aprovechar este libro

Como guía de aprendizaje, cada capítulo trata un conjunto de conceptos relacionados entre sí, aumentando progresivamente su dificultad; los conocimientos que adquieras en un capítulo se usan y amplían en los siguientes. Por este motivo, recomendamos seguir el orden propuesto.

En cada capítulo intentamos hacer el aprendizaje más ameno y didáctico mediante numerosos ejemplos prácticos. En este sentido, creemos muy importante seguirlos al mismo tiempo que lees para mejorar la comprensión de las ideas desarrolladas.

Es obvio que para usar este libro es necesario un ordenador, además de algunas de las distribuciones de Microsoft Office. Recomendamos alguna que incluya la base de datos relacional Access que tratamos en varios de los capítulos que componen el libro.

Convenciones que emplea este libro

Para facilitar la comprensión de este manual se utilizan varios formatos especiales que se resumen como sigue:

- Los nombres de comandos, menús, opciones, cuadros de diálogo y otros elementos que deben diferenciarse aparecen en un tipo de letra diferente para destacarlos del resto del texto, por ejemplo, el cuadro de diálogo Opciones.

- Las combinaciones de teclas aparecen separadas por un guión, por ejemplo, Ctrl-C.

- Para indicar la secuencia que debe seguirse para ejecutar un comando determinado, se ha decidido abreviar la escritura presentando los comandos en el orden en que deben seleccionarse, separados por el signo «mayor que» (>). Por ejemplo, Inicio>Edición>Seleccionar.

- En el libro aparecen con frecuencia elementos destacados sobre el texto normal, cuyos títulos definen su contenido. Son los siguientes:

NOTA:

Para facilitar o concretar información relacionada con el tema que se está tratando. Incluyen recomendaciones que conviene tener en cuenta.

ADVERTENCIA:

Para evitar posibles errores como consecuencia de una operación mal realizada.

TRUCO:

Consejos y artimañas para facilitar el trabajo o conseguir mejores resultados.

Microsoft Office

- Descubrir las ventajas de Office.
- Elegir la versión más adecuada de Office.
- Instalar Microsoft Office.

Hasta dónde queremos llegar...

Antes de empezar queremos agradecerte la confianza puesta en nosotros y esperamos que este libro sirva como medio para aprovechar todas las posibilidades de Microsoft Office. En este primer capítulo nuestras pretensiones no son aún demasiado ambiciosas. Describiremos algunas de las cualidades de la suite, comentaremos sus novedades más importantes y haremos una breve descripción del proceso de instalación.

Además de todo esto, trataremos un elemento imprescindible en el ecosistema de cualquier sistema actual, hablamos del almacenamiento remoto o nube. OneDrive es el nombre que Microsoft utiliza para este servicio y, como no podía ser de otro modo, es una parte esencial en Office.

Microsost Office es la herramienta perfecta para llevar a cabo muchas de nuestras tareas cotidianas tanto profesionales como personales. En este sentido, un pequeño consejo: no temas dedicar algún tiempo a explorar esas funciones menos conocidas y que pueden ser de gran ayuda. Nuestra experiencia nos dice que la mayoría de las personas que utilizan herramientas de ofimática apenas aprovechan un diez por ciento de las posibilidades de la aplicación, dejando de lado muchas funcionalidades importantes que podrían resultar de gran ayuda.

Aplicaciones principales

Microsoft Office es un conjunto de aplicaciones ofimáticas y sus programas se han convertido en los últimos años en herramientas imprescindibles tanto en entornos corporativos como en nuestros propios hogares. Las aplicaciones principales que componen la suite son las siguientes:

- El conocido procesador de texto, Word. Con él podrás crear cualquier tipo de documento, manual o proyecto escrito.
- La hoja de cálculo, Excel. Aplicación dedicada al trabajo y manipulación de datos numéricos. Permite llevar desde el control de nuestra economía doméstica hasta el desarrollo de potentes sistemas de análisis, previsión y cálculo.
- PowerPoint. Herramienta imprescindible para el apoyo audiovisual y la transmisión de ideas en conferencias, charla, exposicines de proyectos, etcétera.
- OneNote, herramienta para organizar ideas, tomar apuntes y compartir información con otros usuarios.
- El gestor de bases de datos, Access, donde se conjuga sencillez de uso y potencia dentro de un entorno relacional de base de datos.

NOTA:

Microsoft ofrece básicamente dos formas de adquirir Office: a través de un sistema de suscripción o mediante una compra tradicional de pago único.

Ventajas

Necesitaríamos muchas páginas para describir las múltiples ventajas de Microsoft Office, a continuación enumeramos algunas de las más importantes:

- Disponibilidad dentro de un mismo producto de las herramientas de ofimática más demandadas en la actualidad: procesador de textos, hoja de cálculo, bases de datos, presentaciones, gestor de tareas, anotaciones, almacenamiento en la nube...
- Grandes posibilidades de interacción y de intercambio de información entre las distintas aplicaciones que componen la suite.
- Enfoque total hacia Internet con innumerables herramientas para compartir información, trabajo colaborativo, uso del correo electrónico, redes sociales... Y, por supuesto, trabajo en la nube de la mano de OneDrive.
- Posibilidades para trabajar en grupo, compartiendo información, creando espacios de colaboración, etcétera. En Office es posible elaborar y editar un documento entre varios usuarios, así como dejar constancia de los cambios y aportaciones realizados por cada persona.
- Permite trabajar independientemente del lugar o del dispositivo. Esto es posible gracias a que Microsoft ha puesto a disposición de los usuarios versiones de Office online y para las plataformas móviles más usadas hoy en día.
- Se trata del conjunto de aplicaciones ofimáticas más utilizadas en la actualidad. Este hecho hace mucho más fácil el intercambio de información entre usuarios o empresas de cualquier ámbito y país.
- La reparación automática permite detectar aquellos archivos que han sufrido algún daño y restaurarlos por una copia operativa de los mismos de forma automática.
- Entorno mucho más amigable e intuitivo, orientado a tareas, de forma que siempre resulte sencillo encontrar aquello que deseamos hacer en cada momento.
- Los nuevos asistentes y opciones de ayuda ahorran mucho trabajo a la hora de realizar tareas frecuentes.

Versiones

Microsoft ofrece dos modos de adquirir Office: la modalidad online o suscripción denominada Office 365 y las versiones estándar de pago único.

Office 365 es la plataforma a la que más esfuerzos está dedicando Microsoft y se convertirá en la única forma de adquirir la aplicación en los próximos años. En esta modalidad, los programas se pueden instalar físicamente en el equipo o usar el modo online y el usuario debe abonar una cantidad mensual o anual para poder disfrutar de ellos durante el tiempo que desee. Para hacer más atractiva esta opción, Microsoft ofrece diferentes ventajas:

- Importante cantidad de espacio gratuito en OneDrive.
- Acceso a todas las aplicaciones de la suite sin restricción.

- Actualizaciones inmediatas, así como el acceso a las nuevas versiones.
- Condiciones especiales para estudiantes.
- Posibilidad de añadir nuevas aplicaciones o funciones que estarían disponibles de inmediato.
- Acceso a las versiones online de todos los productos que forman parte del ecosistema Microsoft Office.

NOTA:

Microsoft dispone de versiones de sus aplicaciones más importantes: Word, Excel, PowerPoint, OneNote… tanto para dispositivos Android como iOS. Puedes encontrarlas en las tiendas online de las diferentes plataformas.

Por último, se encuentra la versión estándar. En este caso, se realiza un único pago por el software para disfrutarlo indefinidamente. Con este formato de compra perderemos muchas de las ventajas descritas en el apartado anterior; a cambio, solo realizaremos un único desembolso.

OneDrive

Lo primero que tenemos que decir de OneDrive es que se trata de un elemento fundamental en Microsoft Office y en general, en todo el ecosistema Windows. Por este motivo, es importante conocer cuanto antes sus características básicas.

OneDrive permite acceder a documentos y, archivos independientemente del lugar donde nos encontremos y del dispositivo que se estés utilizando. Imagina que empiezas una presentación en el ordenador de la oficina, después realizas algunos cambios en el portátil y, finalmente, de camino al cliente, completas el trabajo en la tableta. Todo eso es posible con Office, Windows y OneDrive.

Windows 10 integra OneDrive como característica nativa del propio sistema operativo, siendo suficiente una cuenta Microsoft para disfrutar de todas sus posibilidades.

NOTA:

Dropbox es, sin lugar a duda, uno de los servicios de almacenamiento remoto más utilizados en la actualidad. Microsoft Office también permite usarlo como soporte para nuestros documentos y archivos.

Cuenta Microsoft

Las cuentas de usuario de Microsoft, además de proporcionar una forma segura de acceder a sistemas Windows, abren la puerta a todo un mundo de posibilidades como el almacenamiento remoto, sincronización de datos con otros dispositivos, notificaciones, correo electrónico, etcétera. Todo ello sin más esfuerzo que introducir un nombre usuario y, por supuesto, una contraseña.

Instalación

Como es obvio, para empezar a utilizar el programa lo primero que debemos hacer es instalarlo. En las versiones estándar de Office, los asistentes de instalación son tan detallados que no vamos a extendernos en este apartado.

Si has decidido usar Office 365, lo primero que debes hacer es abrir el explorador y dirigirte a la página principal del producto www.office.com, cuyo aspecto puedes comprobar en la figura 1.1.

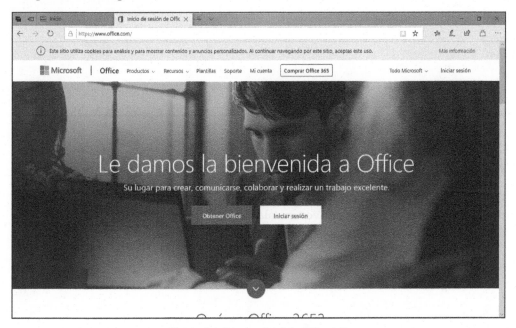

Figura 1.1. Página oficial de Office 365.

A continuación, selecciona la opción Iniciar sesión situada en la esquina superior derecha e introduce los datos de la cuenta Microsoft con la que hayas adquirido el producto. A partir de aquí, utiliza la opción denominada Instalar Office para descargar el archivo de instalación. Haz doble clic sobre él y sigue los pasos del asistente.

Office 365 ofrece la posibilidad de instalar la versión de escritorio en varios equipos. Este número es diferente en función del modelo de suscripción elegida. Desde la página principal de Office, puedes acceder a las versiones online y trabajar directamente en el navegador con Word, Excel, PowerPoint y el resto de los programas que integran la suite. En la figura 1.2 comprueba el aspecto de la versión online del procesador de textos Word.

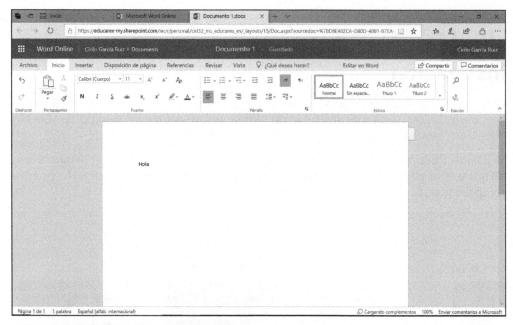

Figura 1.2. Word en su versión online.

Resumen

Después de conocer las características principales de Office, sus ventajas, las posibilidades de OneDrive y, sobre todo, una vez instalada la aplicación, estamos preparados para continuar con los siguientes capítulos.

2

Elementos comunes

- Trabajar con archivos y carpetas.
- Iniciar las aplicaciones de Office.
- Aprovechar las posibilidades de pantalla de inicio.
- Reconocer los elementos esenciales del entorno.
- Utilizar el menú Archivo.
- Compartir y colaborar con otros usuarios.
- Usar la ayuda.

Introducción

Después de una primera aproximación a todo lo que ofrece Microsoft Office y de la instalación del programa, describiremos algunos conceptos generales, necesarios para abordar los siguientes temas. Algunos están directamente relacionados con Office y otros, con funciones básicas de Windows.

Archivos

Los archivos son la unidad mínima de información que en cualquier sistema permite almacenar y manipular. Entre los ejemplos más habituales de archivos encontramos documentos de texto, imágenes, presentaciones o nuestras canciones favoritas.

Los archivos tienen una característica importante que determina su tipo y a la que llamamos extensión. Es la parte que va después del nombre separada por un punto. Por ejemplo, midocumento.docx indica por su extensión que se trata de un documento de texto asociado a la aplicación Microsoft Word, salto.avi será un vídeo y verde.jpg una imagen.

Windows en su configuración por defecto oculta la extensión de los archivos y únicamente muestra el nombre. Entonces, ¿cómo saber qué tipo de archivo es? Pues muy sencillo, mediante su icono. En la figura 2.1 observa varios archivos con diferentes iconos.

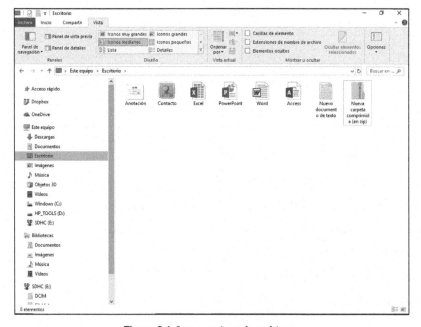

Figura 2.1. Iconos y tipos de archivos.

Tareas más habituales con archivos

Teniendo en cuenta que los archivos serán sin lugar a dudas uno de los elementos que utilizaremos con más frecuencia, veamos a continuación cómo llevar a cabo las tareas más comunes:

- Haz clic con el botón derecho sobre el archivo y en el menú emergente, elige Cambiar nombre. A continuación, escribe el nuevo nombre y pulsa Intro para terminar. Otra posibilidad para cambiar el nombre de un archivo es hacer clic sobre él para seleccionarlo y pulsar la tecla F2.

- Será suficiente con hacer doble clic sobre un archivo para abrir la aplicación asociada y ver o editar su contenido.

- Si necesitas abrir un archivo con una aplicación diferente de la que tiene asociada por defecto, haz clic con el botón derecho sobre él y selecciona Abrir con. Si activas la casilla de verificación Usar siempre esta aplicación para abrir los archivos, Windows recordará la acción y abrirá a partir de ahora todos los archivos del mismo tipo con la aplicación seleccionada.

- Si necesitas eliminar cualquier archivo, solo haz clic sobre él para seleccionarlo y utiliza la tecla Supr. También puedes valerte del comando Eliminar del menú que aparece después de hacer clic con el botón derecho sobre el archivo.

- Entre las acciones que podemos ejecutar desde el menú emergente asociado a cualquier archivo está el comando Imprimir. Esta tarea tan habitual se ejecuta sin necesidad de abrir la aplicación previamente.

ADVERTENCIA:

No olvides que al eliminar un archivo o cualquier otro elemento de Windows no se borra definitivamente, si no que queda almacenado temporalmente en la Papelera de reciclaje.

Carpetas

Las carpetas son otro de los elementos imprescindibles en nuestro trabajo diario. Con ellas podremos agrupar archivos, otras carpetas y, en resumen, organizar toda la información disponible de forma que resulte mucho más fácil acceder a ella.

Existen varias formas de crear una carpeta, pero la más sencilla es hacer clic con el botón derecho y seleccionar el comando Nuevo>Carpeta. Escribe un nombre y pulsa Intro para completar el proceso.

Una vez creada haz doble clic sobre ella para abrirla. Y si necesitas añadir más de un archivo a una carpeta no es necesario hacerlo uno a uno. Haz clic en algún espacio cercano a los elementos que quieres seleccionar y, sin soltar, arrastra el cursor. Describirás un área de selección donde es posible incluir todos los elementos que desees.

Tareas comunes con carpetas

Del mismo modo que ocurría con los archivos, existen una serie de tareas habituales relacionadas con carpetas. Veamos las más importantes.

- La forma de cambiar el nombre de una carpeta, y en general de cualquier elemento de Windows, es siempre la misma: hacer clic sobre el objeto para seleccionarlo y pulsar la tecla F2. Si lo prefieres, puedes hacer clic con el botón derecho y utilizar el comando Cambiar nombre.

- En la esquina inferior derecha de la ventana del explorador aparecen dos pequeños iconos. Con ellos se configura el aspecto de los elementos que contiene la carpeta: en modo lista, con información detallada de cada archivo o en modo icono.

- El cuadro de búsqueda, disponible al abrir cualquier carpeta, sirve para localizar archivos dentro la misma. Es evidente que si tenemos pocos elementos en la carpeta no merece la pena usarlo, pero resulta imprescindible cuando la información que contiene es considerable.

- Para eliminar una carpeta y en general cualquier elemento de Windows, el método es siempre el mismo: seleccionarlo en primer lugar y pulsar la tecla Supr.

- Es posible crear carpetas dentro de carpetas para organizar mejor la información.

Windows incluye por defecto una serie de carpetas asociadas a cada cuenta de usuario. De este modo, cada persona que utilice el equipo y se identifique adecuadamente tendrá acceso a su información. Las más importantes son:

- Descargas.
- Documentos.
- Imágenes.
- Escritorio.
- Música.
- Vídeos.

El nombre de cada una de ellas es bastante descriptivo y, por supuesto, recomendamos utilizarlas.

Iniciar aplicaciones

La forma de iniciar los programas incluidos en la suite Office no es distinta de la que ya conoces para cualquier otra aplicación. Haz clic en el menú Inicio y navega por la lista de programas hasta encontrar la aplicación que deseas utilizar. Este método corresponde a la versión 10 de Windows.

Independientemente de la aplicación, existen una serie de elementos y comportamientos que son comunes a la mayoría de los programas de la suite Office, por ejemplo, el menú Archivo, la pantalla de inicio o la cinta de opciones. En los siguientes apartados describiremos estas características para ir familiarizándonos con el entorno de Office.

Pantalla de inicio

Siempre que inicies alguna de las aplicaciones principales de Office (Word, Excel, Access o PowerPoint), el programa mostrará una pantalla similar. En la figura 2.3 se ilustra el aspecto de la ventana inicial de Excel.

Archivos recientes y comando Abrir

En la ventana de inicio aparecerán diferentes plantillas o temas y los últimos archivos con los que hayas trabajado. Para volver a abrir cualquiera de ellos basta con hacer clic sobre su nombre. Esta lista irá cambiando, pero observa el pequeño icono que aparece a la derecha después de situar el ratón sobre alguno de ellos. Puedes utilizarlo para fijar el archivo en la sección Anclados y que esté siempre disponible.

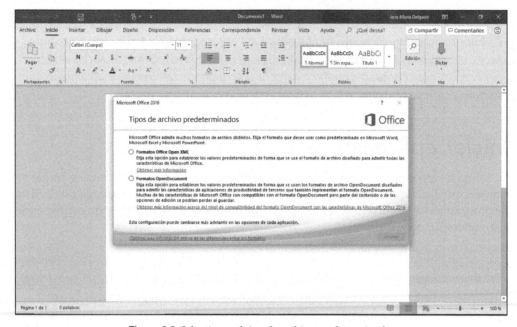

Figura 2.2. Seleccionar el tipo de archivo predeterminado.

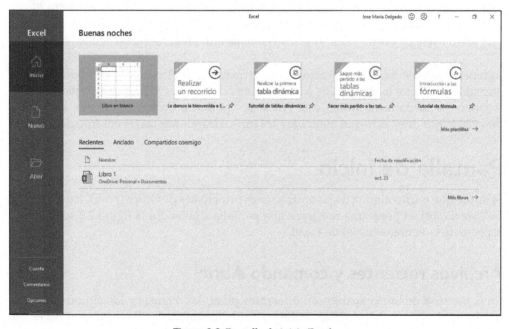

Figura 2.3. Pantalla de inicio Excel.

El comando Abrir se encuentra situado entre los iconos grandes que aparecen en el margen izquierdo de la ventana de inicio (como se aprecia en la figura 2.4) y muestra las siguientes posibilidades:

- **Recientes:** Presenta dos secciones Documentos y Carpetas, donde se incluyen tanto los últimos archivos con los que hayamos trabajado como las ubicaciones más frecuentes. También es posible anclar elementos como en la ventana de inicio.
- **Compartidos conmigo:** Aquí estarán los archivos que otros usuarios hayan compartido con nosotros.
- **OneDrive:** Permite acceder al contenido de OneDrive siempre que estemos conectados y hayamos indicado los datos de nuestra cuenta Microsoft.
- **Este PC:** Muestra los archivos locales del equipo, más concretamente aquellos que se encuentren en la carpeta Documentos.
- **Agregar un sitio:** Añade ubicaciones personalizadas para almacenar nuestros archivos en la nube.
- **Examinar:** Despliega el típico cuadro de diálogo Abrir de Windows donde podrás localizar el archivo que necesitas. Por ejemplo, este sería el procedimiento a seguir para acceder al contenido de una memoria externa.

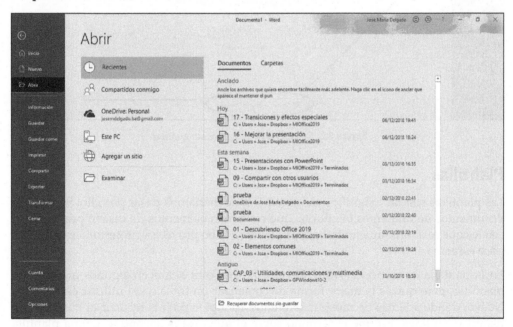

Figura 2.4. Abrir.

TRUCO:

La combinación de teclas Control-F12 *muestra en cualquier momento el cuadro de diálogo* Abrir.

Si por algún motivo la aplicación se cierra inesperadamente y no guardaste los últimos cambios, no pienses que está todo perdido. La próxima vez que inicies el programa selecciona el comando Abrir y luego en la parte inferior (observa la figura 2.5) haz clic en el pequeño botón denominado Recuperar documentos sin guardar. Aparecerá un cuadro de diálogo donde con seguridad encontrarás el documento que deseas recuperar.

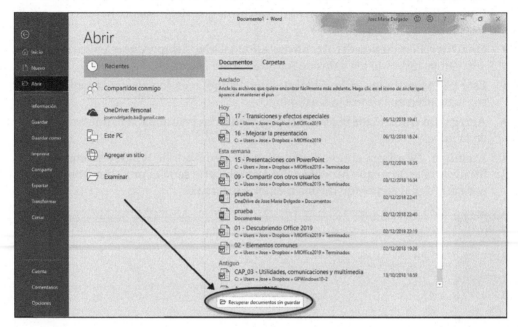

Figura 2.5. Recuperar documentos sin guardar.

Plantillas

Las plantillas son un magnífico recurso que no deberíamos pasar por alto. Se trata de documentos de diferentes temáticas, que contienen elementos de diseño predefinidos con los que se ahorra mucho trabajo y se llevan a cabo proyectos profesionales con muy poco esfuerzo.

En la pantalla de inicio de Word, Excel o PowerPoint aparecen algunos modelos de plantillas, pero quizás la mejor forma de comenzar un trabajo sea utilizar el comando Nuevo, donde además de mostrar diferentes ejemplos podrás recurrir al buscador de plantillas en línea. Escribe el término sobre el que desees encontrar alguna plantilla relacionada y al instante el aspecto de la ventana se transformará como en la figura 2.6. Navega por el resultado de la búsqueda hasta encontrar la plantilla que mejor se adapte a tus necesidades.

Haz clic una sola vez sobre cualquier modelo y al instante aparecerá una pequeña ventana con una breve descripción junto al botón Crear. Si deseas utilizarlo, haz clic en este botón.

Si tienes claro qué plantilla usar, haz doble clic sobre ella para descargarla y comenzar a trabajar.

Figura 2.6. Resultado después de utilizar el buscador de plantillas en línea.

Es importante prestar atención al listado de categorías que aparece en el margen derecho después de ejecutar la búsqueda de plantillas en línea. Esta clasificación ofrece una idea del número y diversidad de ejemplos disponibles.

Interfaz de usuario

Una vez superada la ventana inicial aparecerá el entorno de la aplicación. Microsoft ha elegido un color predominante para cada una de ellas, pero al margen de esta particularidad, observa con atención la parte superior donde se encuentra la cinta de opciones. En ella se incluyen la mayoría de las funciones y comandos disponibles.

En la figura 2.7 hemos resaltado gráficamente los elementos principales que conforman la interfaz de las aplicaciones de Microsoft Office. A continuación, comentaremos el propósito de cada uno de ellos.

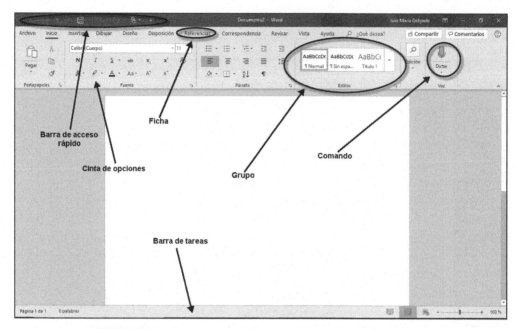

Figura 2.7. Elementos comunes del entorno de las aplicaciones de Office.

Cinta de opciones

Como sustituto a los menús e iconos de toda la vida, la cinta de opciones se ha convertido en uno de los elementos más característicos de las aplicaciones diseñadas por Microsoft en los últimos años. Será nuestro cuadro de mandos y en ella encontraremos las diferentes opciones, comandos y herramientas disponibles en cada una de las aplicaciones de Microsoft Office.

La cinta de opciones está compuesta por diferentes elementos:

- **Fichas:** En la parte superior de la cinta de opciones encontramos diferentes categorías: Inicio, Insertar, Diseño... Cada una de ellas está destinada a una tarea concreta como aplicar formato, añadir elementos gráficos o recopilar las funciones más comunes como sería el caso de la ficha Inicio. En determinadas circunstancias, las aplicaciones de Office muestran fichas específicas para trabajar con gráficos, imágenes o tablas.

- **Grupos de comandos:** El siguiente elemento que organiza las funciones y herramientas dentro de cada ficha serían los grupos de comando. Divididos por una fina línea de color más oscuro, haremos referencia a ellos por el nombre que aparece en la parte inferior. En función del tamaño de la pantalla, los grupos podrán mostrar todos sus elementos o solo el nombre del grupo y un pequeño icono en la parte inferior sobre el que deberás hacer clic para acceder al resto de comandos.

- **Comandos:** Por último, cada grupo incluye los comandos, herramientas y funciones asociadas.

El elemento Archivo es diferente al resto de fichas. Ofrece acceso a una serie de comandos que trataremos en los apartados siguientes.

Muchos de los botones o iconos incluidos en la cinta de opciones aparecen divididos en dos partes (ver figura 2.8). Si haces clic sobre la pequeña flecha situada a la derecha o en la parte inferior, se desplegará un listado de opciones relacionadas. Por otra parte, si haces clic sobre el propio icono el resultado será aplicar directamente el comando asociado.

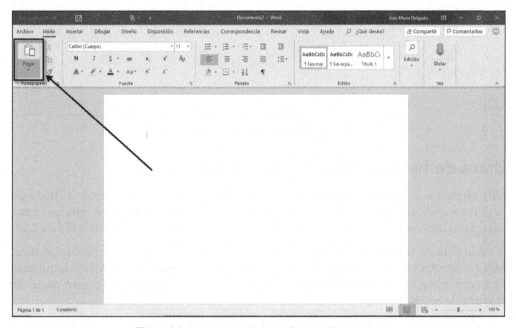

Figura 2.8. Botones complejos en la cinta de opciones.

Si quieres tener un entorno de trabajo más despejado, oculta la cinta de opciones con tan solo un clic en el icono que hemos resaltado en la figura 2.9. Para mostrarla de nuevo, selecciona alguna de las fichas. Si finalmente quieres volver a fijarla en su posición habitual, selecciona el icono con forma de chincheta situado en el extremo derecho.

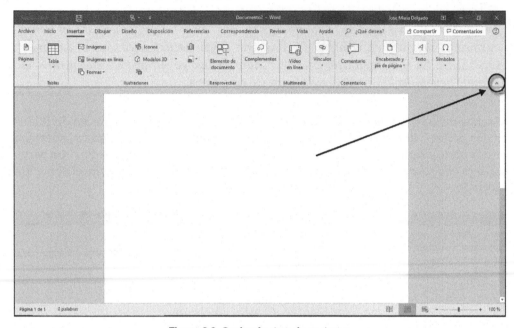

Figura 2.9. Ocultar la cinta de opciones.

Barra de herramientas de acceso rápido

Otro elemento importante del entorno de Office es la barra de acceso rápido situada en la parte superior izquierda. Por defecto, incluye una serie de comandos básicos como Guardar o Deshacer. Si deseas configúrala, hazlo con el icono destacado en la figura 2.10.

Si en la lista de comandos más utilizados no hallas la opción que necesitas, selecciona Más comandos para mostrar un cuadro de diálogo donde en la columna de la izquierda aparecen todos los comandos del programa y a la derecha, los que ya forman parte de la barra de acceso rápido.

Con el último comando de la lista se cambia la ubicación de esta barra (es posible colocarla encima o debajo de la cinta de opciones).

Barra de estado

El propósito de la barra de estado es proporcionarnos información adicional sobre cualquier aspecto del programa. Se encuentra en la parte inferior de la pantalla y, en aplicaciones como Word o Excel, resulta imprescindible en multitud de tareas.

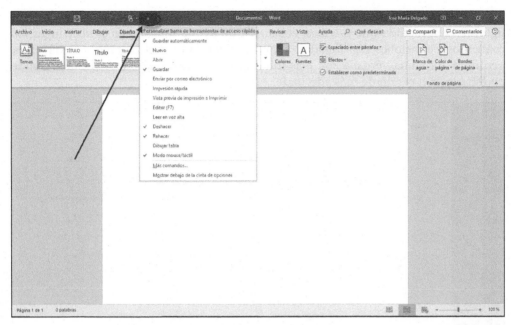

Figura 2.10. Personalizar la barra de herramientas de acceso rápido.

El menú Archivo

Selecciona el menú Archivo y aparecerá una nueva ventana con diferentes comandos de uso común como Guardar, Guardar como, Compartir o Exportar y, a la derecha, las opciones relacionadas con estos comandos (ver figura 2.11). Para volver de nuevo al entorno del programa desde las opciones del menú Archivo, pulsa la tecla Esc o haz clic en el icono situado en la esquina superior izquierda.

Otro de los elementos destacados del menú Archivo es el comando Imprimir. Con solo dos clics de ratón tendrás una vista preliminar del documento y, por supuesto, acceso a los parámetros de configuración más comunes como el número de copias, la impresora por defecto, la orientación, los márgenes, etcétera. Sobre la vista preliminar podremos aplicar diferentes porcentajes de zoom y avanzar o retroceder páginas para comprobar el aspecto de todo el documento.

Tampoco debemos olvidar las posibilidades de los comandos Compartir que trataremos un poco más adelante y Exportar (con el que convertir en PDF un documento y enviarlo por correo electrónico será un juego de niños).

Cuadro de información

En la parte superior de la cinta de opciones, justo en la última posición de la lista de fichas, se encuentra un cuadro de texto con el título ¿Qué desea hacer? En él, escribe una pregunta, el nombre de un comando o dudas que te surjan. Como se aprecia en la figura 2.12, a medida que escribes, el sistema de ayuda muestra en primer lugar los comandos y funciones relacionadas, a continuación la opción Obtenga ayuda sobre permitirá abrir una ventana con más información sobre la cuestión solicitada donde podrás elegir el resultado más adecuado.

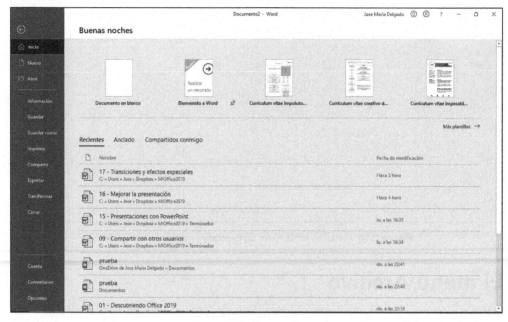

Figura 2.11. Menú Archivo.

Búsqueda inteligente

Siguiendo con las posibilidades que ofrece un equipo conectado, queremos describir el significado de una característica disponible en la mayoría de las aplicaciones de Office, nos refererimos a las búsquedas inteligentes.

Haz clic con el botón derecho sobre cualquier palabra y el menú emergente selecciona el comando Búsqueda inteligente. Comprueba cómo de inmediato aparece en el margen derecho una ventana con información sobre el término seleccionado, tal y como muestra la figura 2.13.

Bueno, hasta aquí podríamos decir que el comando descrito no es más que un acceso directo a cualquier buscador de Internet. Entonces, ¿por qué se denomina «inteligente»? La respuesta está en el modo en que realiza la búsqueda, ya que no solo tiene en cuenta el término seleccionado sino el contexto en el que se encuentra. De esta forma, el resultado será distinto en función de la frase o párrafo donde esté incluido el texto elegido con el propósito de encontrar la respuesta más adecuada en cada caso.

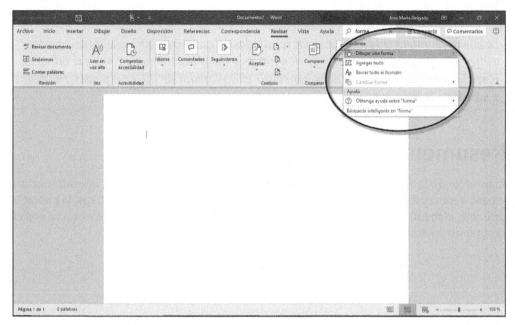

Figura 2.12. ¿Qué desea hacer?

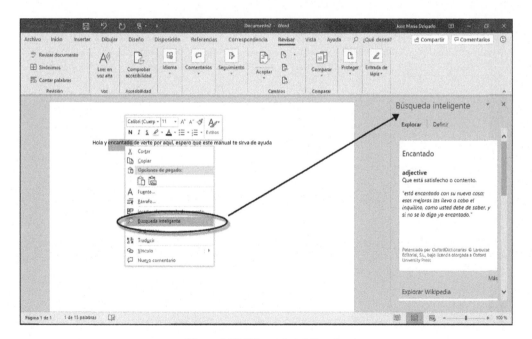

Figura 2.13. Búsqueda inteligente.

Resumen

Manteniendo la filosofía de la colección, en este primer capítulo hemos querido dar un repaso a conceptos comunes como la estructura básica del sistema de archivos, la pantalla de inicio, el menú Archivo... sin olvidar los elementos más importantes del entorno como la cinta de opciones, la barra de tareas o la de acceso rápido.

3

Primeros pasos con Word

- Crear un nuevo documento.
- Escribir tus primeras palabras en Word.
- Llevar a cabo procesos de selección.
- Editar aspectos básicos del texto.
- Utilizar los comandos Rehacer y Deshacer.
- Cortar, Copiar y Pegar.
- Obtener ayuda desde Microsoft Word.

Introducción

Comenzamos con el que es sin duda uno de los programas más conocidos y utilizados del paquete de programas Microsoft Office, hablamos por supuesto de Word. Es el procesador de textos de la suite y resulta una herramienta imprescindible tanto para trabajos profesionales como para nuestras necesidades domésticas.

El modo de presentar un informe, análisis o cualquier documento refleja mucho sobre nosotros mismos, nuestras intenciones y forma de actuar. Por este motivo, se hace indispensable aprender a trabajar con un procesador de textos como herramienta para crear proyectos con un aspecto profesional y elegante.

Una recomendación, no utilices demasiados recursos de diseño que recarguen en exceso los documentos. Es mejor emplear los elementos justos para conseguir un aspecto homogéneo y tener como objetivo que el destinatario del documento preste más atención a su contenido que a su apariencia, pero sin que esta última resulte desagradable o incómoda. Sin duda, un complicado equilibrio sobre el que intentaremos arrojar algo de luz en los próximos capítulos.

Nuevo documento en blanco

Ya sabemos iniciar la aplicación, de modo que, sin más, veamos cómo crear nuestro primer documento. La forma más rápida y sencilla es la siguiente:

1. En la página de inicio de la aplicación, justo en el margen derecho, se encuentran todas las plantillas disponibles.
2. Haz clic sobre la primera de ellas denominada Documento en blanco tal y como muestra la figura 3.1.
3. Después, tendrás acceso al entorno de Microsoft Word con un documento en blanco listo para empezar a trabajar.

> **ADVERTENCIA:**
>
> *Word abre una ventana de aplicación diferente para cada documento. Es decir, tendrás tantas versiones de Word ejecutándose como documentos abiertos, así será mucho más sencillo pasar de uno a otro con la combinación de teclas* Control-Tab.

Una vez dentro del entorno de trabajo de la aplicación, también es posible crear un nuevo documento, pero en este caso es necesario recurrir al menú Archivo y al comando Nuevo. En el margen derecho aparecen de nuevo todas las plantillas disponibles para que selecciones la que necesites en cada caso.

No olvides el buscador de plantillas en línea. Escribe cualquier término relacionado con el modelo de plantilla que necesitas y seguro que encontrarás alguna opción interesante.

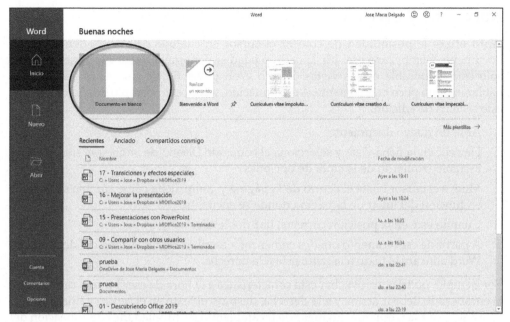

Figura 3.1. Pantalla de inicio y plantilla Documento en blanco.

Abrir un documento existente

En el capítulo anterior describimos la manera de abrir archivos así que no vamos a extendernos en este sentido. Solo hay que recordar que tanto desde la pantalla de inicio de la aplicación como desde el comando Abrir situado en el menú Archivo se accede al historial de los últimos documentos abiertos. Del mismo modo, dispones de la posibilidad de abrir archivos situados en ubicaciones locales o en OneDrive.

Por último, con el comando Examinar tienes acceso al contenido completo del equipo para abrir esos documentos que se encuentren fuera de las carpetas predeterminadas.

> **TRUCO:**
>
> *Recuerda que la barra de herramientas de acceso rápido se personaliza añadiendo los comandos que emplees con más frecuencia. Entre la lista que aparece después de hacer clic en el pequeño icono situado a la izquierda del último icono, encontrarás el comando* Abrir.

El punto de inserción

El punto de inserción es la barra vertical negra parpadeante que aparece en la esquina superior izquierda cuando creamos un documento nuevo. Su función principal es determinar la posición exacta desde la que se introducirá nuevo texto.

Hacer clic y escribir

Word ofrece la posibilidad de colocar el cursor en cualquier posición dentro de un documento y empezar a escribir. Esta propiedad se denomina Hacer clic y escribir, pero solo está disponible en las vistas Diseño Web y Diseño de impresión, de las que hablaremos un poco más adelante. A continuación, veamos un ejemplo de cómo funciona este sistema de edición:

1. Abre un nuevo documento.

2. Haz clic en la ficha Vista y selecciona el comando Diseño de impresión situado en el extremo izquierdo de la cinta de opciones.

3. Mueve el cursor hasta el centro de la página y comprueba cómo cambia su aspecto en función del lugar de la página donde se encuentre.

4. Cuando esté en la posición correcta, haz doble clic.

5. A partir de ese momento puedes comenzar a escribir. Según la zona del documento, Word alineará el texto a la izquierda o la derecha.

Por ejemplo, podrías aprovechar esta característica a la hora de escribir una carta donde el encabezado debe ir arriba y a la derecha, después el texto en el centro y finalmente la firma abajo y a la izquierda. En lugar de ir cambiando las propiedades de alineación del texto o emplear la tecla Intro, sitúa el cursor donde necesites y listo.

Movimientos del punto de inserción

El punto de inserción es un elemento que permitirá añadir texto entre dos palabras, caracteres o párrafos, así como elementos gráficos, objetos, etcétera. Pero antes debemos conocer los métodos para situarlo en la posición adecuada. Por supuesto, la forma más sencilla es hacer clic con el cursor en el lugar exacto, pero en la tabla 3.1 encontrarás un buen número de atajos de teclado para realizar las operaciones más habituales y con los que ahorrarás mucho tiempo.

Tabla 3.1. Teclas asociadas al movimiento del punto de inserción.

Tecla	Acción
Flecha dcha	Mueve el punto de inserción un carácter a la derecha.
Flecha izda	Mueve el punto de inserción un carácter a la izquierda.
Flecha arriba	Mueve el punto de inserción a la línea anterior.
Flecha abajo	Mueve el punto de inserción a la línea siguiente.
Control-Flecha dcha	Mueve el punto de inserción una palabra a la derecha.

Control-Flecha izda	Mueve el punto de inserción una palabra a la izquierda.
Inicio	Mueve el punto de inserción al principio de la línea actual.
Fin	Coloca el punto de inserción detrás de la última palabra de la línea actual.
Control-Inicio	Mueve el punto de inserción al principio del documento actual.
AvPág	Desplaza el punto de inserción una pantalla hacia abajo.
Control-Fin	Mueve el punto de inserción hasta el final del documento actual.
RePág	Desplaza el punto de inserción una pantalla hacia arriba.

Seleccionar...

La acción de Seleccionar consiste en resaltar todo o parte del texto incluido en el documento para luego realizar sobre él algún tipo de modificación. Como se aprecia en la figura 3.2, después de efectuar cualquier operación de selección sobre el texto, este aparece destacado facilitando su identificación.

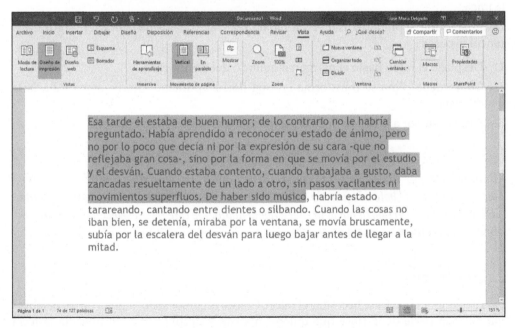

Figura 3.2. Texto seleccionado.

Para entender mejor el concepto de selección y poder practicar al mismo tiempo que explicamos los diferentes métodos disponibles, crea un nuevo documento y escribe varios párrafos cortos. Después, comprueba sobre el texto que acabas de teclear cada una de las opciones siguientes.

...un carácter

Para seleccionar el carácter situado inmediatamente a la izquierda o a la derecha del punto de inserción, mantén pulsada la tecla Mayús y haz clic sobre la tecla de cursor Flecha dcha. o Flecha izda.

...una palabra

Para seleccionar una palabra basta con mantener pulsadas las teclas Control-Mayús al tiempo que utilizas la tecla Flecha izda. o Flecha dcha. Con el ratón el método es mucho más sencillo, dado que solo es necesario hacer doble clic sobre la palabra que quieras seleccionar.

...una línea

En primer lugar, coloca el cursor al principio de la línea usando la tecla Inicio. A continuación, mantén pulsada la tecla Mayús mientras haces clic sobre la tecla Fin. Si no se encuentra al principio de la línea, selecciónala desde el punto actual hasta el final de la línea.

De igual forma, si prefieres usar el ratón para realizar esta misma operación, sigue estos sencillos pasos:

1. Desplaza el ratón hasta el margen izquierdo del documento.
2. Comprueba cómo se transforma en una flecha apuntando hacia arriba y hacia la derecha.
3. Sitúa el cursor a la altura de la línea que quieres seleccionar y haz clic.

TRUCO:

Para seleccionar líneas de texto consecutivas, tanto hacia arriba como hacia abajo, mantén pulsado el botón izquierdo del ratón cuando se encuentre en el margen izquierdo del documento y arrastra hacia arriba o hacia abajo. De este modo seleccionarás tantas líneas consecutivas como desees.

...una frase

Para seleccionar una frase necesitas el ratón. Coloca el cursor sobre alguna de las palabras que forman parte de la frase que quieres marcar, y después mantén pulsada la tecla Control al mismo tiempo que haces clic con el botón izquierdo del ratón.

...un párrafo

Se entiende por un párrafo el bloque de texto contenido entre dos pulsaciones de la tecla Intro. El punto final de la frase no delimita el final de un párrafo, aunque en algunas ocasiones pueden coincidir. El final de párrafo lo determina la marca de fin de párrafo que aparece al pulsar Intro. Si quieres ver esta marca, haz clic en el icono Mostrar todo situado en la ficha Inicio (ver figura 3.3).

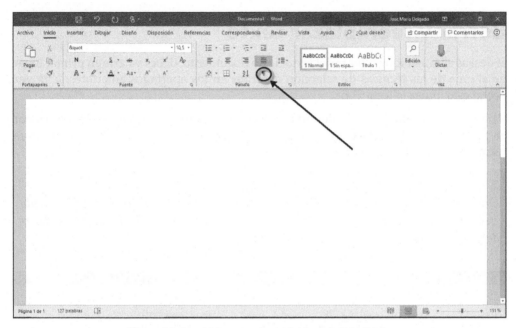

Figura 3.3. Icono Mostrar todo, incluido en la ficha Inicio.

Para seleccionar un párrafo completo, debes hacer un triple clic, es decir, tres pulsaciones consecutivas con el botón izquierdo del ratón. Quizás al principio cueste un poco, pero seguro que después de hacerlo varias veces no tendrás ningún problema.

...parte de un párrafo

Cuando necesites seleccionar solo parte de un párrafo, o incluso de varios, sigue estos pasos:

1. Sitúa el punto de inserción delante del primer carácter en la zona de texto que quieres marcar.

2. A continuación, mantén pulsada la tecla Mayús y haz clic con el ratón sobre la palabra que será la última que contendrá el fragmento de texto seleccionado.

Para ajustar de forma más precisa este método de selección, emplea las teclas Flecha izda. y Flecha dcha, mientras pulsas Mayús.

...todo, de todo

Para seleccionar todo el documento existen varios métodos, pero el más sencillo es la combinación de teclas Control-E o la opción Seleccionar todo del comando Seleccionar situado en el extremo derecho de la ficha Inicio. No olvides que al seleccionar todo también se incluyen los objetos que contenga el documento como imágenes, líneas, etcétera.

Borrar y reemplazar texto

Si deseas eliminar todo o parte del texto de un documento, debes valerte en primer lugar de alguna de las técnicas de selección descritas en los apartados anteriores. Una vez hecho esto, pulsa la tecla Supr.

Para sustituir cualquier texto dentro del documento, también es necesario seleccionar en primer lugar el fragmento que quieres cambiar y después empezar a escribir para reemplazar el texto original.

TRUCO:

Observa en la figura 3.4 la situación del comando Borrar todo el formato *situado en la ficha* Inicio. *Utilízalo para conservar el texto, para eliminar todas sus propiedades de formato como negrita, cursiva, subrayado, etcétera.*

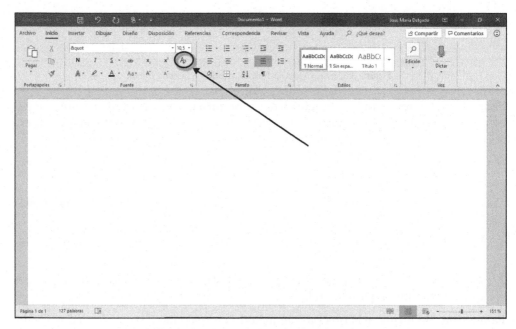

Figura 3.4. Comando Borrar todo el formato.

Insertar texto

Insertar texto es una operación muy habitual, y para llevarla a cabo lo único que debes hacer es situar el punto de inserción en la posición exacta dentro del documento en el que quieres añadir el nuevo texto y escribir.

Unir y separar párrafos

Otra de las tareas comunes cuando trabajamos con un procesador de textos es unir y separar párrafos. Como hemos comentado en los apartados anteriores es posible reconocer las marcas de fin de párrafo dentro del documento con el comando Mostrar todo. Después de utilizarlo comprueba cómo el documento se llena de puntos negros y de símbolos extraños.

Explicamos todo esto porque no siempre podrás localizar con exactitud dónde acaba un párrafo y dónde empieza el siguiente. Al activar esta opción no tendrás problemas, pero una vez hayas cumplido tu misión te recomendamos que la desactives para evitar distraerte entre tanto símbolo.

Y, por fin, ¿cómo unimos y separamos párrafos? Pues bien, para unir dos párrafos:

1. Desplaza el punto de inserción hasta el final de este y…
2. Pulsa la tecla Supr.

Pero si lo que quieres es separar o dividir el párrafo en dos:

1. Sitúa el punto de inserción en el lugar en el que desees realizar la división.
2. Pulsa la tecla Intro.

Deshacer y rehacer

Rectificar es de sabios: es un aforismo que conocemos todos y que hace alusión directa a lo sencillo que resulta cometer errores. En Word en particular, y en cualquiera de las aplicaciones de Office en general, lo tenemos fácil gracias a los potentes comandos que permiten deshacer cualquier operación e incluso volver a restablecer la modificación si decidimos cambiar de opinión.

Los comandos en cuestión son Deshacer y Rehacer y se encuentran por defecto en la barra de herramientas de acceso rápido como se aprecia en la figura 3.5.

Deshacer

Este comando restablece el aspecto del documento después de ejecutar alguna operación de edición sobre él: Cortar, Pegar, operaciones de formato, etcétera. Lo cierto es que se pueden deshacer casi todos los comandos disponibles en Word, salvo raras excepciones.

Word dispone de múltiples instancias del comando Deshacer, es decir, puedes restaurar una larga lista de las últimas acciones realizadas sobre el documento. Simplemente ejecuta el comando repetidamente para deshacer todas las acciones que necesites.

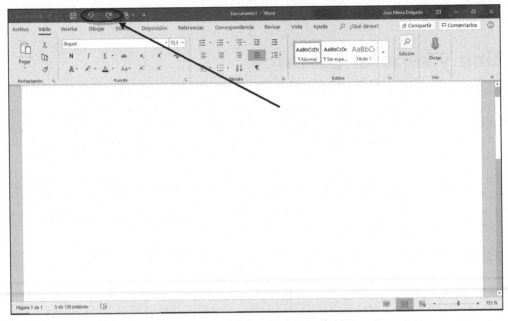

Figura 3.5. Comandos Deshacer y Rehacer en la barra de acceso rápido.

Rehacer

Este comando recupera los cambios realizados con Deshacer. Rehacer se encuentra situado en la barra de herramientas de acceso rápido, justo a continuación del comando Deshacer.

Para rehacer más de una acción, en la barra de herramientas Estándar haz clic sobre el botón tantas veces como operaciones necesites recuperar.

Movimiento vs. desplazamiento

Antes de tratar con detalle el funcionamiento y utilidad de las barras de desplazamiento, queremos explicar la diferencia entre moverse y desplazarse dentro de un documento de Word. Aunque esto no parezca relevante, son dos conceptos que resulta esencial no confundir y se deben tener muy claros ya que dentro de Word no tienen un significado tan semejante como en la vida real.

Modificar la posición del punto de inserción en un documento de Word entraría dentro de la definición de «moverse» por el texto. Desplazarse, sin embargo, no implica un cambio de posición del punto de inserción, sino que se trata de mostrar cualquier otra parte del documento gracias a las barras de desplazamiento.

ADVERTENCIA:

Las teclas RePág (Página arriba) *y* AvPág (Página abajo) *además de avanzar o retroceder en el documento también modifican la posición del punto de inserción por lo que no podemos considerarlas herramientas de desplazamiento.*

Las barras de desplazamiento son el principal medio para desplazarnos en documentos largos además, por supuesto, de las teclas avanzar (AvPág) y retroceder página (RePág). Los elementos más importantes que podemos encontrar en las barras de desplazamiento son los siguientes:

- **Botones de desplazamiento:** Hacen referencia a los botones situados en los extremos. En la barra de desplazamiento vertical, el documento avanza o retrocede una sola línea, según utilicemos la flecha superior o inferior. En el caso de la barra horizontal, el documento se desplaza a la derecha o la izquierda utilizando movimientos cortos.

- **Cuadro de desplazamiento:** Determina la posición relativa en la que nos encontramos con respecto a la longitud total del documento. Haz clic sobre él y mantén pulsado el botón izquierdo del ratón para mostrar información sobre el número de página actual, información también disponible en la barra de estado. Al hacer clic sobre este cuadro y desplazarlo, podrás llegar a cualquier zona del documento fácilmente, con la ventaja de que al mismo tiempo que deslizamos el cuadro se muestra el número de página.

- **Zona gris:** Se trata del espacio definido entre los botones superior e inferior y el cuadro de desplazamiento. Esta zona sirve para deslizar el documento una pantalla completa hacia arriba, hacia abajo, a la izquierda o a la derecha.

TRUCO:

Una forma realmente cómoda de desplazarnos por un documento es utilizar la rueda del ratón o la función táctil del trackpad del portátil. Su función es equivalente a usar las barras de desplazamiento.

Si deseas desplazarte rápidamente hasta el principio del documento emplea el atajo de teclado Control-Inicio. Del mismo modo, si necesitas ir hasta la última línea usa la combinación Control-Fin. Estas son las pequeñas cosas que harán que día a día mejores tu habilidad con Word.

Cortar, copiar y pegar... por si acaso

Cortar, copiar y pegar son acciones tan utilizadas y comunes que seguramente no necesiten demasiadas explicaciones. En cualquier caso, para cumplir con la filosofía de la colección nos detendremos brevemente a explicar estos tres conceptos.

El Portapapeles

Antes de continuar, tratemos un elemento esencial e íntimamente relacionado con los comandos Cortar, Copiar y Pegar, nos referimos al Portapapeles. Este será el destino de los contenidos cortados o copiados. Se comporta como un contenedor de elementos donde podrás tener al mismo tiempo parte de un documento de Word, datos de una hoja de Excel, presentaciones de PowerPoint e incluso resultados de Access, y todos se pueden tratar de forma conjunta o independiente.

ADVERTENCIA:

El Portapapeles *es un elemento común a todas las aplicaciones basadas en el sistema operativo Windows, pero la posibilidad de incluir múltiples elementos dentro de él, por ahora, solo está disponible en Office.*

En ocasiones resulta útil visualizar el contenido del Portapapeles y aún más acceder a él. Para mostrarlo haz clic en el pequeño icono resaltado en la figura 3.6. Una vez en pantalla puedes aprovechar sus posibilidades como describimos a continuación:

- El botón Pegar todo insertará todo el contenido almacenado en el Portapapeles en el lugar donde se encuentre el punto de inserción.

- Borrar todo vacía por completo el Portapapeles.

- Para utilizar un elemento en concreto alojado en el Portapapeles, solo es necesario hacer clic sobre él y al instante se añadirá al documento. Word muestra parte del elemento copiado, de modo que te resulte mucho más sencillo identificarlo.

- El botón Opciones configura algunos comportamientos del Portapapeles como hacer que aparezca automáticamente cuando copiamos dos o más elementos, o al ejecutar dos veces la combinación Control-C.

NOTA:

El Portapapeles *de Office no solo admite palabras o párrafos, también permite incluir imágenes, vínculos, celdas y gráficos de hojas de cálculo, etcétera.*

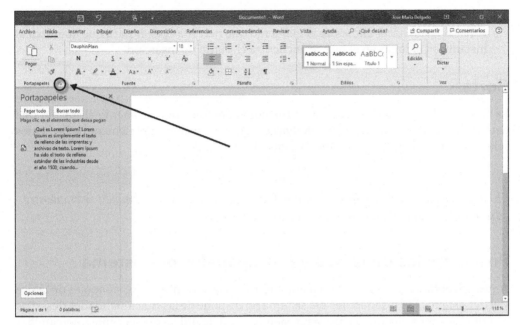

Figura 3.6. Mostrar Portapapeles de Office.

Copiar

El proceso de copia consiste en enviar el texto o los objetos seleccionados al Portapapeles dejando intactos los elementos originales:

1. Utiiza los métodos descritos en este capítulo para seleccionar lo que deseas copiar.
2. Busca la ficha Inicio y en el margen izquierdo, haz clic sobre Copiar. A partir de este momento, la selección se encuentra en el Portapapeles.

TRUCO:

El atajo de teclado asociado al comando Copiar *es* Control-C, *no lo olvides.*

Pegar

Después de ejecutar el comando Copiar, el siguiente paso será colocar el texto o los objetos copiados en el lugar adecuado:

1. Sitúa el punto de inserción en la posición exacta a partir de la cual deseas añadir el texto copiado o incluir el objeto.
2. Busca la ficha Inicio y haz clic en el comando Pegar situado en el extremo izquierdo. También puedes usar la combinación de teclas Control-V. Ambas opciones pegarán el último objeto copiado o cortado.

3. Asimismo, es posible emplear el propio panel Portapapeles. En este caso, será suficiente con hacer clic sobre el elemento que necesitas pegar para que aparezca al instante en el lugar en el que se encuentre el punto de inserción.

Cortar

La filosofía del comando Cortar y su funcionamiento es prácticamente el mismo que hemos visto para Copiar. La única diferencia es que Cortar elimina el elemento o elementos seleccionados al tiempo que lo incluye en el Portapapeles.

> **TRUCO:**
>
> *El atajo de teclado asociado al comando* Cortar *es* Control-X *y también se encuentra disponible en la cinta de opciones en forma de botón.*

Portapapeles de Office y Portapapeles del sistema

Antes de continuar queremos contar algo sobre la relación entre el Portapapeles de Office y el del sistema. El Portapapeles del sistema no dispone de las funcionalidades descritas en Office, pero en cualquier caso sigue siendo igual de útil ya que permite intercambiar elementos entre aplicaciones de todo tipo e incluso de distintos fabricantes. Por ejemplo, podríamos copiar el contenido de una página web desde nuestro navegador favorito y pegarlo en el documento de Word con el que estemos trabajando. Del mismo modo, podríamos usar cualquier texto u objeto copiado en Word y utilizarlo en otras muchas aplicaciones, sin que necesariamente pertenezca a Office. Todo ello es posible si se combina el Portapapeles del sistema con el de Office.

> **NOTA:**
>
> *Office siempre copia al* Portapapeles del sistema *el último de los elementos cortado o pegado. Esto puede servir para pegar el último elemento copiado en alguna de las aplicaciones de Office o en cualquier otro programa. Del mismo modo, cuando vacías el* Portapapeles de Office, *también borras el del sistema.*

Impresión de documentos

Una vez acabado nuestro trabajo estaremos deseando ver los resultados. Aunque a primera vista parece sencillo, a la hora de imprimir nuestros documentos existen algunos conceptos imprescindibles que debemos conocer y tener en cuenta.

La forma más rápida de imprimir el documento actual es con el comando Imprimir situado en el menú Archivo:

1. Haz clic en el menú Archivo y selecciona el comando Imprimir para mostrar la ventana de la figura 3.7.

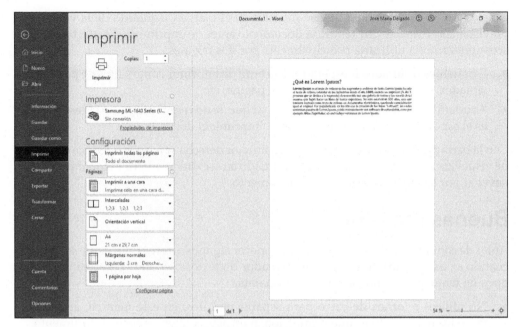

Figura 3.7. Cuadro de diálogo Imprimir.

2. Si tienes más de una impresora instalada, en la lista Impresora elige el dispositivo que desees emplear en cada caso. Además, con la opción Propiedades de la impresora ajusta sus parámetros.

La primera opción de la sección Configuración permite escoger entre imprimir todo el documento, la página actual o el intervalo de páginas que desees. Los intervalos de páginas se determinan separando con un guion las páginas consecutivas y con una coma las alternas en el cuadro de texto Páginas. Por ejemplo, el intervalo «15-17, 20» imprimiría las páginas 15, 16, 17 y 20.

3. En las opciones siguientes debes elegir entre imprimir a una o dos caras, la forma de distribuir las páginas en caso de imprimir varias copias del documento, la orientación, el tamaño del papel o los valores asociados a los márgenes del documento.

4. La última de las opciones ofrece la posibilidad de incluir más de una página del documento dentro de cada hoja impresa y de ajustar el tamaño del documento a diferentes formatos de papel (mediante el último comando de la lista denominado Escalar al tamaño del papel). La función de escalado del papel es solo temporal.

5. Una vez establecidos todos los ajustes necesarios y comprobado que todo es correcto en la vista preliminar, haz clic en el botón Imprimir.

TRUCO:

Si deseas imprimir varias copias de un documento utiliza el recuadro de texto llamado Copias *situado a la derecha del botón* Imprimir.

Gracias a la vista preliminar que se muestra en el margen izquierdo de la ventana se previsualiza el aspecto que tendrá el documento antes de imprimirlo. Es una buena idea acostumbrarnos a utilizarla principalmente por dos razones:

- Evitaremos resultados inesperados a la hora de imprimir como saltos de página mal situados, orientación inadecuada de la página, etc.

- Ayudará a salvar algún que otro árbol, ya que, si nos equivocamos o el resultado no es el esperado, tendremos que volver a imprimir el documento.

Con la barra de zoom situada en la esquina inferior derecha se amplía o reduce el tamaño de visualización. También con el control situado en el extremo inferior izquierdo puedes navegar por las distintas páginas del documento.

Buenas maneras

Antes de continuar, creemos conveniente conocer algunos errores típicos que se cometen cuando se usa por primera vez un procesador de textos. Algunos parecerán obvios y otros no tanto, pero es bueno tenerlos en cuenta:

- No utilices retornos de carro para separar párrafos; en este manual, aprenderás métodos más elegantes que proporcionan un aspecto homogéneo al documento.

- No es recomendable usar espacios en blanco para cambiar la posición del texto. Hay herramientas de alineación específicas con las que podrás hacerlo de forma mucho más sencilla.

- Para aplicar el sangrado en la primera línea de un párrafo se emplearán las herramientas de sangría que estudiaremos en este libro y no la tecla Tab, aunque este puede ser un método de emergencia para textos cortos.

- Word permite definir el límite donde termina una página y empieza la siguiente, por lo que no es necesario pulsar repetidamente la tecla Intro para situar un párrafo en la página consecutiva.

- Si necesitas crear un documento con varias columnas, existen comandos en Word que sirven para este fin sin tener que insertar tabuladores, espacios o cualquier otro recurso manual.

- Office incluye herramientas para revisar tanto la ortografía como la gramática de un documento. Utilízalas, no hay nada más desagradable que un texto repleto de errores ortográficos.

- Usa tipos de letras sencillos y fáciles de leer, de lo contrario el documento parecerá excesivamente sobrecargado.

NOTA:

En estos consejos hemos descrito conceptos que quizás no conozcas como, por ejemplo, sangrías o tabuladores. A lo largo de los capítulos siguientes los explicaremos con detalle y aprenderás a trabajar con ellos sin problemas.

Resumen

Hemos comenzado describiendo en este primer capítulo algunos conceptos sencillos: crear y abrir documentos, utilizar el punto de inserción, seleccionar texto, desplazarse, imprimir, etcétera.

El Portapapeles y las operaciones de Cortar, Copiar y Pegar ocupan un espacio importante en la funcionalidad de cualquier aplicación, pero más si se trata de un procesador de textos como Word o una hoja de cálculo como Excel. Cuando copias, envías la selección al Portapapeles, pero manteniendo intacto el original; en cambio, cuando cortas, al mismo tiempo que envías la selección al Portapapeles, esta desaparece del documento. Por último, el comando Pegar coloca el contenido del Portapapeles en el lugar en el que se encuentre el cursor.

4

Formato de carácter y párrafo

- Reconocer los tipos de letra y su tamaño.
- Aprovechar las posibilidades del comando Fuente.
- Aplicar diferentes atributos de fuentes.
- Definir el espacio entre caracteres.
- Añadir símbolos y fórmulas.
- Alinear párrafos.
- Utilizar viñetas y numeraciones.
- Definir sangrías y tabuladores.
- Usar la regla.
- Copiar y pegar formato.

Introducción

Hemos descrito algunos de los aspectos más básicos de Office y cómo empezar a trabajar con Word, pero todavía no sabemos cómo dar forma y mejorar el aspecto de nuestros documentos. En este capítulo empezaremos por los comandos para cambiar el tamaño de fuente, la alineación de párrafos, el sangrado, entre otros.

Cuidar el resultado final de un documento es fundamental, y no solo se trata de revisar la ortografía o de vigilar la redacción, también es importante prestar atención a su apariencia. Si lo hacemos así, nuestros trabajos tendrán un aspecto mucho más profesional y elegante. En los siguientes apartados descubriremos un buen número de opciones para trabajar sobre el formato de cualquier documento.

Formatos de carácter

La idea de este capítulo es dividir las posibilidades de formato de Word en dos grandes grupos. En primer lugar, describiremos los atributos más comunes para dar forma, mejorar o resaltar caracteres, palabras o textos. A este conjunto de comandos se les denomina formatos de carácter o de fuente y para emplearlos es necesario recurrir al grupo Fuente de la ficha Inicio.

Fuentes

Las fuentes, o tipos de letras como se les denomina más comúnmente, son colecciones de caracteres que comparten características similares en cuanto a su aspecto y diseño. Estas colecciones incluyen letras, números, símbolos y caracteres especiales (no todos los tipos de fuentes incluyen todos los caracteres, por ejemplo, nuestra querida eñe o las vocales con tilde). También existen tipos especiales que solo contienen símbolos o caracteres especiales; dos ejemplos serían las fuentes Wingdings y Symbols.

ADVERTENCIA:

No es recomendable utilizar demasiados tipos de fuentes dentro de un mismo documento. Para el grueso del texto es aconsejable recurrir a tipos de letra de fácil lectura.

En Word existen varias formas de seleccionar el tipo de fuente para un texto. La más sencilla es la lista desplegable Fuente situada en la ficha Inicio (ver figura 4.1). Esta lista muestra el nombre de cada fuente con su propio aspecto; de este modo, tenemos una vista preliminar de la fuente sin necesidad de aplicarla.

Si todavía no has empezado a escribir, elige la fuente que desees en la lista desplegable Fuente y, a partir de ese momento, el texto aparecerá con el modelo seleccionado. Pero si lo que necesitas es modificar la fuente de cualquier palabra o párrafo del documento:

1. Marca el texto que cambiarás siguiendo alguno de los métodos descritos en el capítulo anterior.

2. Abre la lista Fuente de la ficha Inicio y elige el tipo de letra que asignarás al texto seleccionado.

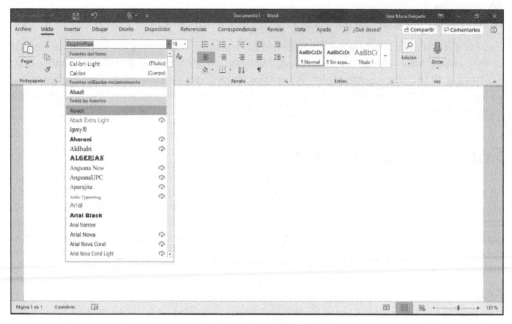

Figura 4.1. Lista desplegable Fuente.

Tamaño de fuente

Para definir el tamaño de las fuentes existe una unidad de medida especial, los puntos (72 puntos equivalen a una pulgada). En el grupo Fuente de la ficha Inicio, junto a la lista desplegable Fuente, encontrarás otro cuadro de lista denominado Tamaño de fuente, donde es posible indicar el valor deseado o bien escribirlo directamente.

> **NOTA:**
>
> *El cuadro* Tamaño de fuente *permite valores decimales, como por ejemplo 9,5.*

A la derecha de la lista Tamaño de fuente hay dos iconos que aumentan o reducen un punto el tamaño del texto seleccionado.

Cuadro de diálogo Fuente

Observa en la figura 4.2 el pequeño icono que hemos resaltado en la esquina inferior derecha del grupo Fuente. Después de hacer clic sobre él, Word muestra el cuadro de diálogo Fuente cuyo aspecto también se aprecia en la misma figura.

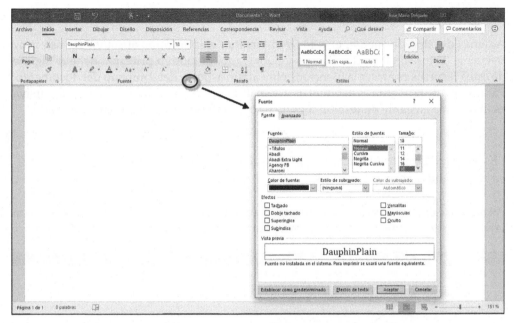

Figura 4.2. Icono para acceder al cuadro de diálogo Fuente.

El cuadro de diálogo Fuente agrupa la mayoría de los atributos de carácter que trataremos en los próximos apartados. Además, permite comprobar el resultado en la vista previa que aparece en la parte inferior.

Color y resaltado

En la gran mayoría de documentos, el color negro que Word aplica por defecto al texto será suficiente, pero esto no tiene por qué ser siempre así:

1. Selecciona la palabra, párrafo o párrafos a los que quieres cambiar el color.
2. En el grupo Fuente de la ficha Inicio, haz clic en el pequeño botón situado a la derecha del icono Color de fuente. Al instante se desplegará la paleta de colores. Si necesitas un tono diferente a los que aparecen por defecto o algún efecto de degradado, haz clic en Más colores o Degradado, respectivamente.
3. Marca el color o efecto para que se aplique.

Para devolver de nuevo el texto al color original, sigue los mismos pasos anteriores e indica la opción Automático.

Una forma diferente de dar color a un texto es con el comando Color de resaltado. El resultado imita el efecto de los típicos marcadores de oficina y es un método realmente efectivo para documentos de trabajo como borradores donde necesitemos destacar ideas o ciertos elementos del texto. El pequeño botón situado a la derecha del icono ofrece varios tonos de resaltado. La opción Sin color recupera el aspecto original del texto.

Negrita, cursiva y subrayado

Además del tipo de fuente, el color y el tamaño, existen otros atributos de uso muy frecuente. Estos son Negrita, Cursiva y Subrayado. El motivo principal de usar alguno de estos recursos es atraer la atención sobre algún aspecto determinado del documento. Para el caso de la negrita es habitual usarla en títulos o encabezados. En cambio, la cursiva es una forma elegante de resaltar alguna palabra o frase, sin desentonar demasiado.

NOTA:

Es posible realizar combinaciones con estos atributos, como por ejemplo negrita cursiva o negrita subrayado.

A continuación, explicaremos en qué consisten estas propiedades. La figura 4.3 muestra la situación de los iconos Negrita, Cursiva y Subrayado en el grupo Fuente de la ficha Inicio.

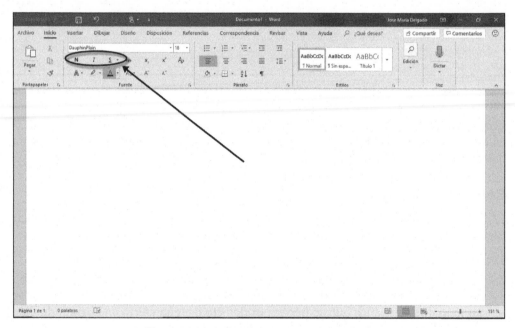

Figura 4.3. Iconos Negrita, Cursiva y Subrayado.

La forma de aplicar cualquiera de estos atributos es sencilla, basta con seleccionar el texto y a continuación hacer clic sobre el icono Negrita, Cursiva o Subrayado. También es posible aplicar más de uno al mismo tiempo combinando sus efectos.

NOTA:

El formato Cursiva inclina el texto hacia la derecha. Como ya hemos comentado, es un modo bastante sencillo y elegante de resaltar ciertas partes del documento.

Antes de terminar con estos atributos básicos, queremos comentar un aspecto importante del comando Subrayado. Como se aprecia en la figura 4.4, el icono asociado a este atributo está formado por dos elementos: el propio icono y una pequeña lista desplegable que se activa con un clic en el símbolo situado a la derecha. En ella podrás elegir diferentes modelos de líneas, su color y si todo esto no es suficiente el comando Más subrayados abre el cuadro de diálogo Fuente donde tendrás acceso a todos los tipos de líneas y colores disponibles.

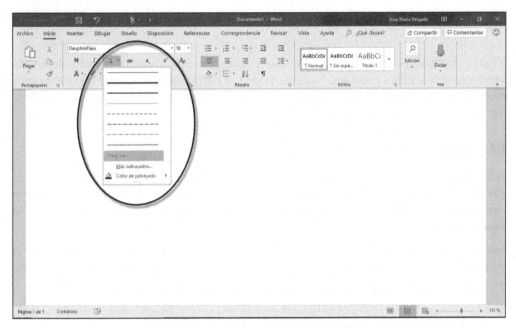

Figura 4.4. Opciones de Subrayado disponibles.

Más atributos de fuente

El cuadro de diálogo Fuente contiene una sección denominada Efectos donde encontrarás nuevas posibilidades de formato de carácter como las siguientes:

- **Tachado:** Añade una línea sobre el texto seleccionado. Este comando también está disponible en la cinta de opciones justo a la derecha del icono Subrayado.

- **Doble tachado:** Dibuja una doble línea sobre el texto seleccionado.

- **Superíndice:** Eleva el texto seleccionado y le asigna un tamaño menor.

- **Subíndice:** Baja un poco el texto seleccionado y le asigna un tamaño menor. Esta opción y la anterior se encuentran disponibles como icono en el grupo Fuente de la cinta de opciones.

- **Versalitas:** Convierte todo el texto seleccionado a mayúsculas y reduce su tamaño, más concretamente el alto de los caracteres.

- **Mayúsculas:** Simplemente convierte el texto en mayúsculas.
- **Oculto:** Evita que el texto se muestre en pantalla o en las copias impresas del documento. Para visualizarlo después de aplicarle este atributo, haz clic sobre el icono Mostrar todo, situado en el grupo Párrafo de la ficha Inicio.

Para comprobar el resultado de cada uno de los efectos, en la parte inferior del cuadro de diálogo existe un espacio en el que aparece una vista previa del texto con el efecto seleccionado.

Existen dos efectos denominados Relieve y Grabado que no están disponible en las versiones más actuales porque se han sustituido por herramientas como las que trataremos en el siguiente apartado. Aun así, si abrimos documentos de versiones anteriores, Word los mostrará para mantener la compatibilidad.

Efectos visuales

Además de todas las posibilidades descritas hasta ahora para cambiar el aspecto de cualquier texto existe una sorpresa más. Se trata del comando Efectos de texto y tipografía con el que se añaden textos, habitualmente títulos, con una apariencia realmente espectacular.

Este tipo de efectos también puede ser de gran utilidad a la hora de crear logotipos o cualquier título vistoso, incluso pequeños carteles. Los pasos para aplicarlo son estos:

1. Selecciona el carácter, palabra o texto sobre el que aplicar el efecto.
2. Asegúrate de que Inicio es la ficha marcada en la cinta de opciones. A continuación, en el grupo Fuente haz clic sobre el icono Efectos de texto y tipografía.
3. Coloca el cursor sobre alguno de los modelos disponibles para comprobar al instante el resultado sobre el texto.
4. Finalmente haz clic sobre el que desees aplicar.

En la figura 4.5 se aprecia tanto la situación del icono Efectos de texto y tipografía en la cinta de opciones como el resultado de emplear una de las combinaciones disponibles sobre un texto de ejemplo.

Word combina los efectos del texto con otros atributos como negrita, cursiva y, por supuesto, también diferentes tipos de fuentes o tamaños de letra.

Espacio entre caracteres

Como su propio nombre indica, el espacio entre caracteres determina la distancia entre ellos dentro de una misma palabra. Si alguna vez has pensado en separar caracteres usando, por ejemplo, espacios en blanco, olvídalo. A continuación, describimos cómo se hace de forma mucho más eficaz y elegante.

Figura 4.5. Resultado conseguido con el comando Efectos de texto y tipografía.

Ajustar el espacio entre caracteres modifica la extensión total de cualquier palabra o frase, expandiéndola o reduciéndola. Con este recurso se adapta fácilmente la longitud del texto sin modificar el tamaño de la fuente.

Dentro del cuadro de diálogo Fuente, busca la pestaña Avanzado y presta atención a la sección Espacio entre caracteres. El significado de cada una de sus opciones es el siguiente:

- **Escala:** Aumenta o reduce el espacio total que ocupa el texto seleccionado a partir del porcentaje elegido en esta lista.

- **Espaciado:** Las opciones Expandido o Comprimido modifican el espacio entre caracteres utilizando como valor de ajuste el número de puntos que indiquemos en el cuadro de la derecha.

- **Posición:** En este caso se sube o baja el texto seleccionado con respecto a la línea base. El valor vendrá determinado por el número de puntos que introduzcamos en el cuadro de la derecha.

- **Interletraje para fuentes:** Adapta el espacio entre caracteres a partir de un tamaño determinado que debemos indicar en el cuadro de la derecha.

NOTA:

La línea base hace referencia al trazo imaginario sobre el que descansarían los caracteres. En la figura 4.6 se representa esta línea.

Figura 4.6. Línea base.

Símbolos y fórmulas matemáticas

En cualquier momento podrías necesitar insertar algún símbolo, fórmula matemática o carácter especial como parte del texto. Para hacerlo sigue estos pasos:

1. Coloca el punto de inserción en el lugar del texto donde necesitas incluir el símbolo.

2. En la cinta de opciones, haz clic sobre la ficha Insertar.

3. En el margen derecho se encuentra el grupo Símbolos y dentro, el comando Símbolo. Si el tamaño de pantalla fuera reducido, únicamente verás el icono Símbolos.

4. Al seleccionarlo, Word muestra una lista de los símbolos especiales más utilizados, pero si no encuentras el que deseas, haz clic sobre la opción Más símbolos y aparecerá un cuadro de diálogo con muchas más posibilidades.

5. En la primera ficha denominada Símbolos, en la lista Fuente elige el tipo de letra que contiene el elemento que buscas. Recuerda que las fuentes más típicas en Windows dedicadas exclusivamente a símbolos son las familias Wingdings y Symbols.

6. Haz doble clic sobre el símbolo que quieres emplear. También tienes la posibilidad de seleccionar el símbolo y con el botón Insertar colocarlo en el texto.

NOTA:

La segunda ficha del cuadro de diálogo Símbolo, *denominada* Caracteres especiales, *incluye una lista con símbolos como el guion largo, las comillas, copyright, etcétera.*

Si necesitas incluir una ecuación o fórmula matemática en el documento, dentro del mismo grupo Símbolos se encuentra el comando Ecuación. Haz clic sobre él y Word mostrará una versión especial de la cinta de opciones dedicada solo a este propósito, con fracciones, integrales, matrices y prácticamente cualquier elemento que necesites (ver figura 4.7).

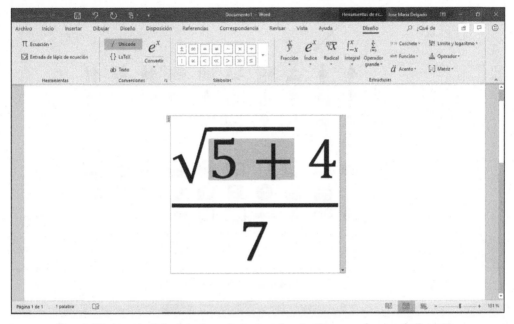

Figura 4.7. Aspecto de la cinta de opciones cuando seleccionamos el comando Ecuación.

Insertar iconos y objetos 3D

Dos opciones realmente vistosas que dan un aspecto diferente a nuestros documentos son los iconos y objetos 3D incorporado en las últimas versiones Word. Empecemos con los iconos:

1. Sitúa el cursor en la posición donde colocarás el icono y haz clic en la ficha Insertar.
2. En el grupo Ilustraciones, busca Iconos y accede al cuadro de diálogo de la figura 4.8.
3. Finalmente, haz clic sobre el elemento que desees utilizar para marcarlo y, a continuación, da Insertar.

Por defecto, el icono quedará anclado al texto. Para cambiar este comportamiento, selecciona la imagen y a continuación haz clic sobre el elemento que hemos resaltado en la figura 4.9, donde encontrarás diferentes posibilidades. La primera de ellas, En línea con el texto, es la opción predeterminada y hace que la imagen se comporte como una palabra más, desplazándose con el resto del texto. Las opciones incluidas en la sección Con ajuste de texto permiten más libertad a la hora de situar la ilustración y adaptar el texto a su alrededor. Haz clic en Ver más para establecer un comportamiento mucho más preciso. Hablaremos de estas posibilidades más adelante.

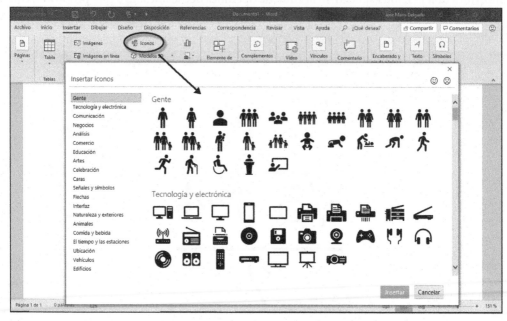

Figura 4.8. Añadir iconos.

Figura 4.9. Ajuste de texto e imagen.

Los objetos 3D son otra de las opciones que ofrece Word para añadir elementos visuales a nuestros documentos. La forma de hacerlo es la misma que hemos descrito en los pasos anteriores para los iconos, pero en este caso debes ir a Insertar>Ilustraciones>Modelos 3D. Aquí encontrarás desde los conocidos emoticonos hasta símbolos matemáticos como puedes comprobar en la figura 4.10.

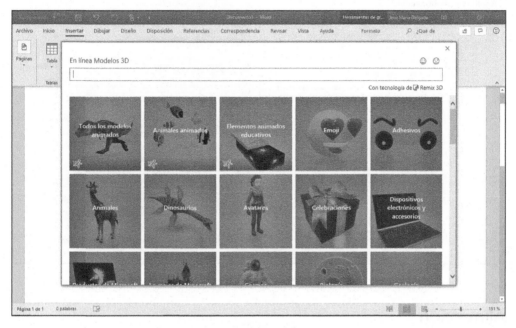

Figura 4.10. Objetos 3D.

TRUCO:

Una buena idea para encontrar la ilustración o imagen que necesites en cada momento es auxiliarte del cuadro de búsqueda situado en la parte superior del cuadro de diálogo.

Formatos de párrafo

Es prácticamente obligatorio emplear distintos formatos de párrafo para dar forma y mejorar la legibilidad de un documento. Imagina cualquier página de este libro en la que los títulos de cada apartado tuvieran la misma forma que el resto del texto. O, si lo prefieres, observa la figura 4.11 donde resulta casi imposible distinguir los apartados en el texto, además de tener un aspecto final muy pobre y de ser muy complicado entender su contenido. En la misma figura, comprueba el aspecto de la página donde los párrafos correspondientes a los títulos de los apartados se han resaltado con un tipo de letra mayor y se han separado del párrafo anterior y posterior. Comparando estos dos ejemplos se aprecia claramente la importancia que tiene el formato de párrafo. En los próximos apartados trataremos las herramientas más importantes disponibles en Word para modificar el aspecto de los párrafos de nuestros documentos.

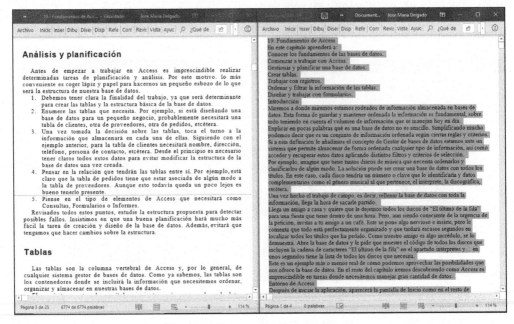

Figura 4.11. Documentos con y sin formato.

Alineación

La alineación define las distintas formas de ajustar las líneas de un párrafo entre los márgenes predefinidos de la página. Existen varios tipos:

- **Izquierda o derecha:** Las líneas que forman el párrafo se ajustan al margen izquierdo o derecho, quedando la parte contraria de forma irregular.

- **Central:** Cada línea del párrafo queda centrada con respecto al punto medio definido entre los márgenes de la página.

- **Justificada:** Las líneas del párrafo ocupan todo el espacio disponible entre los márgenes de la página. Para lograr una cierta uniformidad en este tipo de alineación, Word se encarga de ajustar los espacios entre las palabras hasta lograr la justificación completa.

En la figura 4.12 se aprecia un ejemplo de cada uno de los tipos de alineación descritos en las líneas anteriores. También se muestra el lugar que ocupan dentro del grupo Párrafo de la ficha Inicio cada uno de los comandos necesarios para aplicarlas.

TRUCO:

Cualquiera de los atributos descritos hasta ahora también se pueden aplicar a varios párrafos consecutivos con solo arrastrar para seleccionar todos los párrafos que desees.

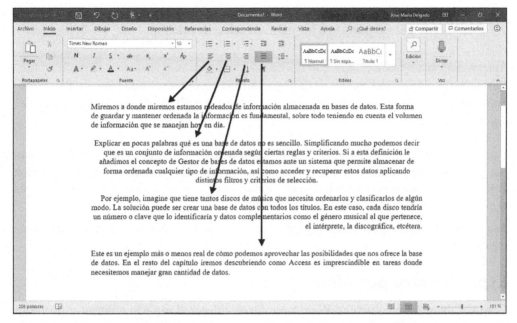

Figura 4.12. Modelos de alineación de párrafo y sus iconos correspondientes.

Espacio entre líneas

El interlineado determina la distancia que separa cada una de las líneas que componen un párrafo. De forma predeterminada, Word emplea un interlineado sencillo que en la mayoría de los casos es la opción más conveniente, pero es posible cambiarlo:

1. Sitúa el punto de inserción sobre el párrafo al que cambiarás el interlineado o, si lo prefieres, con las herramientas de selección realiza los ajustes sobre más de un párrafo al mismo tiempo.

2. Haz clic en el botón Espaciado entre líneas y párrafos situado en el grupo Párrafo de la ficha Inicio.

3. Marca alguno de los valores predeterminados o haz clic en Opciones de interlineado para abrir el cuadro de diálogo Párrafo.

El cuadro de diálogo Párrafo contiene la lista desplegable Interlineado. En ella encontrarás algunos modelos de interlineado que introducen valores en el cuadro de texto situado a la derecha con el propósito de establecer de forma precisa el espacio entre líneas. Por ejemplo:

• **Mínimo:** Word utilizará en este caso la distancia más reducida posible entre líneas. No es una opción demasiado recomendable ya que perderá legibilidad en el texto.

• **Exacto:** Define el espacio de separación entre líneas introduciendo el valor exacto en el cuadro de texto En.

- **Múltiple:** Introduce la cantidad de líneas que quieres emplear como valor de interlineado para el párrafo o los párrafos seleccionados.

Las opciones Agregar espacio antes y Agregar espacio después modifican de manera homogénea la separación con respecto al párrafo actual del elemento anterior o posterior. Estas mismas opciones se convierten en Quitar espacio antes o Quitar espacio después si el párrafo ya tiene algún tipo de separación.

Veamos en el siguiente apartado cómo hacer esto mismo pero de manera mucho más exacta.

Espacio entre párrafos

Como acabamos de comentar, Word permite establecer el espacio anterior y posterior que separará cada párrafo del documento. Un ejemplo, cada título de apartado utilizado en este libro tiene diferentes valores de espaciado para separarlos del resto del texto. Debemos tratar siempre de mantener una cierta homogeneidad a la hora de aplicar espacios, es decir, intentar definir un mismo espacio para los párrafos que consideremos del mismo tipo. En el caso de los títulos, se consigue un efecto visual más agradable separándolos más del párrafo anterior que del posterior.

El método descrito en el apartado anterior es cómodo y rápido, pero si quieres definir de forma precisa el espaciado anterior o posterior de un párrafo recomendamos seguir estos pasos:

1. Sitúa el punto de inserción sobre el párrafo. Si necesitas dar los mismos valores sobre más de un párrafo, selecciona en primer lugar todos los que desees. Recuerda que no necesitas seleccionar párrafos completos, es suficiente con que parte de ellos estén dentro de la selección.

2. Busca la ficha Inicio y haz clic en el pequeño icono situado en la esquina inferior derecha del grupo Párrafo para abrir el cuadro de diálogo del mismo nombre.

3. En la sección Espaciado, con los cuadros de texto Anterior y Posterior introduce los valores de separación del párrafo o párrafos seleccionados.

4. Da Aceptar para aplicar los cambios.

Cuando dos párrafos consecutivos tienen aplicado un determinado espacio de separación, el espacio resultante entre ambos es la suma del valor posterior del primero más el del valor anterior del segundo. Lo más recomendable es aplicar espacio solo por encima en los párrafos de texto normal y por ambos extremos en títulos o apartados.

Numeración y viñetas

Las viñetas son esos pequeños símbolos que aparecen a la izquierda de algunos conjuntos de párrafos. Es un método eficaz cuando necesitamos describir diferentes ideas o conceptos. La única diferencia entre las numeraciones y las viñetas es que las primeras tienen números consecutivos para identificar cada párrafo mientras que las segundas usan símbolos.

Para aplicar viñetas o numeraciones sobre una serie de párrafos sigue estos pasos:

1. Selecciona los párrafos a los que aplicarás la viñeta o numeración. No es necesario marcarlos por completo, basta con incluir una parte de ellos.
2. Utiliza el botón Viñetas o Numeración situados en el grupo Párrafo de la ficha Inicio.

Tanto Viñetas como Numeración están compuestos por dos elementos: el propio botón y una pequeña lista desplegable que se activa con un clic sobre la pequeña flecha situada a la derecha de cada icono. Si haces clic sobre el icono, se aplicará el modelo de viñeta o numeración predeterminado. Por otra parte, si empleas la lista asociada, Word muestra la biblioteca de viñetas para que elijas el modelo más adecuado como se ilustra en la figura 4.13.

Si las opciones por defecto no son suficientes, aún queda la posibilidad de diseñar nuestro propio modelo de viñeta o numeración. Para ello, busca Definir nueva viñeta o Definir nuevo formato de número en las listas desplegables asociadas a cada uno de los botones.

Con respecto a las numeraciones, un último detalle. Haz clic con el botón derecho sobre algún párrafo al que hayas dado el formato numeración. En el menú emergente, busca el comando Establecer el valor de numeración para mostrar un pequeño cuadro de diálogo con interesantes opciones como comenzar la numeración con cualquier valor, iniciar la lista desde cero o a partir de la lista inmediatamente anterior.

Bordes y sombreados

Word permite resaltar cualquier párrafo rodeándolo con un borde, que puede ser completo o incluir solo líneas encima y debajo, o a derecha y debajo, etcétera. Veamos a continuación un método rápido y sencillo para utilizar este recurso:

1. Haz clic sobre un párrafo para situar el punto de inserción sobre él. Si lo deseas, aplica bordes sobre más de un párrafo al mismo tiempo con tan solo seleccionarlos previamente.

2. En la cinta de opciones busca la ficha Inicio. El icono asociado al comando Bordes situado en el grupo Párrafo está compuesto por dos elementos, el propio icono y una lista desplegable que muestra los diferentes modelos de bordes.

3. Si haces clic sobre el icono, aplicarás el último borde utilizado o la opción predeterminada. Pero mejor, haz clic sobre el pequeño símbolo situado a la derecha para mostrar las opciones disponibles tal y como se aprecia en la figura 4.14.

4. Elige el tipo de borde y al instante se aplicará sobre el párrafo seleccionado.

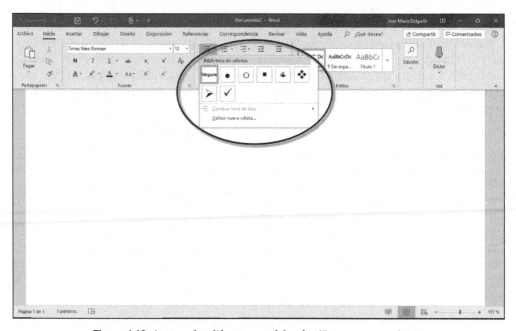

Figura 4.13. Acceso a los diferentes modelos de viñetas y numeraciones.

Si necesitas un borde no completo, por ejemplo, en la parte inferior y a la derecha del párrafo, repite la secuencia de pasos anterior dos veces, seleccionando primero el borde inferior y después el derecho.

TRUCO:

Al mismo tiempo que situamos el cursor sobre alguno de los modelos de bordes disponibles, Word muestra su aspecto de forma provisional sobre el documento para que podamos comprobar el resultado antes de aplicarlo definitivamente.

En la secuencia de pasos anterior, hemos descrito el camino más corto para añadir un borde a uno o varios párrafos. Pero si lo deseas, busca la opción Bordes y sombreados situada justo al final de la lista para acceder al cuadro de diálogo del mismo nombre. En él encontrarás todas las posibilidades de configuración y personalización disponibles en el programa:

1. En la sección denominada Valor de la ficha Bordes, busca el modelo de borde que quieres utilizar.

2. Para el siguiente paso, presta atención al apartado Estilo, donde podrás elegir el tipo de línea, su color y su ancho.

3. Por último, con los botones situados junto a la vista previa determina los lados del párrafo sobre los que aplicarás el borde.

4. Si fuera necesario, con el botón Opciones define la distancia entre el borde y el párrafo.

5. Finalmente, comprueba en la Vista previa que todo es correcto y da Aceptar para añadir los bordes al párrafo.

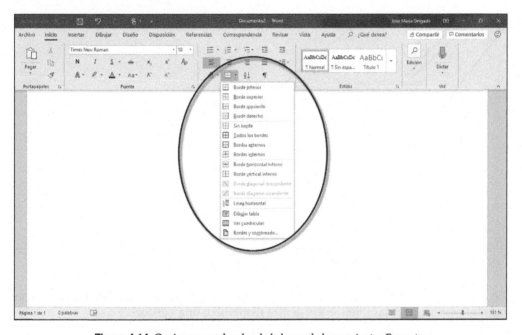

Figura 4.14. Opciones para bordes de la barra de herramientas Formato.

Sombreados

En el cuadro de diálogo Bordes y sombreado se halla la pestaña Sombreado. Haz clic sobre ella y con la sección Relleno elige el color de sombreado a aplicar sobre el párrafo. En la parte inferior escoge entre diferentes estilos y colores de tramas.

La regla

La regla es un elemento imprescindible en Word para utilizar algunas funciones relacionadas con el ajuste de la posición del texto. Esta se muestra o se oculta con el comando Regla que se localiza en el grupo Mostrar de la ficha Vista.

En lugar de abrumarte con explicaciones, en la figura 4.15 hemos señalado los componentes más relevantes de la regla.

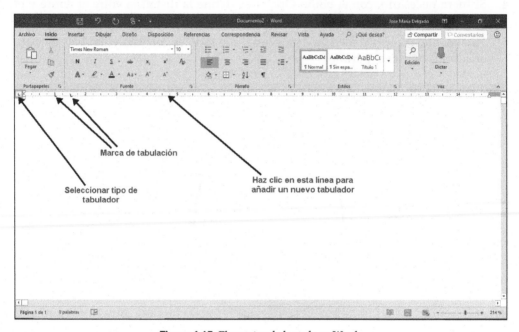

Figura 4.15. Elementos de la regla en Word.

Como se aprecia en la figura, existe una regla horizontal que será la que utilicemos con más frecuencia, pero también se encuentra disponible una vertical.

Sangrías

La sangría es el espacio que separa cada una de las líneas de un párrafo de los márgenes izquierdo y derecho de la página. Este espacio se aplica a la primera línea del párrafo o a todas. Asimismo, es posible utilizar distintas combinaciones sobre un mismo párrafo.

Existen diferentes tipos de sangrías:

- **Sangría de primera línea:** Consiste en definir, para la primera línea del párrafo, una distancia hasta el margen izquierdo diferente del resto de las líneas del párrafo.
- **Sangría izquierda:** Determina la distancia que separa todas las líneas del párrafo con respecto al margen izquierdo de la página.

- **Sangría derecha:** Da a todo el párrafo una determinada separación con respecto al margen derecho de la página.

- **Sangría francesa:** En este caso, la primera línea del párrafo queda alineada más a la izquierda que el resto de las líneas.

- **Sangría doble:** Se establece una distancia de separación para las líneas del párrafo tanto del margen derecho como del izquierdo de la página.

Para entender mejor cada modelo de sangría la figura 4.16 muestra un ejemplo de cada una de ellas.

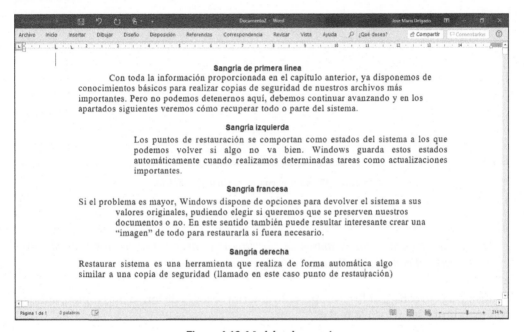

Figura 4.16. Modelos de sangría.

Empecemos con el caso más simple y a la vez uno de los más utilizados, la sangría de la primera línea. Si necesitas aplicarla debes completar la siguiente secuencia de pasos:

1. Sitúa el punto de inserción sobre el párrafo al que darás la sangría.

2. A continuación, se muestra el cuadro de diálogo Párrafo. Haz clic en el icono que hemos resaltado en la figura 4.17.

3. Dentro de la sección Sangría, marca la opción Primera línea en la lista desplegable Especial.

4. En el cuadro situado a la derecha de la lista anterior indica el valor que deseas, por ejemplo: 1,25 cm.

5. Da Aceptar. La primera línea del párrafo aparecerá desplazada a la derecha con el valor indicado. Este tipo de sangría se utiliza comúnmente para diferenciar varios párrafos consecutivos y conseguir de este modo una lectura más cómoda.

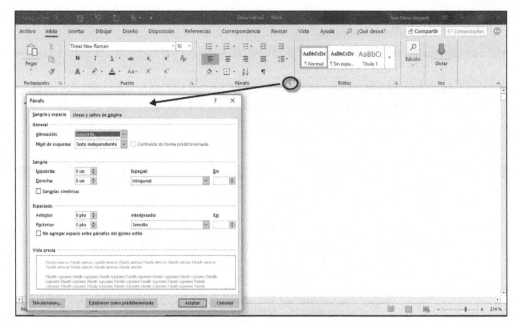

Figura 4.17. Abrir el cuadro de diálogo Párrafo.

Para dar la mayoría de los formatos de párrafo, no es necesario seleccionar el párrafo completo, basta con situar el punto de inserción sobre él.

El mismo efecto conseguido en el apartado anterior se logra de forma más rápida, aunque con menor precisión, con la regla:

1. El primer paso será mostrar la regla si no se encuentra visible. En la cinta de opciones, haz clic en la ficha Vista. Ahora, en el grupo Mostrar activa la casilla de verificación Regla.

2. A continuación, sitúa el punto de inserción sobre el párrafo al que quieres dar la sangría.

3. En la regla, coloca el cursor sobre el triángulo superior y una etiqueta informa que se trata de la sangría de primera línea. Haz clic y, sin soltar, arrastra hacia la derecha.

Esta forma de sangrar los párrafos es muy cómoda y mucho más visual que la anterior, pero algo menos precisa.

A continuación, aplicaremos una sangría izquierda a nuestro párrafo, pero dejando la sangría para la primera línea definida en el apartado anterior.

Los pasos para dar la sangría izquierda sobre el mismo párrafo que ya tiene sangría de primera línea son estos:

1. Coloca el punto de inserción sobre el párrafo y abre de nuevo el cuadro de diálogo Formato.
2. Dentro de la sección Sangría, introduce un valor en el cuadro de texto Izquierda, por ejemplo: 2 cm.
3. Haz clic en Aceptar para aplicar los cambios y comprueba cómo todas las líneas del párrafo se desplazan a la izquierda del valor indicado.

Para indicar una sangría izquierda con la regla, es necesario desplazar el pequeño cuadrado situado en la parte inferior. Sitúa el ratón sobre él y, sin soltar, arrástralo hacia la izquierda la distancia que sea necesaria.

Por último, la sangría francesa es un caso especial, ya que la primera línea del párrafo sobresale del resto. Crea un nuevo párrafo para este ejemplo o elimina los valores que habíamos dado al párrafo anterior.

Para aplicar una sangría francesa:

1. Coloca el punto de inserción sobre el párrafo y abre de nuevo el cuadro de diálogo Formato.
2. Dentro de la sección Sangría, utiliza la lista Especial y elige Sangría francesa.
3. En el cuadro situado a la derecha introduce el valor que desees, por ejemplo: 1 cm.
4. Da Aceptar y comprueba cómo la primera línea del párrafo aparecerá desplazada a la izquierda siguiendo el valor indicado.

Para aplicar una sangría francesa con la regla, desplaza el triángulo superior hacia la izquierda tanta distancia como necesites hacer sobresalir la primera línea del párrafo.

Tabuladores

Cada vez que pulses la tecla Tab el cursor avanzará y empujará el texto para situarlo en una posición determinada. Este punto no es casual y puedes controlarlo mediante tabuladores.

Los tabuladores serán marcas que situaremos en la regla para determinar dónde se detendrá el punto de inserción cada vez que emplees la tecla Tab. El objetivo de esta herramienta es establecer marcas de referencia para alinear el texto de forma homogénea.

Para establecer una marca de tabulación es necesario que la regla se encuentre visible. Recuerda que para hacerlo debes marcar la casilla de verificación situada en el grupo Mostrar de la ficha Vista.

Una vez hecho sigue los pasos descritos a continuación:

1. Sitúa el cursor sobre la regla, justo en el punto exacto donde colocarás la marca de tabulación y haz clic. En la figura 4.18 hemos señalado la zona de la regla donde debes hacer clic y el aspecto de una de estas marcas.

2. A partir del paso anterior, si necesitas establecer de forma mucho más precisa la marca de tabulación, haz doble clic sobre ella para mostrar el cuadro de diálogo Tabulaciones.

3. Entre las posibilidades disponibles, utiliza el cuadro de texto Posición para indicar la distancia exacta del tabulador.

4. Sobre las opciones de alineación, dependiendo del dato que desees tabular, deberás utilizar un tipo distinto:

   - **Izquierda:** Se usa por lo general para datos alfabéticos.
   - **Derecha:** Está destinado a datos numéricos sin decimales.
   - **Decimal:** Al igual que el anterior, también se utiliza para datos numéricos, pero en esta ocasión con decimales.
   - **Centrada:** Se emplea generalmente para letras que describen títulos.
   - **Barra:** Añade una línea vertical sobre el documento en la posición en la que se encuentra el tabulador.

5. La sección Relleno ofrece varias posibilidades para completar con distintos símbolos el espacio vacío situado a la izquierda del tabulador. Por ejemplo, es habitual usar esta opción en índices para rellenar el espacio entre el nombre de la entrada y el número de página.

6. Para terminar, haz clic en Aceptar.

TRUCO:

El botón Eliminar *borra el tabulador actual, pero si lo prefieres, con el botón* Eliminar todas *quita de la regla todas las marcas de tabulación.*

Asimismo, es posible mover los tabuladores haciendo clic sobre ellos y desplazándolos por la regla. Para eliminar cualquiera de ellos, arrastra la marca de tabulación hacia abajo o hacia arriba, fuera de la regla. Esto último hará que el texto se adapte a los tabuladores que permanezcan.

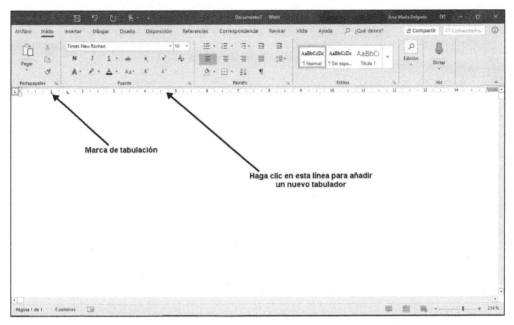

Figura 4.18. Zona de la regla donde debes hacer clic para establecer una marca de tabulación.

Acceso rápido a las opciones de formato

Para acceder de forma rápida a muchas de las características descritas en este capítulo, relacionadas tanto con el formato de texto como con el de párrafo, ten en cuenta lo siguiente. Después de seleccionar cualquier palabra, frase o párrafo, Word mostrará automáticamente una minibarra de herramientas con algunos de los comandos más frecuentes tanto de fuente como de párrafo: tipo y tamaño de fuente, color, subrayado, negrita, numeraciones, viñetas, etcétera.

Otra forma de acceder a estas características e incluso a algunas posibilidades más es hacer clic con el botón derecho en algún punto del texto. En ese momento aparecen tanto la barra de formato rápido como un menú emergente con diferentes comandos (ver figura 4.19). Entre ellos se destacan Fuente y Párrafo con los que se abre directamente cada uno de estos cuadros de diálogo.

Copiar y pegar formato

En el capítulo anterior describimos los comandos Copiar, Cortar y Pegar como una característica realmente útil en aplicaciones como Word y, en general, en cualquier entorno de trabajo donde se maneje información. Pero existe un comando más relacionado con este tipo de tareas denominado Copiar formato, que puede ser muy útil para ahorrar trabajo cuando tratamos de cambiar el aspecto de un documento.

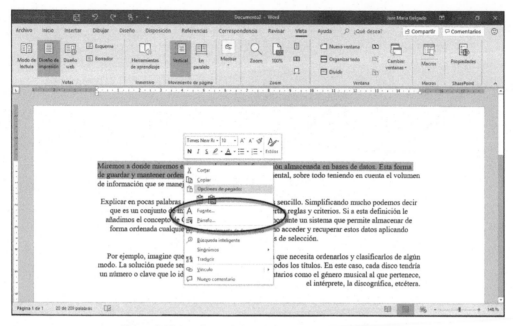

Figura 4.19. Minibarra de herramientas y menú emergente.

Imagina que has trabajado duro sobre varios párrafos, aplicando diferentes características de formato hasta conseguir el resultado deseado. A continuación, creas un nuevo párrafo y quieres que tenga el mismo aspecto, pero preferirías no repetir todo el trabajo. La solución sería la siguiente:

1. Selecciona el texto que tiene los atributos de formato que vas a copiar. Si se trata de un párrafo completo, bastará con situar el punto de inserción en él.

2. Busca la ficha Inicio y en el grupo Portapapeles situado a la izquierda, haz clic sobre el comando Copiar formato.

3. Por último, haz clic sobre el párrafo del que quieres copiar las características de formato. Si necesitas dar el formato únicamente a una parte del texto, haz clic y arrastra para seleccionar la parte que necesitas.

ADVERTENCIA:

Es fundamental que no realices ninguna otra acción después de marcar el comando Copiar formato.

Etiquetas inteligentes, opciones de pegado

Después de copiar o cortar texto y utilizar el comando Pegar, Word mostrará una pequeña etiqueta inteligente como en la figura 4.20. Haz clic sobre ella para tener acceso a las siguientes opciones de pegado:

- **Mantener formato de origen:** El primero de los iconos da al texto que acabamos de pegar las mismas características de formato que tenía al copiarlo. En resumen, que lo deja tal y como estaba. Esta es la opción predeterminada y probablemente la que utilices con más frecuencia.

- **Combinar formato:** Hace coincidir el formato del texto pegado con el del párrafo donde lo colocamos, pero manteniendo algunas características tanto del texto original como del que estemos copiando.

- **Imagen:** Convierte el elemento cortado en una imagen, incluso aunque se trate de texto.

- **Mantener solo texto:** No tiene en cuenta el formato y simplemente se limita a pegar el contenido.

Si quieres conocer el aspecto del texto pegado antes de aplicar alguna de las opciones de pegado, solamente es necesario colocar el cursor sobre los diferentes iconos disponibles. Word mostrará al instante una vista previa del resultado sin necesidad de completar la acción.

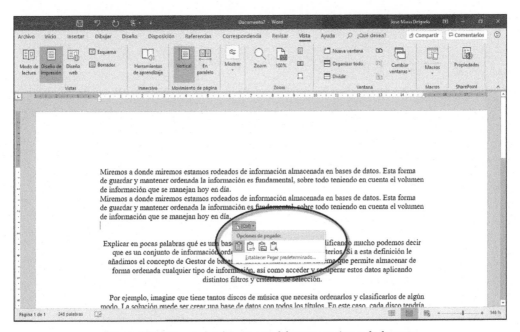

Figura 4.20. Etiqueta inteligente con diferentes opciones de formato.

NOTA:

No siempre la etiqueta inteligente muestra todas las opciones que acabamos de describir en los puntos anteriores, dependerá del tipo de contenido que estemos cortando y pegando.

Resumen

Incluso cuando se utilizaban las antiguas máquinas de escribir se podían emplear ciertas propiedades de formato. Evidentemente, en Word estas posibilidades son mucho mayores. Es posible aplicar desde las características de formato más sencillas como negrita, cursiva, subrayado, espacio entre párrafos... hasta propiedades mucho más complejas como interlineados, espacio entre palabras, efectos de texto, etcétera.

5

Formatos de página y documento

- Configurar los márgenes de página.
- Seleccionar el tipo y la orientación del papel.
- Trabajar con los distintos modos de visualización.
- Crear y añadir secciones.
- Trabajar con varias columnas.
- Incluir encabezados y pies de página.
- Agregar numeración a las páginas del documento.
- Añadir vistosas portadas.

Introducción

Poco a poco vamos adquiriendo nuevos conocimientos y habilidades en el tratamiento de documentos de texto. En este capítulo seguiremos avanzando y trataremos todo lo referente a la configuración de página, desde la definición de los márgenes o el tamaño del papel hasta incluir atractivas portadas.

Las vistas de documento son otro aspecto que abordaremos dentro de este capítulo y hacen referencia a las distintas posibilidades de visualización que ofrece Word.

Márgenes

Los márgenes determinan el espacio que separa cada uno de los bordes del texto con los límites reales del papel como muestra la figura 5.1. Es decir, establecen el área útil dentro de la página, y son cuatro: margen superior, inferior, derecho e izquierdo.

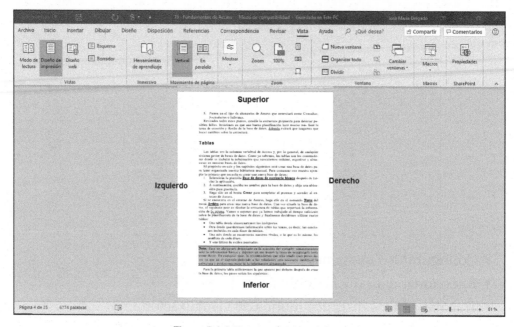

Figura 5.1. Márgenes de una página.

De forma predeterminada, al crear un nuevo documento a partir de la plantilla en blanco, Word asigna valores por defecto a los cuatro márgenes del documento. Para modificarlos:

1. En la cinta de opciones, haz clic sobre la ficha Disposición y selecciona el comando Márgenes del grupo Configurar página.

2. Al instante, como se aprecia en la figura 5.2, Word muestra diferentes modelos de márgenes predefinidos para que elijas el más adecuado.

3. Si ninguno se adapta a tus necesidades, haz clic en la opción situada al final denominada Márgenes personalizados. Después de ejecutarla aparecerá el cuadro de diálogo Configurar página.

4. En los cuadros de texto Superior, Inferior, Derecho e Izquierdo introduce los valores necesarios para definir los márgenes del documento.

5. Comprueba en la vista previa situada en la parte inferior derecha del cuadro de diálogo el aspecto de la página.

6. Si todo está correcto, haz clic en Aceptar.

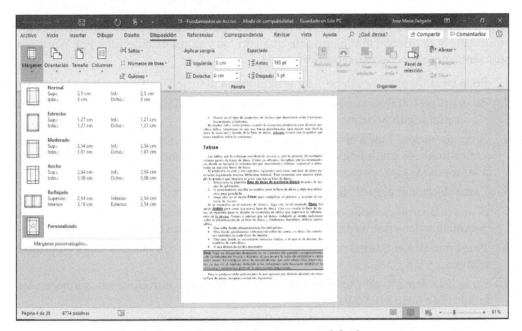

Figura 5.2. Modelos de márgenes predefinidos.

En el cuadro de diálogo Configurar página, además de las casillas de texto donde se introducen valores para los márgenes superior, inferior, izquierdo y derecho, existen otras posibilidades interesantes:

- **Encuadernación:** En esa casilla se indica el espacio adicional que reservará Word en caso de que tengas pensado encuadernar de algún modo el documento.

- **Posición del margen interno:** Determina dónde se aplicará el margen de encuadernación definido en la opción anterior. Las opciones son arriba o a la izquierda.

En la sección Páginas encontrarás una lista desplegable que debes configurar cuando trabajes con documentos para encuadernar o enviar a imprenta. Las opciones disponibles tienen en cuenta la distribución de los márgenes y en estos casos, por ejemplo, puedes utilizar la opción Márgenes simétricos para documentos que vayas a imprimir a dos caras. De este modo, los márgenes izquierdos de las páginas impares y los derechos de las pares serán iguales.

Tamaño y orientación del papel

Otra de las decisiones importantes a la hora de configurar un nuevo documento es elegir su tamaño y la orientación. Es posible que con los valores establecidos por Word sea suficiente, pero si no es así, modifícalos:

1. En la cinta de opciones debe estar seleccionada la ficha Disposición.
2. En el grupo Configurar página haz clic sobre el icono Orientación y elige Vertical u Horizontal según necesites.
3. A continuación, busca el icono Tamaño para acceder a un menú desplegable con varios modelos predefinidos. Es importante prestar atención tanto al nombre como a las medidas que aparecen junto a él (ver figura 5.3).
4. Para seleccionar alguno de ellos basta con hacer clic sobre su nombre.
5. Si no encuentras el modelo que deseas o necesitas crear un documento con medidas personalizadas, marca Más tamaños de papel al final de la lista.
6. Word muestra el cuadro de diálogo Configurar página con la ficha Papel en primer plano.
7. En la lista Tamaño de papel escoge Tamaño personal e introduce los valores en los cuadros de texto Ancho y Alto.
8. Comprueba en la vista previa de esta ficha si todos los ajustes son correctos y, si es así, da Aceptar.

ADVERTENCIA:

Antes de utilizar un tamaño personalizado comprueba que el dispositivo de impresión admite las dimensiones que necesitas.

En la parte inferior del cuadro de diálogo Configurar página, la opción Aplicar a situada a la izquierda de la vista previa permite elegir entre hacer efectivos los cambios para todo el documento o solo a partir de la página actual.

En la sección Origen del papel encontrarás dos listas: la primera establece la bandeja de donde se cogerá la primera página del documento y la segunda para el resto. Para utilizar esta opción nuestra impresora debe tener al menos dos bandejas de entrada. Si esto es así, podríamos emplear un tipo de papel (por ejemplo, con el logotipo de la empresa) para la primera página y papel normal para las demás.

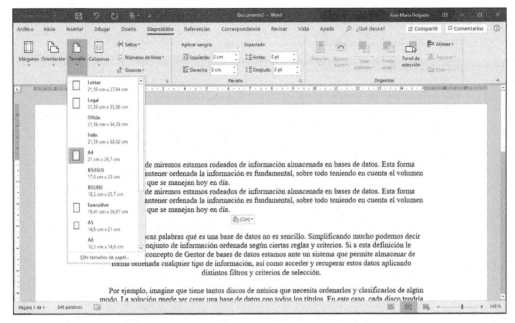

Figura 5.3. Posibilidades asociadas al comando Tamaño.

Modos de visualización

Word ofrece diferentes modos de visualización para trabajar y acceder a distintos detalles del documento. Para mostrar cualquiera de ellos recurre a la ficha Vista. El primero de los iconos activa el Modo de lectura. Con este formato de visualización resultará mucho más cómoda la lectura del documento. Office emplea la tecnología ClearType que mejora la legibilidad de los textos en pantalla. La figura 5.4. se aprecia el aspecto de un documento en la vista Modo de lectura.

TRUCO:

La forma más rápida de acceder al Modo de lectura *es con la combinación de teclas* Alt-N *en primer lugar y seguidamente* Alt-M. *Del mismo modo, para abandonar esta vista pulsa* Esc.

La vista Diseño de impresión muestra una presentación muy aproximada del documento al aspecto real que tendrá al imprimirlo. Comprueba el lugar exacto dentro de cada página que ocuparán el texto, los gráficos o cualquier otro elemento que hayas incluido en el documento. Este modelo de vista resulta ideal para revisar los márgenes del documento, situar elementos gráficos o incluso trabajar con columnas. Otra ventaja que ofrece esta vista es el uso de la característica Hacer clic y escribir, mediante la cual puedes escribir en cualquier parte del documento con tan solo un clic.

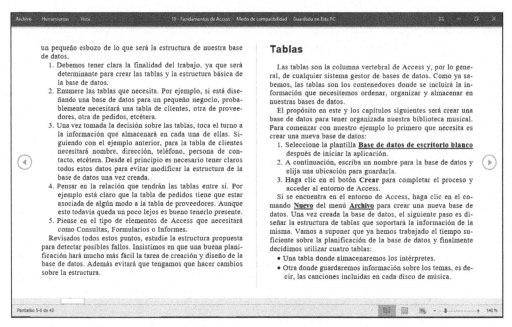

Figura 5.4. Vista Modo de lectura.

Además del Modo lectura y la vista Diseño de impresión que acabamos de describir, existen otras posibilidades dentro del grupo Vistas:

- **Diseño web:** Muestra el aspecto que tendría la página si la visualizáramos con un navegador de Internet.

- **Esquema:** Cuando un documento tiene un tamaño considerable, esta vista lo organiza de forma mucho más eficaz. Con el modo Esquema se ven tan solo los niveles de apartados que desees y se reestructura toda la información con algunos clics. También resulta imprescindible, por ejemplo, en la creación de cartas modelo para mailing o impresión de sobres.

- **Borrador:** Es una vista de trabajo, sencilla y en la que el documento ocupa todo el espacio disponible en la pantalla.

Zoom

Esta herramienta amplía o reduce el tamaño del documento en la pantalla. En la ficha Vista de la cinta de opciones encontrarás el grupo Zoom con varias posibilidades:

- Selecciona el icono Zoom para mostrar el cuadro de diálogo del mismo nombre. Elige entre diferentes valores predefinidos o usa el cuadro de texto Porcentaje para indicar la cantidad que desees. Con este método dispones de una vista preliminar en la que podrás comprobar el aspecto del texto según el porcentaje de zoom elegido.

- El icono 100 % ajusta el tamaño de visualización al valor estándar predeterminado.

- Selecciona el comando Una página para reducir o ampliar el porcentaje de zoom de modo que sea posible mostrar en pantalla una página completa.

- Con el icono Varias páginas el resultado es similar al que hemos comentado en el punto anterior, pero, en este caso, en lugar de una sola página mostrará tantas como permita la resolución de nuestra pantalla.

- Por último, Ancho de página emplea como referencia los límites de la ventana de la aplicación para expandir la vista del documento.

TRUCO:

Una forma rápida y sencilla de ampliar o reducir el zoom de un documento en Word es mantener pulsada la tecla Control *mientras utilizamos la rueda del ratón.*

Secciones

Las secciones proporcionan un método eficaz para crear diferentes zonas dentro del documento con características independientes del resto. A continuación, enumeramos algunas situaciones en las que es recomendable usar secciones:

- Cuando sea necesario hacer algún cambio en la numeración de páginas, pero solo en una parte del documento. Por ejemplo, si las primeras fueran en numeración romana y el resto según la numeración tradicional.

- Si queremos realizar modificaciones sobre los márgenes de alguna de las páginas del documento.

- Para cambiar la orientación del papel en algunas páginas. Este caso suele ser útil a la hora de mostrar gráficos o estadísticas.

- Para modificar la apariencia de los encabezados o pies de página, de modo que no todas las páginas tengan el mismo encabezado o incluso que en algunas no aparezcan.

- Si fuera necesario utilizar más de una columna, pero solo en algunas páginas del documento.

Una vez descritas algunas ventajas de las secciones, veamos los pasos necesarios para crear una:

1. Coloca el punto de inserción en el lugar exacto del documento a partir del cual quieres que comience la nueva sección. En esta ocasión, recomendamos utilizar la tecla Intro para incluir un salto de línea y así evitar que la nueva sección divida algún párrafo.

2. En la cinta de opciones, busca la ficha Disposición.

3. Haz clic sobre el comando Saltos para mostrar el menú desplegable con diferentes opciones.

4. Observa el segundo apartado denominado Saltos de sección donde dispones de cuatro opciones:

- **Página siguiente:** Esta opción provoca que sea cual sea la posición del punto de inserción la nueva sección comience en la página siguiente.

- **Continua:** En este caso, la nueva sección permanece en la página actual.

- **Página par y Página impar:** El texto de la nueva sección empezará en la siguiente página par o impar según la opción seleccionada. Word incluirá una página en blanco para hacer efectivo el cambio de página si es necesario.

5. Para elegir alguna de las cuatro opciones anteriores simplemente tienes que hacer clic sobre ella.

Observa la figura 5.5 y comprueba el aspecto que tiene un salto de sección en la vista Borrador.

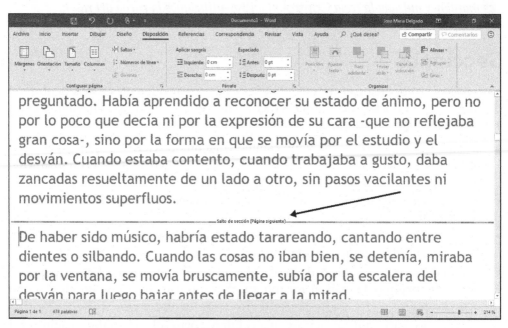

Figura 5.5. Aspecto de un salto de sección.

TRUCO:

Puedes copiar y pegar los saltos de sección, pero debes tener en cuenta que el texto que vaya a continuación tomará los ajustes asociados al salto de sección copiado. Aunque pensándolo bien, esto también puede ser una ventaja.

Columnas

Las columnas estructuran cualquier documento siguiendo el conocido estilo periodístico. Puedes dividir la página en tantas columnas como permita el ancho de esta.

Cuando utilices un formato de columnas, el texto de la página se distribuirá a través de ellas siguiendo el orden lógico de izquierda a derecha.

Para crear una estructura de columnas en un documento de Word sigue estos pasos:

1. En la cinta de opciones busca la ficha Disposición.

2. Dentro de las opciones del grupo Configurar página se encuentra el comando Columnas. Haz clic sobre él para mostrar las distribuciones más habituales y elegir alguna de ellas.

3. Si lo deseas, emplea la opción Más columnas para tener acceso al cuadro de diálogo Columnas (ver figura 5.6). Este comando normalmente se encuentra oculto dentro del menú Formato.

4. Elige alguna de las distribuciones disponibles o introduce la cantidad de columnas que desees en la opción Número de columnas.

5. En la sección Ancho y espacio determina las dimensiones de cada columna y la distancia entre cada una de ellas. Si quieres dar valores proporcionales a todas las columnas, activa la casilla Columnas de igual ancho.

6. En la lista Aplicar a escoge entre hacer efectivo el cambio sobre la sección actual o sobre todas las páginas del documento a partir de la actual.

7. Antes de terminar, observa el aspecto de la página en la vista preliminar que aparece a la derecha.

8. Si todo es correcto, da Aceptar.

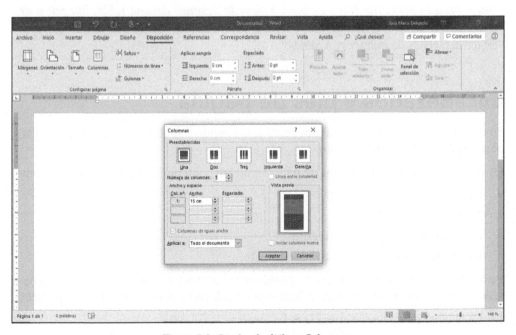

Figura 5.6. Cuadro de diálogo Columnas.

Para dar formato de columnas solo a determinadas páginas, crea una sección insertando un salto antes y otro después de las páginas donde necesites aplicar columnas.

Saltos de página y de columna

El comando Saltos incluía dos secciones Saltos de página y Saltos de sección. En esta ocasión, utilizaremos las opciones de la primera de ellas para hacer que un párrafo empiece en la página o columna siguiente:

1. Coloca el punto de inserción al principio del párrafo que enviarás a la siguiente página o columna.
2. En la cinta de opciones busca la ficha Disposición.
3. Dentro del grupo Configurar página elige el comando Saltos y a continuación escoge la opción Saltos de página o Saltos de columna.

Encabezados y pies de página

En la figura 5.7 se aprecia a qué nos referimos cuando hablamos de los encabezados y pies de página de un documento.

En Word, los encabezados y pies de página pueden contener distintos elementos como:

- Fecha y hora.
- Numeración de páginas.
- Nombre del autor del documento.
- Última fecha de impresión del documento…

Para entender mejor el funcionamiento de los encabezados y pies de página, veamos cómo añadir uno a nuestro documento. Incluiremos en él la fecha actual y el número de página.

1. En la cinta de opciones busca la ficha Insertar.
2. A continuación, en el grupo Encabezado y pie de página elige el comando Encabezado.

3. Entre los modelos disponibles, escoge el primero de ellos: En blanco. De esta forma podremos añadir todos los elementos que necesitemos.

4. La ventana de Word tomará el aspecto de la figura 5.8 activándose automáticamente una nueva categoría en la cinta de opciones dedicada solo a los encabezados y pies de página.

5. A continuación, escribe el siguiente texto Creado el: y haz clic en el botón Fecha y hora para mostrar el cuadro de diálogo del mismo nombre.

6. En el listado de la izquierda elige alguno de los diferentes formatos disponibles. Es importante no activar la casilla de verificación Actualizar automáticamente ya que, si lo haces, Word cambiará el valor del encabezado cada vez que abras de nuevo el documento y en este caso nuestra intención es mostrar la fecha de creación del documento.

7. A continuación, añade una coma, pulsa la barra espaciadora, escribe el texto Página número y vuelve a añadir un espacio.

8. Haz clic sobre el icono Número de página de la cinta de opciones Encabezado y pie de página y entre las opciones disponibles escoge Posición actual.

9. Selecciona el primero de los modelos y automáticamente aparece el número de página actual.

10. Haz clic en el botón situado a la derecha de la cinta de opciones denominado Cerrar encabezado y pie de página para terminar con la edición del encabezado y recuperar el aspecto inicial del documento.

Figura 5.7. Encabezados y pies de página.

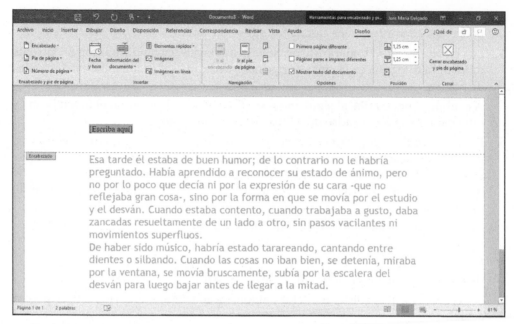

Figura 5.8. Ficha específica en la cinta de opciones con todos los comandos y opiciones relacionadas con los encabezados y pies de página.

En el ejemplo anterior hemos incluido dos elementos sencillos pero las posibilidades son mucho más amplias. Explora los elementos disponibles en el grupo Insertar de la ficha Diseño de la categoría Herramientas para encabezado y pie de página.

Recuerda que las opciones para encabezados y pies de página solo están visibles cuando editamos o creamos un encabezado o pie de página.

ADVERTENCIA:

Si necesitas comprobar el aspecto del encabezado de página es necesario utilizar la vista Diseño *de impresión, en cualquier otra Word no muestra esta parte del documento.*

Los pies de página tienen una funcionalidad muy similar a los encabezados con la única salvedad de que se encuentran en la parte inferior del documento. Inclúyelos con el comando Pie de página en el grupo Encabezado y pie de página de la ficha Insertar. A partir de aquí, los pasos son los mismos que hemos descrito para los encabezados.

En la ficha Diseño de la categoría Herramientas para encabezado y pie de página se encuentra el grupo denominado Navegación. Utiliza los comandos disponibles para alternar entre el encabezado o el pie de página, desplázate entre los encabezados y pies de todas las páginas del documento mediante los iconos Anterior y Siguiente o repite el encabezado y pie de la página anterior con el icono Vincular al anterior.

Numeración de páginas

Word ofrece un método sencillo sin necesidad de recurrir a los encabezados y pies de página para numerar las páginas de un documento:

1. Busca la ficha Insertar en la cinta de opciones.

2. Dentro del grupo Encabezado y pie de página haz clic sobre el comando Número de página y al instante aparecerá un menú desplegable como el de la figura 5.9.

3. Elige la posición donde quieres que aparezca la numeración dentro de la página: al principio o al final, en los márgenes o en la posición actual del cursor.

4. En cada una de las opciones disponibles existen modelos predefinidos. Haz clic sobre alguno de ellos para añadir al instante la numeración a tu documento.

5. La opción situada al final del menú denominada Formato del número de página muestra un pequeño cuadro de diálogo donde se modifica el estilo por defecto del número de página o se determina el número a partir del cual empezará la numeración.

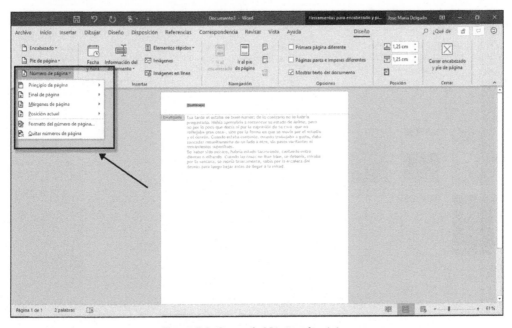

Figura 5.9. Comando Número de página.

Añadir portada

Suele ser habitual cuando trabajamos en un documento importante dejar de lado los pequeños detalles, por ejemplo, una buena portada. Esa primera página será nuestra carta de presentación y la primera impresión que tendrán de nuestro trabajo. Word incluye una interesante característica que permite añadir vistosas portadas con varios clics.

1. Busca en la cinta de opciones la ficha Insertar.

2. En el primer grupo, denominado Páginas, haz clic sobre el icono Portada para mostrar la ventana desplegable que aparece en la figura 5.10. En función de la configuración de pantalla, es posible que solo aparezca el elemento Páginas, en este caso, haz clic sobre él y dentro encontrarás el icono Portada.

3. Utiliza la barra de desplazamiento para revisar todos los modelos de portadas predefinidos y cuando encuentres el más adecuado, simplemente haz clic sobre él para añadirlo al documento actual.

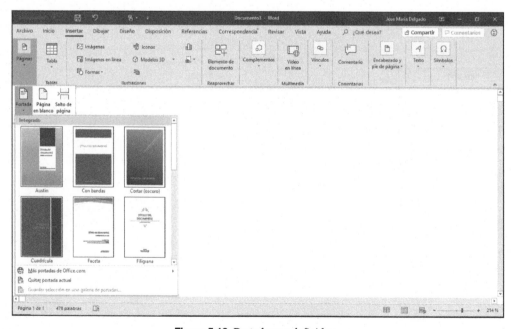

Figura 5.10. Portadas predefinidas.

Si decides cambiar de opinión, el comando Quitar portada actual eliminará la página de presentación del documento.

Autoformato de documento

Una vez creado el documento, el proceso final de darle un aspecto atractivo puede ser muy tedioso y, en ciertos casos, hasta desesperante: aplicar estilos a cada párrafo, modificar alineaciones, incluir sombreados o bordes, etcétera.

Word puede hacerlo por nosotros a través del comando Temas situado en el grupo Formato del documento de la ficha Diseño. Después de hacer clic sobre este icono, aparecerán todos los temas disponibles como se ilustra en la figura 5.11. Este comando aplicará el formato que Word interpreta como válido para el documento; la forma de hacerlo dependerá en gran medida de los atributos de texto aplicados al documento, como veremos más adelante.

El documento debe estar en el formato nativo de Office 2007 o superior para poder aplicar sobre él las posibilidades del comando Temas.

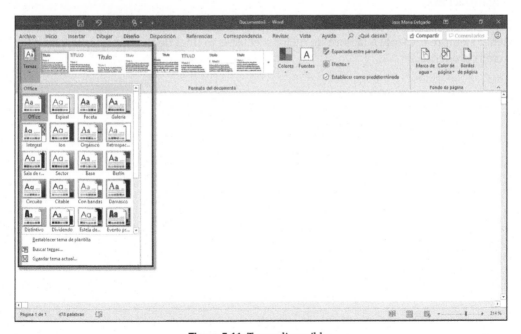

Figura 5.11. Temas disponibles.

Aunque siempre es posible deshacer los cambios, no está de más guardar el documento antes de utilizar las opciones de autoformato.

Por último, conviene saber que las opciones situadas a la derecha del comando Temas cambian la combinación de colores del tema elegido, sus tipos de letras y los efectos aplicados sobre el texto.

Resumen

En este capítulo hemos hablado sobre los márgenes que permiten definir el espacio útil de la página. También descubrimos cómo las secciones ofrecen la posibilidad de tener distintas configuraciones de página dentro de un mismo documento y, de este modo, añadir textos en varias columnas o modificar la orientación.

Los saltos de página, columna, sección, etcétera, sirven para modificar la posición de comienzo de cualquier párrafo: otro atractivo recurso para dar forma a documentos con gran variedad de contenidos.

Siempre que necesites incluir información en la parte superior o inferior de cada página deberás recurrir a los encabezados y pies de página. Puedes utilizarlos para añadir el número de página, el título del documento, el nombre y logotipo de tu empresa u organización…

La herramienta para añadir vistosas portadas a cualquier documento es algo que deberías tener siempre presente a la hora de mejorar el aspecto final de tus trabajos, así como los temas predefinidos.

6

Estilos de párrafo y de carácter

En este capítulo aprenderás a:

- Definir y aplicar estilos de párrafo.
- Modificar estilos.
- Asignar atajos de teclado a los estilos.
- Crear estilos de carácter.
- Utilizar el Inspector de estilos.
- Limitar la visualización de estilos.

Qué son los estilos y para qué sirven

Cuando trabajamos en documentos extensos o en proyectos de similares características, será necesario aplicar repetidas veces las mismas especificaciones de párrafo o de carácter. Para evitar perder el tiempo y agilizar esta labor, Word pone a nuestra disposición los estilos. Un estilo no es más que un conjunto de propiedades de carácter o de párrafo agrupadas bajo un mismo nombre.

Una vez creados los estilos necesarios para dar formato al documento no hará falta asignar una y otra vez las distintas características de párrafo o de carácter, ya que bastará con aplicar el estilo adecuado en cada caso. Además, los estilos de párrafo ayudarán a conseguir que nuestro documento tenga un aspecto mucho más limpio y homogéneo.

Word incluye una galería de estilos predeterminados en la ficha Inicio de la cinta de opciones (ver figura 6.1).

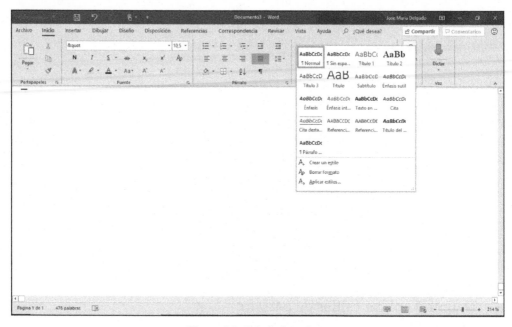

Figura 6.1. Galería de estilos.

Veamos cómo aplicar algunos de los estilos predefinidos sobre los párrafos de nuestro documento:

1. Selecciona el párrafo o párrafos a los que desees aplicar el conjunto de características de formato, es decir, el estilo. Si es un único párrafo bastará con situar el cursor sobre él.

2. Busca la ficha Inicio en la cinta de opciones.

3. El grupo Estilos contiene la galería de estilos activa en este momento. Cada vez que el cursor se encuentre encima de uno de ellos, el párrafo adoptará de forma provisional sus propiedades de formato. De esta forma tan visual puedes comprobar el resultado antes de aplicarlo.

4. Haz clic sobre el estilo que quieres aplicar.

5. Comprueba cómo el párrafo o los párrafos seleccionados han adoptado los atributos definidos en el estilo elegido.

Después de esta secuencia de pasos, habrás conseguido con un simple clic añadir toda una serie de características de formato a los párrafos seleccionados.

Definir estilos de párrafo

Ya conocemos los estilos y para qué sirven, e incluso hemos descubierto la galería de estilos. El siguiente paso será aprender a crearlos, proceso en el que puedes utilizar todos los conocimientos adquiridos hasta el momento y relacionados con el formato: tipos de fuente, sangrías, tabuladores, espacios de separación, etcétera.

> **NOTA:**
>
> *A la hora de crear estilos, es muy útil hacer primero una pequeña lista con las características principales de cada uno de ellos: tipo de fuente, tamaño, espacio anterior y posterior, alineación, etc.*

Una vez elegidas las características del nuevo estilo los pasos para crearlo son los que describimos a continuación:

1. Coloca el punto de inserción sobre el párrafo del documento que emplearás como modelo para crear el estilo.

2. Aplica todas las propiedades de formato asociadas al estilo. Si ya tienes un párrafo con las características que necesitas para crear un nuevo estilo, obvia este paso.

3. Busca la ficha Inicio en la cinta de opciones.

4. En el grupo Estilos, haz clic en el pequeño icono que hemos resaltado en la figura 6.2 para mostrar el panel Estilos.

5. Observa la parte inferior del panel, allí encontrarás tres iconos. Haz clic sobre el primero de ellos y al instante Word mostrará la ventana que puedes ver en la figura 6.3.

6. De forma predeterminada, aparecerá seleccionado el contenido del campo Nombre para que introduzcas el nombre del nuevo estilo.

7. Si lo deseas, en la sección Formato cambia algunas propiedades antes de finalizar la creación del nuevo estilo.

8. Para terminar, da Aceptar.

Para estar seguro de que el estilo se ha creado correctamente, abre la galería de estilos o revisa el panel Estilos y comprueba que está allí.

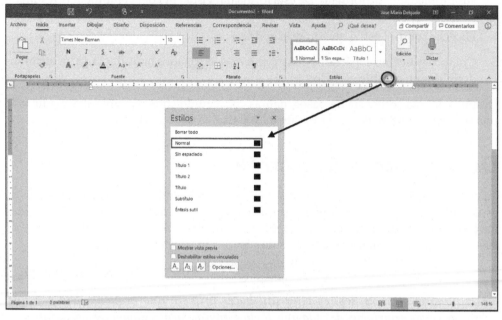

Figura 6.2. Icono situado en el grupo Estilos que permite acceder a la ventana Estilos.

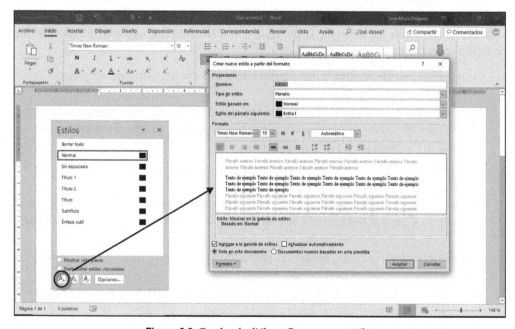

Figura 6.3. Cuadro de diálogo Crear nuevo estilo.

El cuadro de diálogo Crear nuevo estilo *muestra una vista preliminar donde puedes comprobar su aspecto a medida que aplicas las distintas propiedades disponibles. Bajo la vista preliminar también se encuentra una descripción exacta de las características del estilo. El panel* Estilos *también permite activar una vista preliminar de los estilos si marcas la casilla de verificación* Mostrar vista previa.

Al crear un nuevo estilo, la casilla de verificación Agregar a la galería de estilos del cuadro de diálogo Crear nuevo estilo se encuentra siempre activada. Esto posibilita añadir automáticamente el nuevo estilo a la galería y acceder a él desde la ficha Inicio. Si no quieres que esto ocurra, desactiva la casilla de verificación y así la única manera de aplicar el estilo será desde el panel Estilos.

Por defecto, los estilos quedan asociados al documento donde se crearon originalmente. Observa en el cuadro de diálogo Crear nuevo estilo *cómo en la parte inferior aparece activada la opción denominada* Solo en este documento. *Para usarlos en otros documentos es necesario almacenarlos en la plantilla asociada activando la opción* Documentos nuevos basados en esta plantilla. *De este modo, si creamos un nuevo documento basado en esa misma plantilla no será necesario definir de nuevo los estilos, sino que ya estarán incluidos en ella.*

Actualizar automáticamente

La casilla de verificación Actualizar automáticamente tiene una función interesante. Si se encuentra desactivada y realizas alguna modificación sobre un párrafo con un determinado estilo aplicado, este cambio no es asumido por el estilo y, por lo tanto, el resto de los párrafos del documento que tuvieran aplicado ese mismo estilo no sufriría ningún cambio. Por el contrario, si la activas y realizas esta misma operación, Word entiende que deseas modificar el estilo y así lo hace. A partir de ese momento, todos los párrafos del documento que tengan aplicado el estilo reflejan los nuevos cambios.

Como hemos comentado, la galería de estilos tiene como propósito principal ofrecer un acceso rápido a los estilos más representativos del documento. Por otra parte, el panel Estilos *contiene todos los estilos disponibles, sin excepción. Si deseas añadir alguno del panel a la galería, debes hacer clic sobre su nombre y seleccionar el comando* Agregar a galería de estilos.

Crear un nuevo estilo basado en otro existente

Imagina que necesitas crear una serie de estilos para los distintos apartados de un documento y todos tienen las mismas características salvo el tamaño de la fuente. Para evitar definir las mismas propiedades de párrafo una y otra vez, podrías crear el primer estilo y emplearlo como modelo para los siguientes:

1. El primer paso será crear el estilo que servirá de referencia para el resto. Si ya lo tienes o quieres usar alguno de los que se encuentran disponibles en la galería sáltate este paso.

2. A continuación, busca el panel Estilos. Recuerda que debes emplear el pequeño icono situado en la esquina inferior derecha del grupo Estilos.

3. Haz clic en el botón Nuevo estilo situado en la parte inferior del panel Estilos para abrir de nuevo el cuadro de diálogo Crear nuevo estilo a partir del formato.

4. Escribe un nombre para el nuevo estilo y en la lista Estilo basado en selecciona el estilo creado en el paso 1 o cualquier otro que desees usar como origen. En ese momento, el nuevo estilo heredará todas las propiedades de formato del estilo seleccionado.

5. Con las opciones de la sección Formato realiza los cambios que necesites en la definición del estilo.

6. Para terminar, da Aceptar.

A partir de este momento, el nuevo estilo queda vinculado al elegido como origen, es decir, si modificas algunas de las propiedades del estilo de origen, estas serán aplicadas automáticamente a todos los estilos basados en él. Esto es importante y debes tenerlo presente a la hora de trabajar con estilos ya que es una característica muy utilizada.

Programar el estilo siguiente

Otra de las posibilidades que ofrece el cuadro de diálogo Crear nuevo estilo a partir del formato es definir de manera predeterminada el estilo que tendrá el párrafo siguiente. Por ejemplo, es habitual que después de un título siempre siga párrafo de texto normal. En este caso, indica en todos los estilos del apartado que el siguiente párrafo adopte el estilo definido para el texto normal y así evitas el trabajo de aplicarlo manualmente.

Para determinar el estilo siguiente, selecciónalo en la lista desplegable Estilo del párrafo siguiente (observa la figura 6.4).

Modificar estilos

La forma más sencilla de modificar algunas de las características definidas en cualquiera de los estilos es hacer clic con el botón derecho sobre el nombre del estilo en la galería o en el panel Estilos y seleccionar el comando Modificar. Al instante, Word mostrará el mismo cuadro de diálogo que se ha empleado para crear un nuevo estilo.

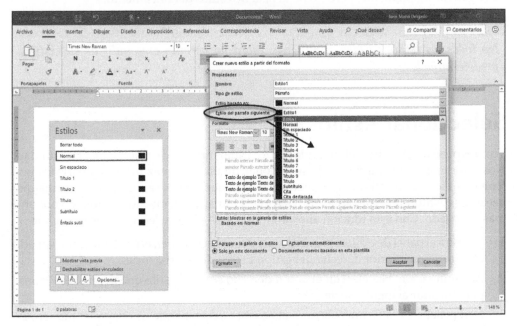

Figura 6.4. Establecer el estilo siguiente.

Actualizar estilo para que coincida con la selección

Seguimos describiendo formas de modificar un estilo, y ahora le toca el turno a una opción bastante interesante. Se trata de adaptar las especificaciones de un estilo ya creado para que coincida con las que posee el párrafo que tengamos seleccionado en ese momento. El funcionamiento es sencillo y simplemente es necesario hacer lo siguiente:

1. Realiza las modificaciones que necesites sobre el párrafo.

2. Después, en la galería o en el panel Estilos, haz clic con el botón derecho sobre el estilo y selecciona el comando Actualizar [Nombre estilo] para que coincida con la selección. Al instante todos los párrafos que tuvieran asignado el estilo seleccionado adoptarán los cambios.

Eliminar estilos

Habrá ocasiones en las que no necesites algún estilo y quieras eliminarlo para no saturar de entradas innecesarias el panel Estilos. La forma más sencilla es hacer clic con el botón derecho sobre el nombre del estilo en el panel Estilos y dar Eliminar.

Si intentas realizar la misma operación sobre la galería de estilos comprobarás que el comando no se encuentra disponible. En este caso, la única posibilidad es eliminarlos de la galería simplemente, pero no de la lista de estilos del documento.

> **ADVERTENCIA:**
>
> *No todos los estilos pueden eliminarse. Word no permite prescindir de sus estilos predeterminados.*

Seleccionar estilos

Veamos otra característica relacionada con los estilos que puede resultar de gran utilidad. Nos referimos a la posibilidad de seleccionar de una sola vez todos los párrafos que tengan aplicado un estilo determinado. ¿Y para qué puede servir? Pues imagina que necesitas sustituir un estilo aplicado a varios párrafos de un mismo documento por otro más adecuado. Con esta función ahorraremos el trabajo de seleccionarlos uno a uno:

1. Muestra el panel de estilos. Recuerda que debes hacer clic en el pequeño icono situado en la esquina inferior derecha del grupo Estilos de la ficha Inicio.
2. A continuación, haz clic con el botón derecho sobre el estilo que deseas seleccionar para mostrar el menú asociado.
3. Comprueba en la figura 6.5 como el nombre del comando se adapta al número de veces que aparece el estilo, por ejemplo: Seleccionar las 3 veces que aparece...
4. Una vez ejecutado el comando todos los párrafos quedarán seleccionados y podrás aplicar sobre ellos el formato que desees o cualquier otro estilo.

Bajo la opción descrita en la secuencia anterior de pasos, se encuentra el comando Quitar formato de todas las instancias de..., con el que se elimina cualquier atributo de formato y estilo de los párrafos que coincidan con el estilo seleccionado en el panel.

Asignar atajos de teclado a los estilos

Para escribir este libro hemos recurrido a una serie de estilos y como ya estábamos algo aburridos de buscarlos en la galería cada vez que había que aplicar alguno, decidimos hacer uso de la potencia de Word y asociarles un atajo de teclado a los estilos más frecuentes. De esta forma, cada vez que queremos aplicar cualquiera de ellos utilizamos la combinación de teclas que les hemos asignado.

La forma de asignar atajos de teclado es sencilla y ahorra bastante tiempo:

1. En la galería o en el panel Estilo, haz clic con en el botón derecho sobre el nombre del estilo y busca el comando Modificar.
2. Una vez abierto el cuadro de diálogo Modificar estilo, haz clic en el botón Formato situado en la parte inferior y en la lista de opciones escoge Método abreviado.

Aparecerá un nuevo cuadro de diálogo denominado Personalizar teclado (como se aprecia en la figura 6.6).

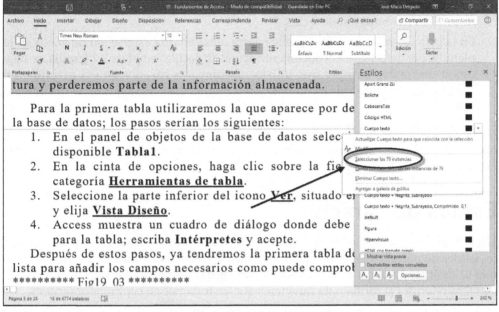

Figura 6.5. Comando Seleccionar estilos.

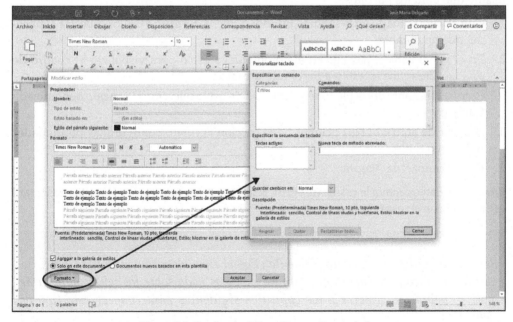

Figura 6.6. Cuadro de diálogo Personalizar teclado.

3. El cursor se encontrará activo en el cuadro Nueva tecla de método abreviado. Pulsa la combinación de teclas que quieres asignar al estilo, por ejemplo, Alt-1. Si debajo de este cuadro aparece algo distinto a [sin asignar], significa que el atajo de teclado ya está asociado a otro comando, en cuyo caso pulsa la tecla Retroceso y prueba con una nueva combinación de teclas.

4. En la lista Guardar cambios en, elige entre almacenar la asignación de atajos en la plantilla por defecto o en el documento actual. Si decides emplear la plantilla, el atajo estará disponible siempre que utilices documentos basados en esa plantilla. En cambio, si seleccionas el documento, solo podrás usar los atajos en el documento actual.

5. Haz clic en Asignar y después en Cerrar.

No olvides los pasos anteriores y emplea las teclas de método abreviado para asignar estilos. Ahorrarás tiempo y trabajo.

Estilos de carácter

Los estilos de carácter siguen los mismos principios que hemos visto hasta ahora para los estilos de párrafo. Como es lógico, la principal diferencia radica en las propiedades que se definen y que en este caso son fuente, estilo de fuente, tamaño y, en general, aquellas referidas al formato de caracteres que ya tratamos en capítulos anteriores.

Como verás a continuación, el método para crear estilos de carácter es prácticamente el mismo que para los párrafos:

1. Con el icono situado en la esquina inferior derecha del grupo Estilos muestra el panel del mismo nombre.

2. En el panel Estilos, haz clic en el botón Nuevo estilo para visualizar el cuadro de diálogo Crear nuevo estilo a partir del formato.

3. Escribe el nombre del estilo y en la lista Tipo de estilo selecciona la opción denominada Carácter.

4. A partir de aquí con las opciones de la sección Formato configura las propiedades del nuevo estilo.

5. Para terminar, da Aceptar.

En el panel Estilos activa la casilla de verificación Mostrar vista previa y Word representará cada estilo con su aspecto (ver figura 6.7).

NOTA:

Para crear estilos de tabla simplemente elige el tipo adecuado en la lista Tipo de estilo. *El único problema es que aún no sabemos nada sobre las tablas y, por este motivo, habrá que esperar a los capítulos siguientes para conocer este tipo de elementos.*

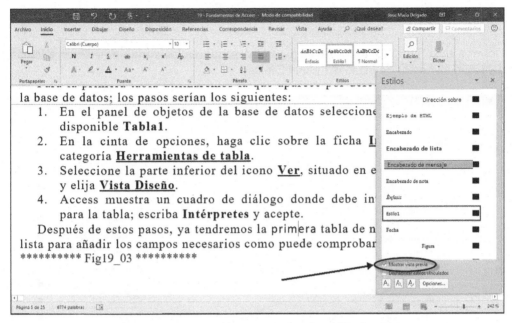

Figura 6.7. Activar vista previa en el panel Estilo.

Inspector de estilos

En la parte inferior del panel Estilos encontrarás tres iconos. Con el primero de ellos se crean nuevos estilos, pero ahora vamos a centrarnos en el segundo de ellos denominado Inspector de estilo. Su propósito es proporcionar información detallada sobre las características de formato del texto seleccionado o del párrafo donde se encuentra situado el cursor.

Haz clic sobre este icono para mostrar una pequeña ventana donde aparecerán los elementos que describimos a continuación:

- Dos secciones diferenciadas tanto para el estilo de párrafo como de carácter.

- En cada sección un primer cuadro con el nombre del estilo principal y un cuadro debajo con cualquier atributo de formato añadido.

- A la derecha de cada uno de los cuadros anteriores, un botón que permite eliminar cada formato de manera independiente.

- En la parte inferior de la ventana el botón Borrar todo eliminará por completo el formato del párrafo o de la selección.

- El icono Nuevo estilo abre el cuadro de diálogo Crear nuevo estilo que tratamos en apartados anteriores.

- Y, por último, una opción interesante, el icono Mostrar formato. Después de seleccionarlo, Word despliega un panel en el margen derecho con información ampliada y muy detallada sobre todos los atributos de formato del elemento seleccionado.

Observa en la figura 6.8 todos los elementos descritos en los puntos anteriores, además del icono Inspector de estilo del panel Estilos.

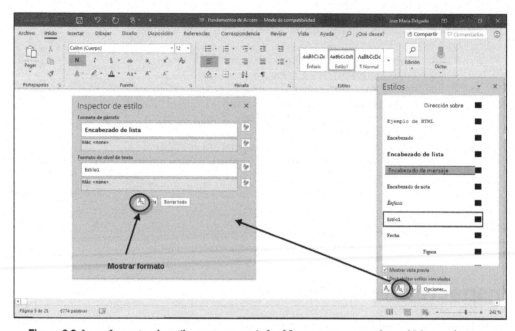

Figura 6.8. Icono Inspector de estilo, ventana asociada al Inspector y acceso al panel Mostrar formato.

Limitar la visualización de estilos disponibles

En la parte inferior del panel de estilos se encuentra el comando Opciones. Haz clic sobre él para acceder al cuadro de diálogo que aparece en la figura 6.9. Entre las posibilidades que ofrece destacamos la primera de la lista desplegable donde podrás configurar los estilos que mostrará el panel. El significado de cada una de las entradas de esta lista es el siguiente:

- **Recomendado:** Muestra los estilos principales del documento más aquellos que el propio programa considera que son importantes.

- **En uso:** Visualiza aquellos estilos que están siendo utilizados en el documento actual.

- **En el documento actual:** Exhibe todos los estilos del documento actual estén o no siendo usados.

- **Todos los estilos:** Presenta todos los estilos predefinidos en Word y en las plantillas asociadas al documento.

Nuestro consejo es que emplees las configuraciones Recomendado o En el documento actual.

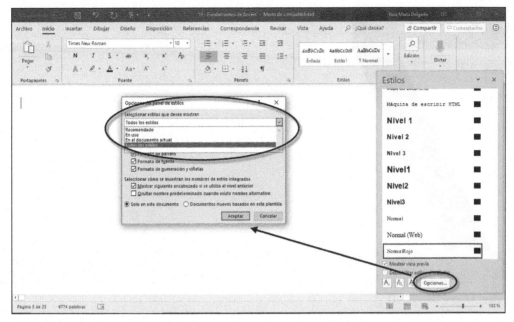

Figura 6.9. Lista desplegable con la que podrás elegir los estilos que aparecerán en el panel.

Resumen

Los estilos son una herramienta fundamental a la hora de dar formato y conseguir un aspecto homogéneo, limpio y profesional en nuestros trabajos en muy poco tiempo.

Las funciones predeterminadas de la ficha Inicio y el panel Estilos son los elementos básicos dentro de Word para trabajar con estilos. Desde el panel podrás realizar tareas básicas como crear un nuevo estilo, eliminar o modificar alguna de sus propiedades, así como operaciones más avanzadas para administrar los estilos de nuestros documentos y plantillas.

Una particularidad interesante de los estilos es la posibilidad de asociarles una combinación de teclas para hacer más cómoda su aplicación.

Por último, el Inspector de estilo es la herramienta perfecta para conocer los detalles de cualquier texto o párrafo del documento.

7

Tablas, gráficos y formas

En este capítulo aprenderás a:

- Crear tablas.
- Modificar la estructura de una tabla.
- Utilizar las opciones de autoformato.
- Realizar cálculos dentro de la tabla.
- Añadir gráficos en documentos.
- Distribuir el texto alrededor de la imagen.
- Usar los estilos de imagen.
- Trabajar con formas.
- Incluir capturas de pantalla.
- Añadir y trabajar con objetos SmartArt y WordArt.
- Agregar marcas de agua a un documento.

Introducción

Las tablas son uno de los medios más eficaces de organizar y estructurar información en documentos de texto. Su disposición en filas y columnas permite distribuir todo tipo de datos. Las posibilidades que presenta Word para la creación de tablas son realmente increíbles. Como se verá a lo largo de este capítulo, el número de comandos, herramientas y funciones parece no tener fin.

Crear tablas

Sin más preámbulo veamos cómo crear una tabla en Word con el comando del mismo nombre situado en la ficha Insertar:

1. Sitúa el punto de inserción en el lugar del documento donde colocarás la tabla.
2. En la cinta de opciones, busca la ficha Insertar.
3. Haz clic en el botón Tabla y justo debajo aparecerá una cuadrícula en blanco como en la figura 7.1.
4. A continuación, sin pulsar ningún botón arrastra el ratón encima de la cuadrícula para definir el número de filas y columnas que tendrá la tabla. Comprueba cómo Word muestra de forma provisional la tabla en el documento.
5. Cuando hayas determinado el número de filas y columnas, haz clic para terminar y añadir la tabla definitivamente al documento.

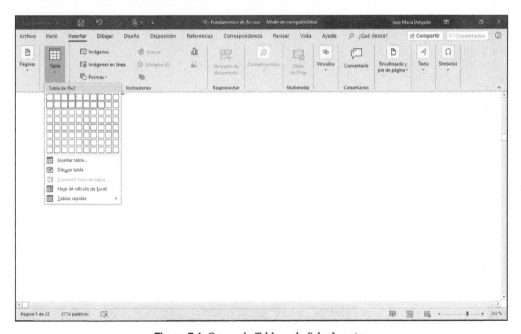

Figura 7.1. Comando Tabla en la ficha Insertar.

Sin lugar a duda, el método descrito en los pasos anteriores es la manera más cómoda y rápida para crear una tabla, pero es posible que necesitemos más opciones de configuración. Veamos otra forma de crear una tabla, menos inmediata, pero con más posibilidades de configuración:

1. Sitúa el punto de inserción en el lugar del documento en el que deseas incluir la tabla.

2. Comprueba que la ficha Insertar se encuentra seleccionada en la cinta de opciones.

3. Haz clic sobre el icono Tabla y a continuación en el comando Insertar tabla situado bajo la cuadrícula. Al instante, aparecerá el cuadro de diálogo Insertar tabla como en la figura 7.2.

4. En los cuadros Número de filas y Número de columnas introduce los valores que se corresponderán con las dimensiones de la tabla que necesitas crear.

5. La sección Autoajuste incluye tres opciones distintas para indicar el ancho de las columnas:

   - **Ancho de columna fijo:** La opción predeterminada Automático hace que sea Word quien asigne el ancho a las columnas de la tabla. También podemos escribir nosotros mismos el ancho en el cuadro de texto o utilizar los botones situados a la derecha.

   - **Autoajustar al contenido:** Por defecto, creará una tabla con el ancho de columna mínimo, de modo que vaya adaptando su tamaño a la información que introduzcamos en cada celda.

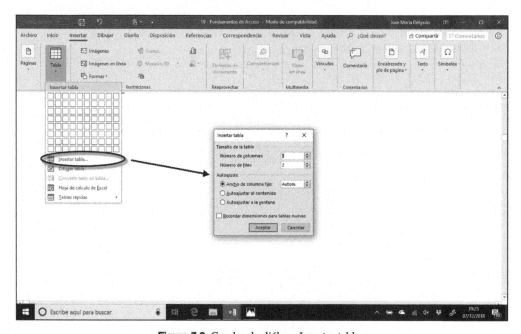

Figura 7.2. Cuadro de diálogo Insertar tabla.

- **Autoajustar a la ventana:** Con esta opción la tabla ocupa todo el ancho disponible en la página del documento.

- **Recordar dimensiones para tablas nuevas:** Al activar esta casilla de verificación se guardarán los ajustes actuales. De este modo, la próxima vez que ejecutes el comando, el cuadro de diálogo mostrará los últimos valores establecidos. Es de gran ayuda si necesitas insertar varias tablas con características similares.

Si necesitas crear tablas con divisiones asimétricas y con distribuciones algo especiales, la solución está en el comando Dibujar tabla.

1. Coloca el punto de inserción en la posición del documento donde insertarás la tabla.

2. Comprueba que se encuentra seleccionada la ficha Insertar en la cinta de opciones.

3. Busca el botón Tabla y a continuación el comando Dibujar tabla. El icono se transformará en un pequeño lápiz como el de la figura 7.3 y Word mostrará el documento en la vista Diseño de impresión.

4. Haz clic en el punto donde estará la esquina superior izquierda de la tabla y sin soltar el botón izquierdo del ratón, arrastra para definir sus dimensiones.

5. Una vez delimitada el área que ocupará la tabla, es el momento de dibujar sus divisiones. Coloca el extremo del lápiz sobre uno de los lados, haz clic y, sin soltar arrastra hasta el lado opuesto.

6. Repite el paso anterior para crear todas las divisiones que necesites tanto horizontales como verticales, incluso diagonales.

Quizás parezca algo complicado crear tablas de este modo, pero solo es cuestión de practicar un poco.

Como se aprecia en la figura 7.4, cada vez que incluimos una tabla al documento con cualquiera de los métodos descritos, Word ofrece en la cinta de opciones una nueva categoría denominada Herramientas de tabla con dos fichas asociadas: Diseño y Presentación. Entre ellas, agrupan todos los comandos disponibles para diseñar, modificar y, en resumen, trabajar con tablas. Esta nueva categoría estará presente siempre que selecciones, hagas clic o coloques el punto de inserción en una tabla.

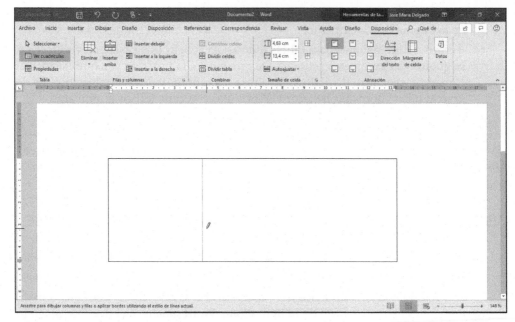

Figura 7.3. Dibujar tabla.

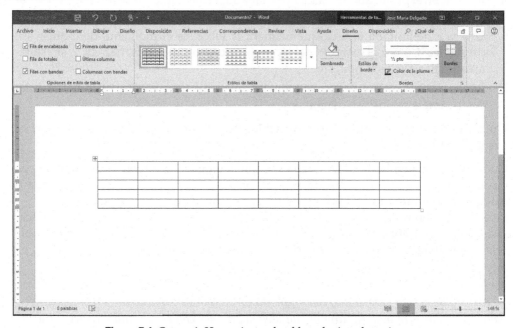

Figura 7.4. Categoría Herramientas de tabla en la cinta de opciones.

Edición de tablas

Como hemos comentado, una vez creada la tabla con la herramienta Dibujar tabla es posible añadir nuevas divisiones. Pero esto no es todo, Word ofrece numerosas posibilidades para realizar múltiples modificaciones sobre su estructura. Por ejemplo, puedes desplazar las divisiones del siguiente modo:

1. Sitúa el cursor sobre la división que quieres mover. El cursor se transformará en dos líneas paralelas unidas a dos flechas opuestas.

2. Mantén pulsado el botón derecho del ratón y, sin soltar, arrastra hasta que la posición de la línea sea la adecuada.

Esta operación es posible realizarla sobre cualquiera de las líneas que componen la tabla, ya sean interiores o exteriores, horizontales o verticales.

Cambiar el tamaño de la tabla

Otra necesidad frecuente es tener que modificar el tamaño de la tabla; en este caso:

1. Empieza situando el cursor encima de la tabla para que aparezcan dos pequeños símbolos: uno en la esquina superior izquierda y otro en la esquina inferior derecha.

2. Haz clic sobre este último y, sin soltar el botón izquierdo del ratón, arrastra para modificar el tamaño.

ADVERTENCIA:

Cuando modifiques el tamaño de la tabla no olvides que tendrá como límite las dimensiones de la página; del mismo modo, a la hora de reducirla, el valor mínimo dependerá del contenido de cada una de sus celdas.

Word, por defecto, al escribir texto en una tabla, ajusta automáticamente sus dimensiones al contenido de cada celda, ampliando el tamaño de la tabla si fuera necesario. Para modificar este comportamiento realiza estos pasos:

1. Haz clic en cualquier celda de la tabla.

2. En la ficha Disposición asociada a la categoría Herramientas de tabla, busca el comando Autoajustar situado dentro del grupo Tamaño de celda. En la figura 7.5 aprecia la situación del icono y las opciones asociadas.

3. Busca la opción denominada Ancho de columna fijo.

Una vez desactivada esta opción, Word no modificará el tamaño de la tabla cuando el contenido de alguna celda exceda su longitud, pero provocará que el texto ocupe más de una línea. Autoajustar al contenido es la opción predeterminada y hace que el ancho de la columna se amplíe para adaptarse al texto o cualquier otro elemento incluido en la celda. Por otra parte, Autoajustar a la ventana hace que la tabla adapte su ancho al espacio disponible en la página. En cualquiera de estas dos opciones y a diferencia de la opción Ancho de columna fijo, el tamaño de cada columna cambiará en función de su contenido.

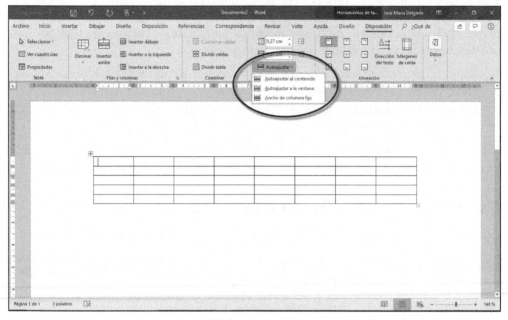

Figura 7.5. Comando Autoajustar.

Para mover la tabla de posición, emplea el símbolo que aparece en la esquina superior izquierda. Haz clic sobre él, mantén pulsado el botón izquierdo del ratón y, sin soltar, arrastra para colocar la tabla donde desees.

Desplazamiento entre filas y columnas

Para movernos entre las distintas celdas de una tabla lo mejor es hacerlo con las teclas del cursor: Arriba, Abajo, Derecha e Izquierda.

También con la tecla Tab iremos hasta la celda siguiente, con la ventaja de seleccionar su contenido al mismo tiempo, si es lo que necesitas. Para hacer esta misma operación, pero hacia atrás, usa la combinación de teclas Mayús-Tab.

Selección de elementos de una tabla

Las funciones de selección también son fundamentales cuando trabajamos con tablas. A continuación, describimos el modo de seleccionar sus distintos componentes:

- **Contenido de una celda:** Para seleccionar el texto o los elementos contenidos dentro de una celda no es necesario hacer nada especial, simplemente usa los mismos métodos que para con un texto o párrafo.

- **Celda:** Selecciona una celda completa con un triple clic (el mismo método que conocemos para hacerlo con un párrafo completo).

- **Fila:** Sitúa el cursor en el extremo izquierdo de la fila que quieres seleccionar hasta que se transforme en una flecha inclinada hacia la derecha y haz clic. Si quieres seleccionar más de una fila consecutiva, sigue este mismo método y arrastra para incluir todas las filas que desees.

- **Columna:** Coloca el cursor en el extremo superior de la columna hasta que se transforme en una pequeña flecha de color negro y, en ese momento, haz clic. Si lo necesitas, puedes arrastrar para seleccionar más de una columna.

- **Tabla completa:** Marca la tabla completa con un clic en el símbolo que aparece en la esquina superior izquierda y que ya hemos utilizado para moverla.

Eliminar filas y columnas

Es habitual que en ciertas ocasiones haya que eliminar alguna fila, columna o incluso la tabla completa. Para llevar a cabo estas operaciones sigue estos pasos:

1. Coloca el punto de inserción en alguna de las celdas de la fila o de la columna a eliminar.

2. En la cinta de opciones, busca el comando Eliminar situado en el grupo Filas y columnas de la ficha Presentación.

3. A continuación elige el elemento que quieras eliminar.

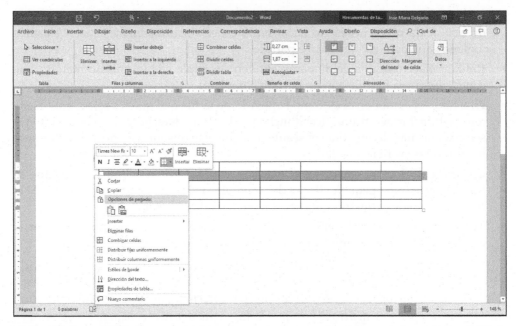

Figura 7.6. Comando Eliminar tanto en el menú contextual como en la minibarra de herramientas de Word.

Siempre que marques la opción Celdas del comando Eliminar, Word mostrará el cuadro de diálogo Eliminar celdas. Dentro de él hay varias opciones para desplazar las celdas contiguas a la actual después de eliminarla o de borrar la línea o la fila completa.

Insertar filas y columnas

La manera más rápida de insertar una fila al final de una tabla es situar el punto de inserción en su última celda y pulsar la tecla Tab. Para insertar una fila en otra posición de la tabla sigue estos pasos:

1. Sitúa el punto de inserción en la fila delante o detrás de la que necesitas insertar.

2. En la cinta de opciones, busca el comando Insertar debajo o Insertar arriba, situados en el grupo Filas y columnas de la ficha Presentación.

Para insertar una columna en lugar de una fila debes seguir la misma secuencia anterior de pasos, pero, en este caso, busca el comando Insertar a la derecha o Insertar a la izquierda.

> **TRUCO:**
>
> *También es posible insertar una fila o una columna con el menú contextual que aparece después de seleccionar la fila o columna y hacer clic con el botón derecho. El comando* Insertar *incluye todas las opciones disponibles.*

Además de todos los comandos descritos hasta ahora para añadir columnas existe otro método más rápido y visual:

1. Coloca el cursor en la parte superior de la tabla y aproxímalo a la intersección de dos columnas hasta que aparezca el símbolo de la figura 7.7.

2. Haz clic en el signo + situado en el interior del símbolo para añadir una nueva columna a la tabla.

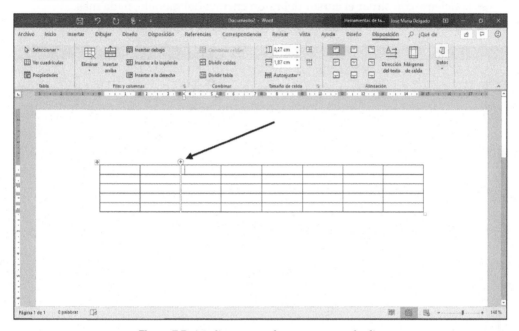

Figura 7.7. Añadir nuevas columnas con un solo clic.

Dividir una tabla

Dividir tabla se encuentra entre los comandos del grupo Combinar de la ficha Presentación y permite seccionar o dividir una tabla por la posición que indiquemos. Sitúa el punto de inserción sobre alguna de las celdas que servirá como referencia para la división (es decir, la que se convertirá en la primera celda de la segunda tabla) y ejecuta el comando.

Formato de tablas

Las opciones de formato de tablas son muy extensas, compruébalo con un clic en la ficha Diseño de la categoría Herramientas de tabla. En este apartado intentaremos describir las más importantes.

En primer lugar, la forma más rápida de dar formato a una tabla es con los estilos predefinidos:

1. Sitúa el punto de inserción en cualquiera de las celdas de la tabla.

2. En la cinta de opciones, busca la ficha Diseño de la categoría Herramientas de tabla y dentro del grupo Estilos de tabla haz clic sobre el icono resaltado en la figura 7.8 para mostrar la galería completa de estilos de tabla.

3. La galería se encuentra dividida en varios grupos: Tablas sin formato, Tablas de cuadrícula y Tablas de lista. Para comprobar el aspecto de cualquiera de estos diseños es suficiente con situar el cursor del ratón encima del modelo, nada más.

4. Si finalmente decides aplicar alguno, haz clic sobre él para seleccionarlo.

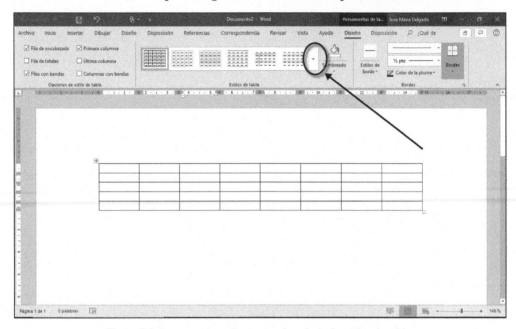

Figura 7.8. Icono que permite mostrar la galería de estilos de tabla.

Una vez aplicado cualquiera de los estilos modifica sus características de formato para personalizarlo como desees. Despliega de nuevo la galería de estilos de tabla y entre los comandos que aparecen en la zona inferior selecciona Modificar estilo de tabla y tendrás acceso al cuadro de diálogo de la figura 7.9. En él cambia el tipo de fuente, el grosor y el tipo de líneas, su color, etcétera. Además, podrás guardar todos estos cambios con un nombre y de esta forma crear tus propios estilos de tabla personalizados.

El comando Borrar, también situado entre las opciones de la galería de estilos de tabla, eliminará por completo todos los atributos de formato aplicados sobre la tabla.

TRUCO:

Para modificar el color de fondo de cualquier celda o grupo de celdas emplea el comando Sombreado. *El pequeño icono situado bajo su nombre muestra la paleta de colores.*

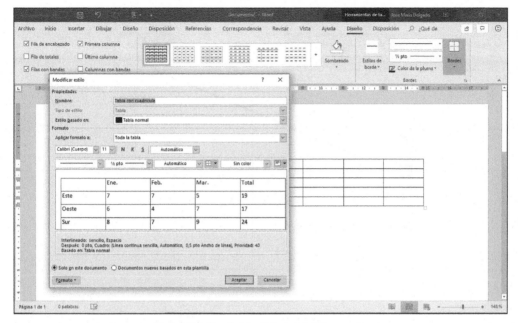

Figura 7.9. Cuadro de diálogo Modificar estilo.

Alineación, márgenes y dirección del texto

Es posible alinear el contenido de las celdas tanto horizontal como verticalmente. Observa el grupo Alineación de la ficha Disposición donde se incluyen nueve pequeños iconos correspondientes a cada una de las posibilidades disponibles de alineación: Arriba a la izquierda, Arriba centrado, Centrado vertical y Horizontal, etcétera. Cada celda de la tabla puede tener un tipo de alineación distinto.

Además de alinear el texto o cualquier elemento contenido en las celdas de una tabla, Word permite modificar su dirección. Para entender mejor a que nos referimos, observa la figura 7.10 donde se ha destacado el icono Dirección del texto y el resultado que provoca en el texto.

Por último, es posible cambiar la distancia o margen de separación entre el contenido y los bordes superior, inferior, izquierdo y derecho de la celda. Haz clic en el icono Márgenes de celda para acceder a un pequeño cuadro de diálogo donde personalizar estos valores.

> **TRUCO:**
>
> El comando Márgenes de celda *también modifica el espacio de separación entre celdas, muy útil por ejemplo para la impresión de etiquetas o simplemente para dar un aspecto distinto a la tabla.*

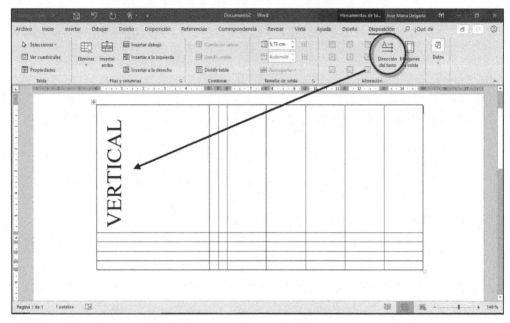

Figura 7.10. Cambiar la dirección del texto.

Convertir texto en tabla y viceversa

Para convertir texto en una tabla lo único que necesitas es algún elemento que permita diferenciar el contenido de cada celda. Por ejemplo, si observas la figura 7.11 comprobarás que la serie de elementos que tenemos en la pantalla se encuentran separados por un guion. Este carácter servirá como referencia para convertirlos en una tabla siguiendo estos pasos:

1. Selecciona el texto a convertir en tabla.

2. En la cinta de opciones, busca la ficha Insertar.

3. Haz clic sobre el comando Tabla, y entre las opciones disponibles en la parte inferior escoge Convertir texto en tabla. Al instante, aparecerá un cuadro de diálogo con distintas opciones.

4. Rellena la casilla Número de columnas. En nuestro ejemplo utilizaremos el valor 2.

5. En la sección Autoajuste opta por la opción que desees para establecer el ancho de las columnas.

6. Y, ahora, la parte más importante, en la sección Separar texto en activa la opción Otro y escribe un guion en la pequeña casilla de texto situada a la derecha. Empleamos en este caso el carácter guion para seguir con nuestro ejemplo, pero puede ser cualquier otro valor como puntos, tabuladores, comas, etcétera.

7. Para terminar, da Aceptar y observa el resultado.

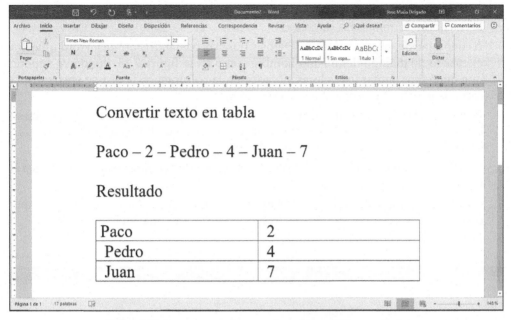

La operación inversa, es decir, convertir el contenido de una tabla en texto tampoco resulta demasiado complicada. Compruébalo con estos sencillos pasos:

1. Selecciona toda la tabla. Recuerda que puedes hacerlo con el comando Seleccionar situado en la ficha Presentación de la categoría Herramientas de tabla.

2. En el extremo opuesto de la cinta de opciones, haz clic sobre Convertir texto a y aparecerá el cuadro de diálogo Convertir tabla en texto.

3. Elige el carácter que quieras para separar el contenido de cada celda y da Aceptar.

Realizar cálculos en una tabla

No pienses en Word como una herramienta para realizar complejos cálculos, ya que para este tipo de tareas ya existe una aplicación mucho más potente como Microsoft Excel. En cualquier caso, el comando Fórmula ofrece la posibilidad de realizar algunas operaciones.

Para entender mejor el funcionamiento de este comando veamos un ejemplo. Imagina que tienes la tabla de la figura 7.12 y necesitas calcular la media de las cantidades que han aportado los socios durante el mes de febrero. El resultado lo colocaremos justo en la celda que se encuentra debajo:

1. Sitúa el cursor en la celda vacía que está justo debajo de la columna con los datos del mes de febrero.

2. En la cinta de opciones, comprueba que se encuentra activa la ficha Disposición de la categoría Herramientas de tabla.

3. A continuación, observa el grupo Datos y busca el comando Fórmula. Word muestra el cuadro de diálogo del mismo nombre como en la figura 7.13, donde ya supone que queremos sumar los valores situados en la columna en la que se encuentra la fórmula e incluye por defecto =SUM(ABOVE).

4. Borra la función incluida de forma predeterminada (cuidado, no borres el signo igual que se encuentra justo delante de la función) y en el cuadro de lista Pegar función situado en la parte inferior selecciona AVERAGE.

5. Entre los paréntesis, escribe ABOVE. Otra forma de referenciar la columna sería C:C.

6. Por último, en la lista desplegable Formato de número, determina el aspecto que desees para los valores numéricos. Aprecia el resultado final en la figura 7.14.

7. Da Aceptar para insertar la fórmula.

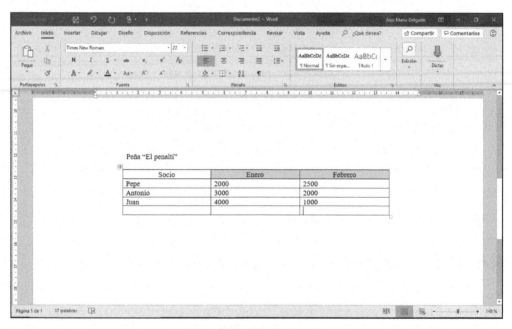

Figura 7.12. Tabla de ejemplo.

La forma de referenciar cualquier celda dentro de una tabla y, por consecuencia, su contenido sigue el típico esquema cartesiano donde cada fila tiene asignada una letra (A, B, C…) y las columnas, un valor numérico (1, 2, 3…). Conociendo esto, la forma de acceder a cualquier valor o valores siempre es la misma. Imagina que necesitas calcular el total de la aportación del socio Pepe. La expresión podría ser:

`=SUM(B2:C2)`

O la suma de las aportaciones de todos los socios:

`=SUM(B2:C4)`

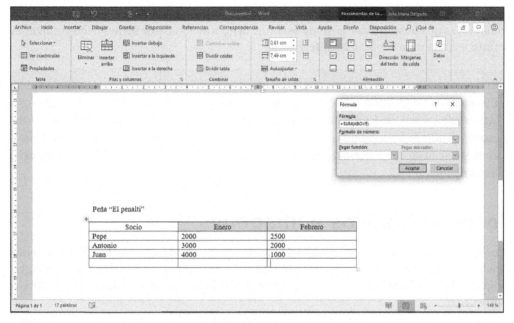

Figura 7.13. Cuadro de diálogo Fórmula.

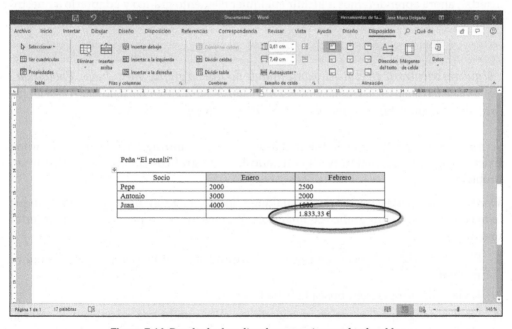

Figura 7.14. Resultado de aplicar las operaciones sobre la tabla.

O del mes de enero del socio Pepe y del mes de febrero del socio Antonio:

```
=SUM(B2;C3)
```

Cuidado con este último caso, la ayuda de Word indica el uso de la coma para separar referencias no consecutivas, pero de esta forma no funciona, por lo que debes utilizar el punto y coma para separar las referencias.

Insertar gráficos e imágenes

Los gráficos, manejados con moderación y elegancia, pueden convertir un documento triste y aburrido en todo un ejercicio de estilo. En muchas ocasiones una buena imagen logrará transmitir más ideas y sensaciones que muchas páginas redactadas de modo impecable.

En capítulos anteriores tratamos sobre cómo añadir iconos y elementos 3D desde la ficha Insertar, ahora aprenderemos a incluir cualquier elemento gráfico y adaptarlo a nuestro documento.

Si usas material procedente de Internet asegúrate de no infringir los derechos de autor. Existen multitud de plataformas con todo tipo de gráficos que podrás utilizar sin problemas.

Word permite insertar prácticamente cualquier tipo de objeto en sus documentos, aunque lo más común es incluir gráficos o imágenes. Veamos los pasos necesarios para insertar una imagen:

1. Sitúa el cursor en la posición exacta del documento donde quieres incluir la nueva imagen.
2. En la cinta de opciones, busca la ficha Insertar.
3. Dentro del grupo Ilustraciones, haz clic en el comando Imágenes para acceder al cuadro de diálogo de la figura 7.15.

4. A continuación, navega por la estructura de directorios y, una vez localizado el archivo, haz clic sobre él para seleccionarlo.

5. Finalmente, da Insertar.

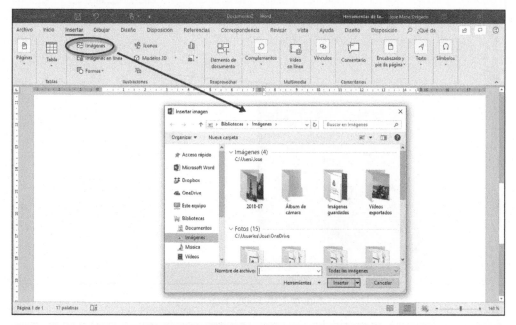

Figura 7.15. Cuadro de diálogo Insertar imagen.

Después de seguir los pasos anteriores comprueba cómo, alrededor de la imagen, aparecen ocho pequeños cuadrados que permiten modificar sus proporciones con solo colocar el ratón encima, hacer clic y arrastrar.

Si necesitas cambiar la imagen de posición también lo tienes fácil, sitúa el ratón encima y verás cómo el cursor se transforma en una cruz con cuatro flechas. En ese momento haz clic y arrástrala hasta su nueva localización.

Para girar la imagen, vuelve a colocar el cursor sobre ella y observa en la figura 7.16 el símbolo que aparece justo encima. Haz clic sobre él y, sin soltar, mueve la imagen para rotarla a izquierda o derecha.

Es posible eliminar cualquier imagen o elemento gráfico del documento con tan solo hacer clic sobre él y pulsar la tecla Supr.

Word incluye una sencilla pero potente función de recorte de imágenes y objetos gráficos:

1. Haz clic con el botón derecho sobre el elemento a modificar y a continuación busca el comando Recortar disponible en la minibarra de herramientas (cfr. figura 7.17).

2. Observa los marcadores que aparecen alrededor del objeto. Haz clic y, sin soltar, arrastra para recortar.

3. Para terminar, haz clic fuera del objeto.

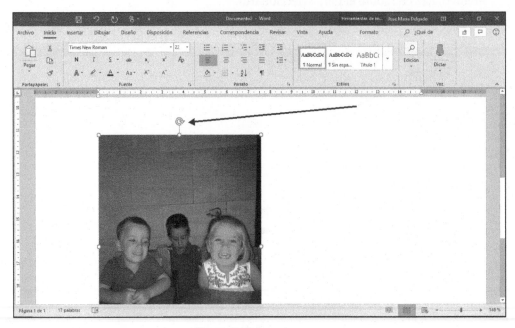

Figura 7.16. Rotar imagen.

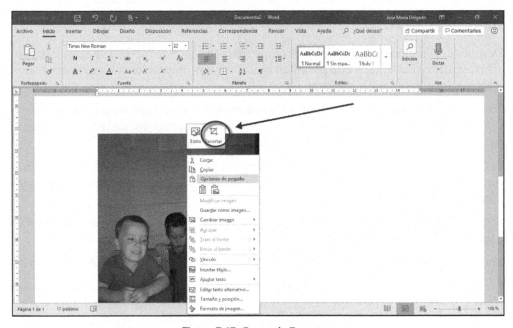

Figura 7.17. Comando Recortar.

Después de completar la última secuencia de pasos, podrías pensar que no es posible recuperar la zona eliminada de la imagen. No es así, ejecuta de nuevo el comando Recortar sobre el mismo elemento y comprobarás que el aspecto original del objeto sigue ahí. Basta arrastrar de nuevo los marcadores para recuperar cualquier zona eliminada previamente.

Word pone a nuestra disposición en la cinta de opciones una categoría específica para el trabajo con imágenes denominada Herramientas de imagen. *Únicamente contiene la ficha* Formato *y se activará de forma automática al seleccionar cualquier imagen o elemento gráfico.*

Imágenes en línea

Con el comando Imágenes en línea se accede a Internet y se puede utilizar el motor de búsqueda predeterminado para encontrar con facilidad gráficos libres de derecho. El proceso es el siguiente:

1. Sitúa el cursor en la posición exacta del documento donde incluirás la imagen.
2. En la cinta de opciones, comprueba que se encuentra seleccionada la ficha Insertar.
3. Dentro del grupo Ilustraciones, haz clic en el comando Imágenes en línea para mostrar el cuadro de diálogo de la figura 7.18.
4. Haz clic en alguna de las categorías disponibles o, si lo prefieres, en el cuadro de texto situado en la parte superior escribe los términos relacionados con las imágenes que necesitas y pulsa Intro.
5. Word mostrará las coincidencias. Haz doble clic sobre la imagen que deseas añadir al documento o elige el botón Insertar.

Si quieres incluir más de una imagen, pulsa la tecla Control o Mayús mientras seleccionas todos los elementos que necesitas.

Word despliega un mensaje donde indica que las imágenes mostradas como resultado de la búsqueda cumplen con la licencia Creative Commons. Es decir, tienen derechos de copyright, pero se pueden emplear bajo determinadas condiciones. Comprueba estos requisitos antes de utilizar cualquier imagen o gráfico.

Situación de la imagen con respecto al texto

Al incluir una imagen en un documento de Word, por omisión queda asociada al lugar en el que se encuentre el punto de inserción. En realidad, es como si fuera una palabra o un carácter más del párrafo. En este tipo de casos decimos que el gráfico está en línea con el texto o integrado en el texto (esto ya lo tratamos cuando describimos los iconos y elementos 3D). Ahora profundizaremos un poco más en sus opciones de configuración.

Figura 7.18. Insertar imágenes en línea.

Si lo deseas puedes modificar este comportamiento y distribuir el texto alrededor de la imagen de diferentes formas. Existen varios métodos, pero el más sencillo sería hacer clic sobre la imagen y marcar el icono Opciones de diseño (señalado en la figura 7.19). Como puedes ver, existen dos categorías. La primera denominada En línea con el texto hace referencia al método por defecto que hemos descrito en el párrafo anterior. La segunda, Con ajuste de texto, ofrece seis modos de colocar el texto alrededor de la imagen:

- **Cuadrado:** Hace que el texto se distribuya alrededor, pero dejando un margen mínimo entre los límites de la imagen y las palabras.

- **Estrecho:** El texto queda totalmente pegado a los límites reales de la imagen, sin ningún tipo de espacio intermedio.

- **Transparente:** El texto se adaptará al contorno de la imagen. Es necesario identificar como transparentes determinadas áreas del gráfico utilizando algún formato que admita este tipo de característica o mediante el comando Quitar fondo de la ficha Formato de la categoría Herramientas de imagen.

- **Arriba y abajo:** Situará líneas de texto tanto en la parte superior como inferior de la imagen, dejando los laterales en blanco.

- **Delante del texto:** Coloca la imagen encima del párrafo, cubriéndolo y, por lo tanto, ocultando el texto situado detrás de la imagen.

- **Detrás del texto:** Ocurre justo lo contrario que en el caso anterior, es decir, ahora el texto queda encima de la imagen, dejándola parcialmente visible. Este método se usa, por lo general, para incluir marcas de agua con el logotipo de la empresa como fondo del documento.

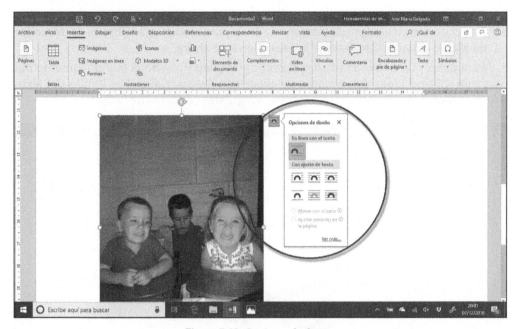

Figura 7.19. Opciones de diseño.

Además de los modelos de distribución del texto alrededor de una imagen, la ventana Opciones de diseño incluye dos comandos que también determinan el comportamiento de los objetos con respecto al texto y que se activan siempre y cuando selecciones alguna de las opciones de la categoría Con ajuste de texto.

- **Mover con el texto:** Es la opción predeterminada. En este caso la imagen está ligada al párrafo y se desplazará con él.

- **Ajustar posición en la página:** El objeto se comporta como un elemento independiente del texto. Con esta opción, se desplaza sin afectar el texto que lo rodea.

TRUCO:

La ventana Opciones de diseño *muestra un comando más al final de la ventana denominado* Ver más. *Haz clic sobre él para acceder al cuadro de diálogo* Diseño *donde es posible establecer con detalle cualquier parámetro de configuración relacionado con la posición de la imagen, el ajuste del texto y su tamaño.*

Ajustes irregulares

Para diseñar un ajuste de texto irregular y adaptado al contorno de cualquier objeto sigue estos pasos:

1. Haz clic con el botón derecho sobre la imagen y selecciona Ajustar texto.
2. Entre las opciones disponibles escoge Modificar puntos de ajuste. Alrededor de la imagen aparecerá un recuadro rojo y cuatro marcadores en sus esquinas.
3. Haz clic sobre cualquiera de estos marcadores para modificar los límites del recuadro de ajuste, aunque lo realmente interesante viene ahora.
4. Para definir un nuevo marcador, haz clic y mantén pulsado el botón izquierdo del ratón sobre el lugar del recuadro de ajuste que desees mover. Los límites del texto alrededor de la imagen pueden ser tan irregulares como los de la figura 7.20.

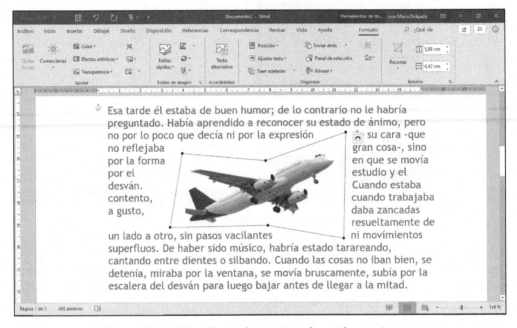

Figura 7.20. Establecer límites de texto irregulares sobre una imagen.

Para que los ajustes de texto irregulares sean efectivos es necesario que la imagen se encuentre en algún formato que admita transparencias. También es posible emplear para este mismo fin el comando Quitar fondo situado en el extremo izquierdo de la ficha Formato de la categoría Herramientas de imagen.

NOTA:

Si el comportamiento elegido es En línea con el texto, el comando Modificar puntos de ajuste no estará disponible.

Estilos de imagen

A estas alturas, ya deberíamos estar familiarizados con los estilos, ya sean de párrafo, carácter o tablas. Para los gráficos e imágenes, Word también dispone de vistosos efectos (observa la figura 7.21). La forma de acceder a ellos es con la ficha Formato de la categoría Herramientas de imagen que —como hemos comentado— aparecerá automáticamente al seleccionar cualquier elemento gráfico.

La manera de conocer el aspecto que tendrá una imagen con alguno de los estilos disponibles es sencilla, basta con seleccionar el gráfico y a continuación situar el ratón unos segundos sobre los distintos modelos. Una vez decidido el estilo solo haz clic para aplicarlo.

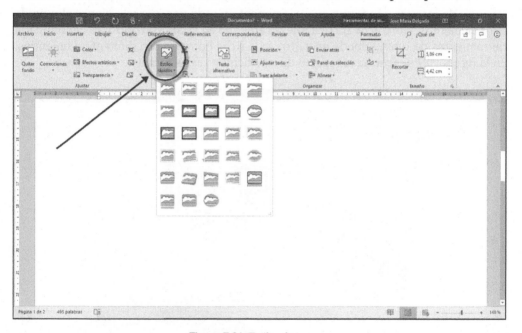

Figura 7.21. Estilos de imagen.

TRUCO:

A la derecha de la lista de estilos se encuentran dos comandos que también mejoran el aspecto de cualquier imagen o gráfico. En primer lugar, la opción Borde de imagen *añade un contorno del color y grosor que necesitemos. Mientras que con el comando* Efectos de la imagen, *conseguirás sombreados, reflejos y biseles.*

Formas

Las formas son una amplia colección de dibujos vectoriales sencillos que abarcan desde líneas y flechas hasta elementos para crear diagramas de flujo. Una de las ventajas de las formas es su posibilidad de configuración ya que cambian su color, su tamaño, se les puede escribir dentro, etc.

En la cinta de opciones, después de buscar el comando Forma dentro del grupo Ilustraciones de la ficha Insertar, aparecerá un completo catálogo de figuras clasificadas por categorías: Líneas, Rectángulos, Formas básicas, Flechas de bloque, entre otras. Para incluir alguno de estos objetos en un documento, sigue estos pasos:

1. Escoge la forma que deseas dibujar entre las opciones del comando Forma.

2. Haz clic y, sin soltar, arrastra el ratón por la pantalla hasta que la forma tenga el tamaño deseado.

Después de insertar una forma en el documento y cada vez que selecciones alguno de estos elementos, Word activará una nueva categoría en la cinta de opciones denominada Herramientas de dibujo donde encontrarás la ficha Formato con diferentes comandos. En la figura 7.22 se aprecia el aspecto de esta ficha y varias formas.

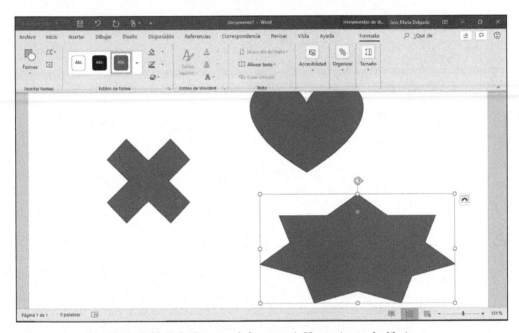

Figura 7.22. Ficha Formato de la categoría Herramientas de dibujo.

TRUCO:

Haz clic con el botón derecho sobre una forma y selecciona el comando Agregar texto. *Aparecerá un punto de inserción dentro de la forma para escribir dentro de ella.*

Al crear una forma, esta permanece seleccionada por si deseas cambiar algún parámetro. Sin embargo, es posible modificar una forma en cualquier momento simplemente haciendo clic sobre ella y aplicando los mismos métodos que hemos descrito en el apartado anterior para las imágenes.

Agrupar y alinear

Word permite unir objetos para tratarlos como uno solo. Para agrupar formas o cualquier otro elemento, el primer paso siempre será seleccionar los objetos a unir:

1. Selecciona la primera forma, mantén pulsada la tecla Mayús y haz clic en tantas formas o elementos como desees incluir en la selección.
2. A continuación, haz clic con el botón derecho sobre alguna de las formas seleccionadas y elige el comando Agrupar. Si lo prefieres, utiliza el mismo comando situado en el grupo Organizar de la ficha Formato de la categoría Herramientas de dibujo.

El comando Alinear de la figura 7.23 ofrece multitud de posibilidades para encontrar la mejor manera de distribuir dos o más formas en cualquier espacio del documento.

Capturas de pantalla

Entre las opciones relacionadas con imágenes y gráficos disponibles en Word queremos comentar una que nos parece especialmente interesante. Se trata de la posibilidad de realizar capturas de pantalla para incluirlas en el documento actual. Veamos cómo hacerlo:

1. En la cinta de opciones, comprueba que se encuentra seleccionada la ficha Insertar.
2. En el grupo Ilustraciones haz clic sobre el icono Captura y aprecia en la figura 7.24 cómo la sección Ventanas disponibles muestra una instantánea de las aplicaciones abiertas en ese momento. Esto es importante: Word muestra una miniatura de todos los programas en ejecución y que no se encuentren minimizados en la barra de tareas.

3. Para añadir cualquiera de ellas al documento actual, bastará con hacer clic sobre su imagen.

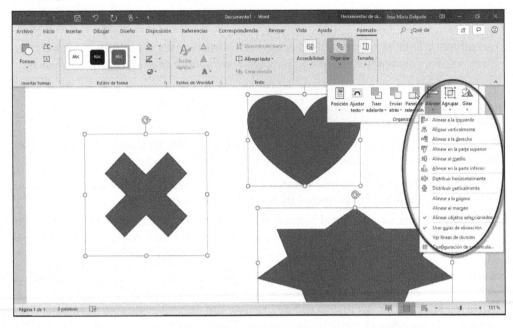

Figura 7.23. Comando Alinear.

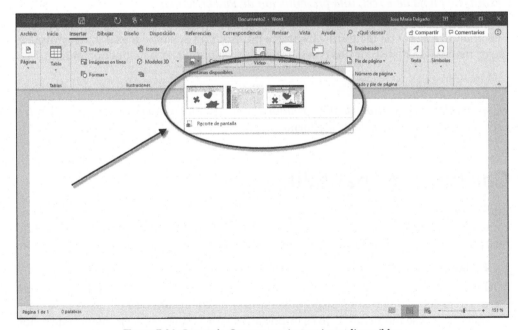

Figura 7.24. Comando Captura con instantáneas disponibles.

Todo ello te sirve para incluir el contenido completo de una ventana. Sin embargo, si únicamente deseas emplear una parte debes buscar la opción Recorte de pantalla y hacer lo siguiente:

1. En primer lugar, minimiza todas las ventanas en la barra de tareas menos aquella de la que quieras obtener la captura de pantalla.
2. Busca el comando Captura y a continuación elige Recorte de pantalla.
3. A partir de ese momento, la pantalla toma un aspecto diferente y el cursor se transforma en una cruz.
4. Haz clic y, sin soltar, arrastra para delimitar el área a capturar. Una vez completada la acción, Word se abrirá de nuevo y mostrará la imagen en el documento.

NOTA:

Si quisieras obtener una captura del escritorio de Windows es necesario minimizar todas las ventanas.

SmartArt

Los gráficos SmartArt son elementos similares a las formas que hemos tratado en apartados anteriores, pero su composición es más compleja. Permiten añadir diagramas, listas gráficas, organigramas, etcétera. Son la solución perfecta para estructurar información gráficamente y transmitir ideas o conceptos. Para incluir este tipo de objetos busca el comando SmartArt en el grupo Ilustraciones de la ficha Insertar. Observa en la figura 7.25 el cuadro de diálogo asociado con las diferentes categorías y modelos disponibles.

De nuevo, Word muestra una categoría específica en la cinta de opciones para el tratamiento de objetos SmartArt. En ella es posible escoger entre diferentes diseños predefinidos, estilos y posibilidades relacionadas con este tipo de elementos.

WordArt

WordArt es otro recurso gráfico incluido en Word para crear textos artísticos muy atractivos:

1. Coloca el cursor en la posición donde añadirás el título y marca la ficha Insertar en la cinta de opciones.
2. A continuación, en el grupo Texto haz clic sobre el icono WordArt. En la figura 7.26 aprecia su situación exacta.
3. El siguiente paso será elegir el estilo a aplicar al título. Haz clic sobre alguno de ellos para continuar.
4. Escribe el texto y, cuando termines, haz clic fuera del rectángulo delimitador.

Un objeto WordArt se comporta exactamente igual que cualquiera de las formas que hemos visto antes. De modo que podrás agruparlo con otras formas, usar los selectores para cambiar su tamaño, su aspecto o girarlo. También es posible utlizar los diferentes estilos disponibles.

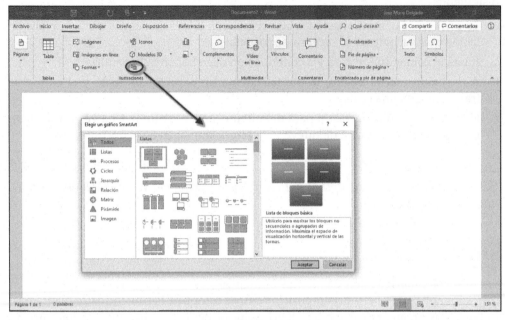

Figura 7.25. SmartArt.

Figura 7.26. Comando WordArt.

Marcas de agua

¿Qué es una marca de agua? Pues bien, mejor ponemos un ejemplo, seguro que has visto documentos con logotipos o frases como *Confidencial* o *Borrador* en el fondo de la página, siempre en tonos suaves para no perjudicar la lectura del texto. Esto es lo que se denomina marca de agua.

Para añadir una marca de agua en Word, busca la ficha Diseño en la cinta de opciones y en su extremo derecho haz clic sobre el comando Marca de agua. A partir de aquí, elige alguno de los modelos predefinidos o escoge la opción Marcas de agua personalizadas para utilizar un diseño propio.

Resumen

Las tablas son un gran recurso para estructurar información dentro de un documento. Existen diferentes formas de crear una tabla en Word, todas incluidas entre las opciones del comando Tabla situado en la ficha Insertar.

Una vez creada la tabla podrás insertar nuevas filas y columnas, eliminarlas, unir o dividir celdas y, por supuesto, aplicar diferentes opciones de formato mediante la galería de estilos de tabla. Otra característica interesante de las tablas es la posibilidad de realizar cálculos sencillos con campos y funciones.

Word, como el resto de las aplicaciones de Office, permite insertar imágenes externas, gráficos procedentes de Internet, formas e incluso capturas de pantalla. Las formas son elementos de diseño simples con los que puedes añadir flechas, líneas, conectores, llamadas, etcétera. Tienen grandes posibilidades de personalización: cambian su tamaño, su aspecto, el color de fondo, añaden texto, incluso aplican efectos 3D.

8

Herramientas de escritura

En este capítulo aprenderás a:

- Utilizar el corrector ortográfico y gramatical.
- Reemplazar texto mientras escribes.
- Buscar sinónimos.
- Añadir comentarios.
- Trabajar con las herramientas de búsqueda.

Introducción

Existen principalmente dos tipos de herramientas de escritura: las que mejoran la calidad de nuestro trabajo y las que ayudan a ganar tiempo mediante la automatización de ciertas tareas. En el primer grupo se encuentra el corrector ortográfico y gramatical que, sin duda, es una pieza fundamental en cualquier procesador de textos. En este capítulo veremos cómo funciona y cómo aprovechar sus posibilidades.

> **NOTA:**
>
> *Las utilidades de corrección ortográfica y gramatical funcionan del mismo modo en todas las aplicaciones de Microsoft Office.*

Corrector ortográfico y gramatical

El corrector ortográfico de Office compara cada una de las palabras del documento con las que tiene almacenada en su base de datos y, si no encuentra ninguna coincidencia, la señala como posible error. Además, busca en la base de datos todas las palabras similares para que, en caso de que se trate de un error ortográfico, se pueda elegir el término correcto sin necesidad de escribirlo.

En modo automático, el funcionamiento del corrector se resume en los siguientes pasos:

1. Si el corrector detecta un posible error, marca la palabra subrayándola con una línea de color rojo si se trata de un error ortográfico y de color azul si es un error gramatical. Word considera que hemos terminado de escribir una palabra si detrás de ella insertamos un espacio, signo de puntuación o pasamos al párrafo siguiente.

2. Una vez que Word ha detectado el error, el problema se soluciona o con los métodos tradicionales (tecla Retroceso y volver a escribir) o situando el puntero del ratón sobre la palabra marcada y pulsando el botón derecho.

3. Si utilizas este último método, aparecerá un menú emergente como el de la figura 8.1, donde la primera parte muestra una serie de palabras que Word considera posibles candidatas para sustituir a la errónea. Si alguna es la palabra correcta, solo haz clic sobre ella y así solucionarás el problema.

    *   En la misma sección, a la derecha de cada palabra, aparece un botón que permite oír una locución de la palabra propuesta y su significado. También se ofrece la posibilidad de cambiar todas sus coincidencias en el documento o añadirla a las opciones de autocorrección que trataremos en este mismo capítulo.

    *   La opción Agregar al diccionario incluirá la palabra en el diccionario de Office y, por lo tanto, ya no la volverá a marcar como un error ortográfico en ninguna de las aplicaciones. Ignorar todo hace que Word no considere la palabra como error ortográfico ni en ese caso ni en todas las ocasiones en que aparezca el término dentro del documento; esto es válido hasta que cerremos el archivo.

- El comando Ver más abrirá un nuevo panel en el margen derecho con nuevas posibilidades como el comando Omitir una vez si únicamente quieres obviar ese error en concreto, pero te interesa tenerlo en cuenta para futuras revisiones. Asimismo, es posible escuchar la frase completa en la que se encuentra la palabra. Por último, en este mismo panel, la opción Configuración abre las preferencias del programa y más concretamente la sección Revisión donde podrás modificar el comportamiento del corrector.

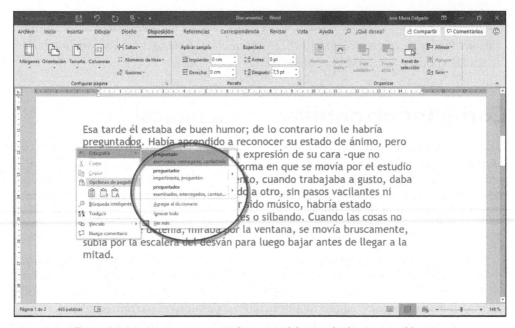

Figura 8.1. Menú emergente asociado a una palabra resaltada como posible error.

En algunas ocasiones, el corrector ortográfico se tomará la libertad de cambiar alguna palabra que considera errónea por la que entiende debe ser la correcta. Si ocurre esto y no estás de acuerdo con el cambio, con la combinación de teclas Control-Z recupera el término original.

Una vez solucionado el error, el panel de revisión muestra un resumen del total de errores ortográficos y gramaticales, pero también una sección denominada Mejoras (como en la figura 8.2). En ella, hace un análisis del documento y nos dice si lo considera lo suficientemente claro, si el vocabulario es adecuado e incluso si el lenguaje cumple con determinados requisitos. Como es evidente, estas valoraciones estarían sujetas a muchas interpretaciones, pero el programa mediante diferentes algoritmos de inteligencia artificial intenta ayudarnos a mejorar el documento.

> **TRUCO:**
>
> *El panel de revisión se muestra en cualquier momento utilizando el comando* Revisar documento *situado en la ficha* Revisar *o también pulsando la tecla* F7.

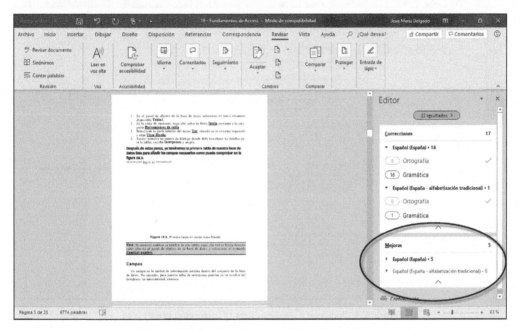

Figura 8.2. Sección Mejoras en el panel de revisión.

Desactivar la revisión automática

Tanto en Word como en el resto de las aplicaciones de Office, la corrección ortográfica y gramatical en tiempo real se encuentra activada por defecto, pero si quieres modificarla:

1. Selecciona el comando Archivo y, a continuación, haz clic en Opciones. Aparecerá el cuadro de diálogo como el de la figura 8.3.

2. En el margen izquierdo, elige Revisión. Otra forma de llegar a esta ventana es con el comando Configuración disponible en el panel de revisión.

3. Presta atención a las opciones incluidas en la sección Para corregir ortografía y gramática en Word.

4. Si deseas desactivar la corrección automática de Word, elimina la marca de verificación en las opciones Revisar ortografía mientras escribe y Marcar errores gramaticales mientras escribe.

5. Para terminar, da Aceptar.

A pesar de estos cambios, en cualquier momento puedes revisar el documento con tan solo seleccionar el comando Revisar documento situado en grupo Revisión de la ficha Revisar.

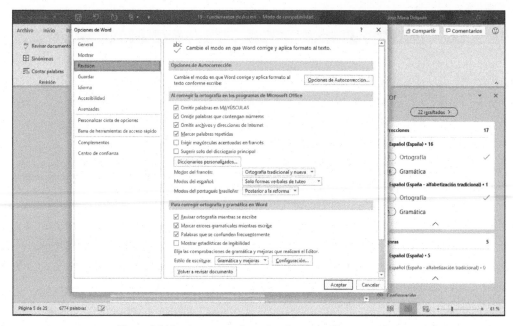

Figura 8.3. Opciones para desactivar la corrección ortográfica.

Reemplazar texto mientras escribe

Imaginemos la siguiente situación: estamos escribiendo un extenso informe sobre riesgos laborales y debemos escribir continuamente riesgos laborales. Pues bien, ¿y si cada vez que necesitáramos utilizar este término solo fuera necesario teclear algunas letras como rl y que Word escribiera el resto? Esto es ni más ni menos para lo que sirve la opción Reemplazar texto mientras escribe asociada a las herramientas de autocorrección de Office:

1. En la cinta de opciones, haz clic en Archivo y marca el comando Opciones situado en el margen izquierdo.

2. Selecciona Revisión entre las posibilidades que muestra a la izquierda el cuadro de diálogo.

3. A continuación, observa cómo la primera de las secciones que aparece a la derecha se denomina Opciones de Autocorrección. Dentro de ella encontrarás un botón con el mismo nombre. Haz clic sobre él para abrir un nuevo cuadro de diálogo.

4. En primer lugar, comprueba que la casilla de verificación Reemplazar texto mientras escribe se encuentra activada.

5. El siguiente paso es escribir en la casilla de texto Reemplazar la abreviatura que quieres utilizar. Intenta que no sea ningún artículo, pronombre, nombre, etc. Por ejemplo, escribe rl.

6. En el cuadro Con introduce el texto que aparecerá cuando escribas la abreviatura elegida. Por ejemplo: riesgos laborales. Observa en la figura 8.4 el aspecto del cuadro de diálogo.

7. Pulsa el botón Agregar y, finalmente, haz clic en Aceptar para cerrar el cuadro de diálogo.

A partir de este momento, cada vez que escribas la abreviatura, Word la sustituirá por el término elegido.

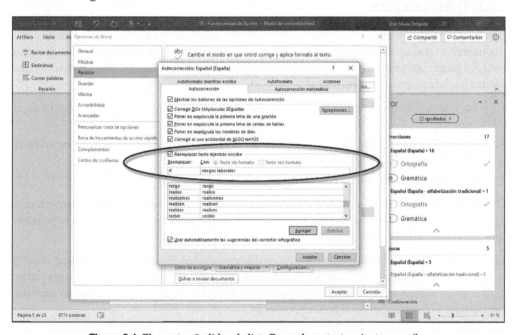

Figura 8.4. Elemento añadido a la lista Reemplazar texto mientras escribe.

Sinónimos

No todos disponemos de la riqueza de vocabulario suficiente para evitar repetirnos demasiado en los términos que empleamos cuando redactamos un documento. Word proporciona un excelente diccionario de sinónimos para ayudarnos en esta tarea. Para acceder a esta herramienta, sigue estos pasos:

1. En primer lugar, haz clic con el botón derecho del ratón sobre la palabra que quieres sustituir.

2. Selecciona el comando Sinónimos y observa la lista de sugerencias que ofrece el programa.

3. Si quieres tener acceso a más posibilidades, haz clic sobre el comando Sinónimos para mostrar el panel del mismo nombre con diferentes opciones para el término elegido.

TRUCO:

Coloca el cursor encima de una palabra y con la combinación de teclas Mayús-F7 *se despliega el panel* Sinónimos.

Comentarios

Los comentarios permiten asociar una pequeña explicación a cualquier palabra del documento, que aparecerá cuando coloquemos el cursor sobre ella. Este es un método sencillo para compartir anotaciones con otras personas en un mismo documento o para realizar aclaraciones a pie de texto.

1. Haz clic con el botón derecho sobre la palabra del documento a la que asociarás el comentario.

2. En el menú emergente, busca el comando Nuevo comentario. Al instante, aparece la viñeta de introducción de texto como en la figura 8.5.

3. Para terminar, haz clic en cualquier parte del documento.

Observa cómo en el margen derecho aparece un nuevo espacio destinado a mostrar todos los comentarios que hemos añadido. Haz clic sobre la viñeta y Word resaltará la palabra que tiene asociado el comentario.

En la parte inferior del comentario aparecen dos comandos. Responder añade una replica o respuesta. Algo muy útil cuando trabajamos con más de una persona. Por otra parte, el comando Resolver da finalizada la cuestión o duda y cierra el comentario, aunque podríamos volver a abrirlo si fuera necesario.

Es conveniente seleccionar la ficha Revisar cuando trabajamos de forma colaborativa en un documento añadiendo comentarios y correcciones que otras personas tienen que ver o resolver.

El grupo Seguimiento situado entre las opciones de la ficha Revisar incluye el comando Mostrar revisiones. Entre sus posibilidades se encuentran la entrada Comentarios. Activa o desactiva esta opción para mostrar u ocultar al mismo tiempo todos los comentarios del documento.

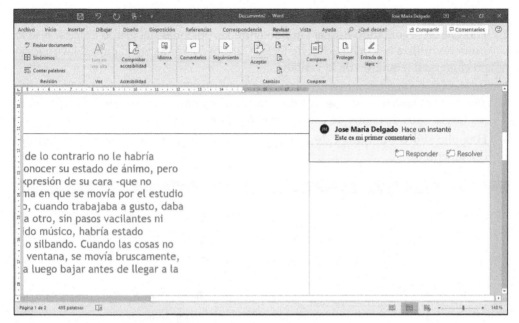

Figura 8.5. Viñeta de introducción de texto y ficha Revisar.

NOTA:

Para borrar un comentario, haz clic con el botón derecho sobre el comentario y selecciona el comando Eliminar comentario. *Del mismo modo, para modificar un comentario haz clic sobre la viñeta situada a la derecha y cambia lo que necesites en el cuadro de texto.*

Por último, el grupo Comentarios de la ficha Revisar contiene varios comandos con los que desplazarnos por los distintos comentarios del documento, crear nuevos o eliminar el comentario activo. Pero sin lugar a dudas, la opción más interesante es Comentario del lápiz. Observa el aspecto de la ventana de comentarios después de selecciona un comentario en la figura 8.6. Si dispones de un dispositivo con pantalla táctil podrás incluir texto manuscrito en tus comentarios.

Búsquedas

Word dispone de un potente sistema de búsqueda por múltiples criterios que no solo localiza texto dentro del documento, sino también formatos, comentarios, estilos, imágenes y una larga lista de elementos. Los comandos incluidos en el grupo Edición de la ficha Inicio posibilitan el acceso a estas herramientas.

Para comprobar cómo funcionan las opciones de búsqueda en Word, completa los siguientes pasos:

1. En la cinta de opciones comprueba que la ficha Inicio se encuentra seleccionada.

2. Haz clic en el comando Buscar situado entre las opciones del grupo Edición o, si lo prefieres, utiliza la combinación de teclas Control-B. Aparecerá el panel Navegación en el margen izquierdo de la ventana.

3. En el primer recuadro, introduce el texto que necesitas localizar dentro del documento actual. Al mismo tiempo que escribes, irán apareciendo en la parte inferior del panel los fragmentos de texto que contienen el término buscado.

4. Haz clic sobre cualquiera de ellos para llegar directamente a esa posición del documento.

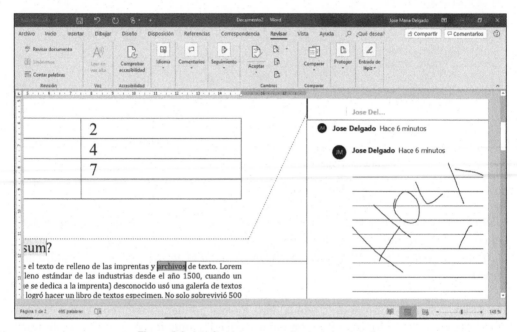

Figura 8.6. Añadir texto manuscrito a un comentario.

Hasta aquí una búsqueda sencilla de un término, pero si deseas afinar un poco más, haz clic sobre el icono señalado en la figura 8.7 y tendrás acceso a muchas más posibilidades. Selecciona el primer comando, denominado Opciones, para mostrar un nuevo cuadro de diálogo con algunas características interesantes:

- **Coincidir mayúsculas y minúsculas:** Al activar esta casilla, Word buscará palabras en el documento con el mismo formato de mayúsculas y minúsculas. En caso de no estar marcada, obviará este aspecto y, por ejemplo, si buscas «Padre», Word marcaría padre o PADRE o incluso pADre.

- **Solo palabras completas:** Las palabras encontradas no pueden formar parte de otra, por ejemplo, si buscas «ver» y activas esta casilla, palabras como «verdad» no serían marcadas.

- **Usar caracteres comodín:** Permite utilizar caracteres como ? o *. Por ejemplo, si introduces «caza*» en el cuadro de búsqueda, Word daría por buenos términos como «cazador», «cazadora», etc. O si utilizas el patrón «ca?a», mostraría «casa», «capa», «cara», etc.

- **Omitir puntuación:** Activa esta casilla si quieres que el motor de búsqueda no tenga en cuenta si la palabra está o no correctamente acentuada.

- **Omitir espacios en blanco:** Si se encuentra activa, no se tendrán en cuenta los caracteres en blanco entre cadenas de texto.

- **Incluir sufijo o Incluir prefijo:** Permite buscar palabras que comiencen o terminen con los caracteres indicados en el criterio de búsqueda.

ADVERTENCIA:

Si la casilla Usar caracteres comodín *no está activada, Word interpretará los caracteres comodines como un elemento más y los buscará en el documento.*

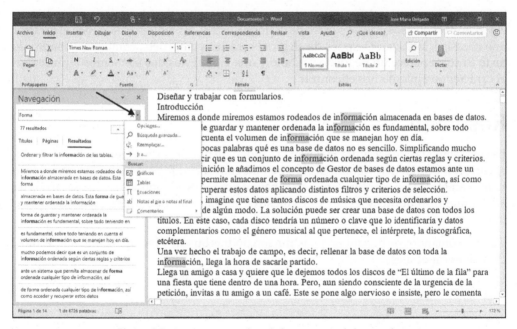

Figura 8.7. Opciones asociadas a la herramienta de búsqueda.

Reemplazar

Una vez descrito el funcionamiento de la herramienta de búsqueda, podemos ir más lejos y aprovechar esta potente característica para además de buscar, reemplazar.

La forma de utilizar la herramienta para buscar y reemplazar es similar a la que acabamos de describir en el apartado anterior, pero en esta ocasión sería necesario seleccionar el comando Reemplazar dentro de grupo Edición de la ficha Inicio. También es posible emplear la combinación de teclas Control-L.

En el cuadro de diálogo Buscar y reemplazar deberás escribir en el cuadro de texto Reemplazar con el texto que sustituirá al escrito en el cuadro Buscar. El botón Reemplazar busca la siguiente coincidencia en el documento y la sustituye, desplazándose a la siguiente. Es conveniente emplear esta opción cuando no estemos seguros de querer cambiar todas las posibles ocurrencias. Si no existe posibilidad de confusión, haz clic sobre el botón Reemplazar todos para que Word realice todas las sustituciones de modo automático.

NOTA:

Haz clic en el botón Más *del cuadro de diálogo* Buscar y reemplazar *para acceder a los parámetros de la sección* Opciones de búsqueda. *En este caso, el significado es el mismo que hemos descrito para el comando* Buscar.

Si necesitas buscar caracteres como retornos de carro, saltos de columnas, guiones largos, etc., con el botón Especial del cuadro de diálogo Buscar y reemplazar selecciona el carácter que necesitas localizar. Después de elegir el carácter, comprueba cómo en el cuadro de texto Buscar aparece un pequeño símbolo y una letra. Estos dos elementos representan al carácter que intentamos encontrar.

Resumen

Las herramientas de escritura mejoran la calidad de nuestros documentos. Por ejemplo, el corrector ortográfico y gramatical es una magnífica ayuda para evitar los errores que todos cometemos al escribir. También la base de datos de sinónimos puede sacarnos de algún que otro apuro y evitar que nuestros textos sean demasiado redundantes o monótonos.

Con los comandos de búsqueda y sustitución podrás buscar y reemplazar textos, estilos, caracteres especiales...

9

Compartir

- Compartir con otras personas.
- Enviar por correo electrónico.
- Crear vínculos para editar de forma colaborativa.
- Convertir en PDF.

Introducción

La posibilidad de editar documentos entre varios usuarios al mismo tiempo no es algo nuevo, pero sí es una opción que Microsoft considera cada vez más importante y así lo refleja en cada nueva actualización de Office. Combinando servicios como OneDrive y Office online podemos trabajar de forma colaborativa en la creación de documentos.

El contenido de este apartado debería estar incluido en los capítulos iniciales donde se tratan los elementos comunes a todas las aplicaciones de Office. Sin embargo, hemos preferido dejarlo hasta que estuviéramos más familiarizados con el manejo del programa. Solo recuerda que puedes utilizar las funcionalidades descritas a continuación tanto en Word, Excel, OneNote o PowerPoint.

> **NOTA:**
>
> *Access es la única aplicación donde aún no están implementadas las opciones del comando* Compartir.

Compartir con otras personas

La primera de las características que describiremos será la posibilidad de trabajar con otros usuarios en el desarrollo de documentos, hojas de cálculo, presentaciones, notas... Para aprovechar estas herramientas de colaboración es necesario cumplir algunos requisitos:

- Tienes que estar conectado a Internet, algo obvio pero que es importante no olvidar.
- Es imprescindible disponer de una cuenta de usuario Microsoft.
- Debes tener una cuenta en OneDrive y es necesario almacenar el documento en ella previamente para luego compartirlo.

Si utilizas Office 365 todos estos requerimientos están implícitos en el modelo de licencia. Una vez descritos los requisitos veamos cómo compartir el documento actual para que otras personas puedan acceder y trabajar con él:

1. En primer lugar, abre el documento que quieres compartir o crea uno nuevo.
2. En el extremo derecho de la cinta de opciones haz clic sobre el botón Compartir para mostrar el panel del mismo nombre. En la figura 9.1 se aprecia la situación del botón y el aspecto del panel después de ejecutarlo.
3. Si es la primera vez que utilizas el comando Compartir será necesario seleccionar una ubicación en línea para guardarlo. También deberás asignar un nombre al documento si aún no lo habías hecho.
4. Es posible que tras el paso anterior sea necesario esperar hasta que el documento termine de cargarse en la ubicación elegida. Una vez completado el proceso, el panel

Compartir aparece en el margen derecho de la ventana de la aplicación y se verá como en la figura 9.2.

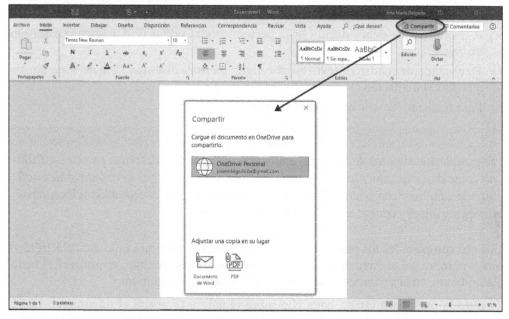

Figura 9.1. Comando Compartir y panel del mismo nombre.

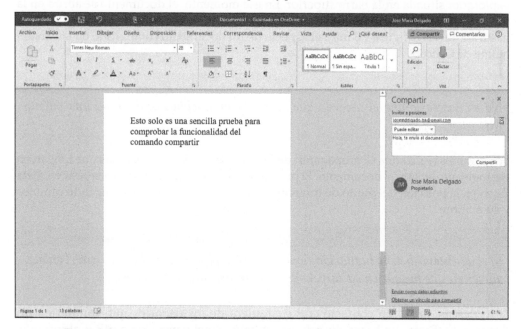

Figura 9.2. Aspecto del panel después de guardar el archivo en una ubicación en línea.

5. El siguiente paso es invitar a las personas que colaborarán en la edición del documento. En el cuadro de texto Invitar a personas, escribe en primer lugar el correo electrónico. Si es alguien que forma parte de tu lista de contactos, con el botón situado a la derecha selecciónalo directamente.

6. A continuación, debes decidir si la persona podrá editar el documento o solo lo visualizará.

7. En el siguiente cuadro de texto escribe algún mensaje destinado a la persona que va a recibir la invitación.

8. Para finalizar, haz clic en el botón Compartir.

ADVERTENCIA:

Es posible que algunos de los pasos o nombres de comandos descritos en este capítulo no coincidan exactamente con la versión de Office que tengas instalada. Microsoft intenta adaptarse con celeridad a los vertiginosos cambios a los que obligan los nuevos tiempos y añade mejoras en cada nueva actualización.

Una vez completados los pasos anteriores, el destinatario recibirá un correo electrónico con el nombre del archivo en el asunto del mensaje. En su interior, encontrará el texto que indicaste en la invitación y un enlace para acceder al documento.

Cuando la persona invitada haga clic sobre el enlace se abrirá el documento en su navegador, pero en modo de solo lectura. Para editarlo, buscará la opción Editar en el explorador situada en la barra superior. En ese momento, el documento se abrirá en la versión online de Office y tendrá a su disposición muchas de las herramientas descritas hasta ahora. En la figura 9.3 mira el aspecto de un documento compartido en la versión online de Office.

NOTA:

No es necesario que el usuario que recibe la invitación disponga de una cuenta Microsoft.

Los cambios realizados se propagarán de inmediato a todas las personas que tengan en ese momento abierto el documento. El programa indicará, mediante una pequeña etiqueta de color, la posición del punto de inserción de cada usuario que esté realizando cambios y su nombre.

NOTA:

Si el destinatario de la invitación tiene problemas para recibir el correo con el enlace, adviértele que busque en su carpeta de spam o elementos eliminados.

Si lo deseas, ponte en contacto con cualquiera de los usuarios que comparten un documento. Basta con hacer clic sobre su nombre en el panel Compartir y, al instante, aparecerá una pequeña ventana como en la figura 9.4. En ella tienes la posibilidad de enviarle un mensaje de texto o escribirle un correo electrónico.

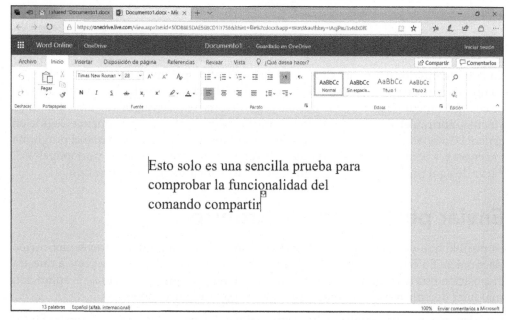

Figura 9.3. Aspecto del documento en Office online.

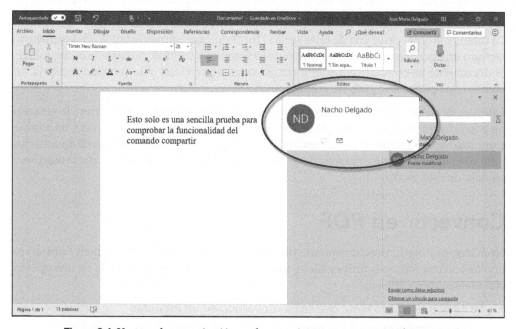

Figura 9.4. Ventana de comunicación con los usuarios que comparten un documento.

Enviar enlace para compartir

En la parte inferior del panel Compartir se localiza la opción Obtener un vínculo para compartir. Utilízala para crear un enlace o vínculo al archivo actual para enviarlo a través de cualquier medio (incluso sería posible pegarlo como texto en algún documento). Estos vínculos abrirán el archivo en modo lectura o modo edición según la opción elegida en el panel Compartir. Haz clic en el tipo de vínculo que deseas usar para que el programa lo genere y, a continuación, selecciona el botón Copiar para añadirlo al portapapeles. A partir de aquí puedes emplear el comando Pegar e incluirlo donde necesites.

Enviar por correo electrónico

Es posible que ya conozcas la forma de enviar archivos adjuntos a través del correo electrónico. En este caso, Office intenta facilitarnos un poco el trabajo y pone a nuestra disposición una herramienta para enviar directamente desde el entorno de la aplicación cualquier documento en diferentes formatos según cada necesidad.

Entre las opciones disponibles en la parte inferior del panel Compartir se encuentra Enviar como datos adjuntos. Haz clic sobre ella y mostrará dos posibilidades como en la figura 9.5: Enviar una copia y Enviar un PDF.

La diferencia entre cada una de ellas sería el formato. Si elegimos la copia, el destinatario recibirá un documento de Word tal y como lo tenemos nosotros. En caso de escoger PDF, el documento se convertirá a este formato antes de enviarlo y la persona recibiría un archivo que podrá ver, pero no editar.

Después de elegir alguna de las dos opciones, Office abrirá Outlook y mostrará la ventana de edición de mensajes de la aplicación. Si no tienes Outlook instalado, será imposible completar la operación. En este caso, emplea la opción descrita en el apartado anterior para obtener un vínculo o convierte el archivo en PDF como veremos a continuación y envíalo de este modo.

Convertir en PDF

No hacemos ningún descubrimiento diciendo que PDF (Portable Document Format) es uno de los formatos más universales y utilizados en la actualidad. Se trata de una opción con interesantes ventajas:

- Se ha popularizado tanto que se ha convertido en un estándar.
- Su visor predeterminado es gratuito y descargable desde la web de Adobe.

- Permite numerosas configuraciones de seguridad, como por ejemplo decidir si el documento puede ser modificado, impreso o si se pueden usar los comandos Cortar y Pegar.

- Son cada vez más las aplicaciones que convierten cualquier documento o archivo en PDF.

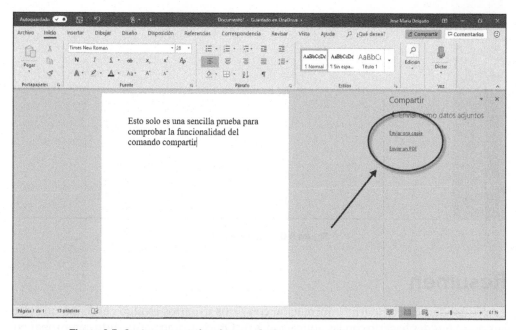

Figura 9.5. Opciones asociadas al comando Compartir mediante correo electrónico.

Con todos estos datos, solo quedaría describir la forma de transformar archivos de Office en documentos PDF. La tarea es bien sencilla:

1. Haz clic en el menú Archivo y busca Exportar entre las opciones que aparecen en el margen izquierdo de la ventana.

2. Selecciona el comando Crear documento PDF/XPS y, a continuación, haz clic en el botón del mismo nombre situado justo a la derecha (como se aprecia en la figura 9.6).

3. A partir de aquí, más de lo mismo, escoge un nombre y una ubicación de destino para el archivo resultante en formato PDF.

4. Haz clic en Publicar para completar el proceso.

Con el botón Opciones del cuadro de diálogo Publicar como PDF o XPS es posible configurar determinados aspectos de la conversión como el número de diapositivas, la información que deseas incluir en el documento o algunas características específicas del formato PDF.

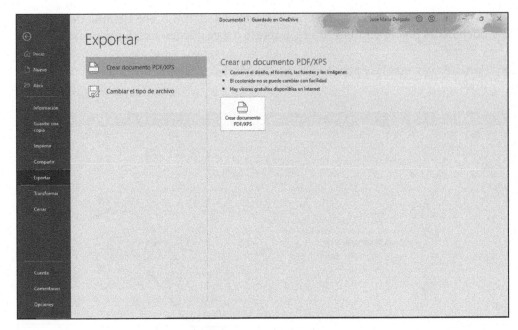

Figura 9.6. Convertir en PDF.

Resumen

La posibilidad de compartir información con otros usuarios es algo cotidiano que por supuesto puedes hacerlo con las aplicaciones de Office. Como has podido comprobar en este capítulo, es muy sencillo realizar cambios, añadir datos y, en definitiva, trabajar de forma colaborativa en cualquier proyecto con usuarios situados en cualquier parte del mundo.

El resto de opciones, como el envío mediante correo electrónico o convertir tus documentos en formato PDF, son herramientas que ayudan a mejorar tu productividad.

10

Excel, tareas básicas

- Dominar las nociones básicas sobre el entorno de Excel.
- Seleccionar celdas y añadir datos a la hoja de cálculo.
- Dar formato a las celdas.
- Usar el relleno automático.
- Añadir comentarios.
- Editar hojas.
- Ordenar el contenido de las celdas.
- Inmovilizar y movilizar paneles.
- Proteger la hoja de cálculo y el libro.

Introducción

Excel es una aplicación englobada dentro de la categoría de hojas de cálculo y, sin duda, es una herramienta de inestimable utilidad en todos aquellos proyectos donde haya que manejar valores numéricos, cifras, calcular estadísticas, realizar análisis de datos, etcétera.

Una hoja de cálculo es una estructura compuesta por filas y columnas que dan lugar a casillas o celdas donde se introducen números, texto, fechas y, en general, cualquier información que se necesite. Hasta aquí no parece demasiado interesante, pero si añadimos que es posible realizar todo tipo de cálculos con el contenido de estas celdas, seguro que te empieza a parecer mucho más útil.

Otra característica importante es el proceso de actualización automática que se produce cada vez que se cambia cualquier valor. De este modo, todas aquellas referencias dentro de la hoja de cálculo que empleen dicho valor se modificarán sin que sea necesario hacer nada más.

Las posibilidades de Excel van mucho más allá de una simple estructura para realizar cálculos y mostrar datos de una forma más o menos ordenada. Las innumerables herramientas que proporciona son de gran ayuda a la hora de llevar a cabo estudios financieros, análisis, evolución de valores...

NOTA:

No pienses en Excel como un programa difícil de utilizar y solo accesible para personas con ciertos conocimientos matemáticos. Siguiendo en la línea de las aplicaciones de Office, Excel incorpora multitud de asistentes y ayudas que facilitarán desde las tareas más sencillas hasta las más complejas.

Excel también dispone de herramientas para representar nuestros datos mediante gráficos y diagramas, obteniendo así una perspectiva visual de la evolución de cualquier valor. En la figura 10.1 puedes ver un ejemplo.

Entorno de Excel

En la figura 10.2 se aprecia el entorno de Excel y la situación de sus elementos más importantes:

- **Celdas:** Son cada una de las casillas que dividen la hoja de cálculo y se identifican por el número de fila y la letra de la columna donde se localiza. Las celdas son la base del funcionamiento de cualquier hoja de cálculo, dado que en ellas se introducen los textos, números, fechas y cualquier otro dato que servirá luego para realizar operaciones y obtener resultados.

- **Cuadro de nombres:** Se encuentra en la esquina superior izquierda y muestra el nombre de la celda activa, así como los nombres asignados por el usuario a celdas o rangos que permitirán referenciar grupos de celdas o celdas independientes. Pero tranquilo, de esto hablaremos un poco más adelante.

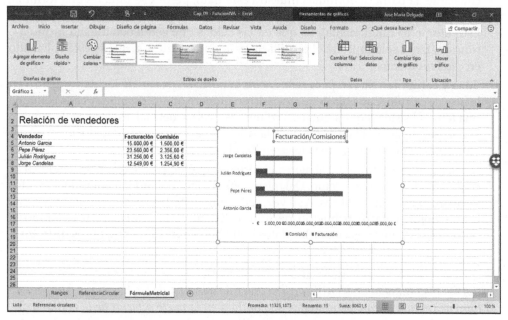

Figura 10.1. Ejemplo sencillo de hoja de cálculo con un gráfico de datos.

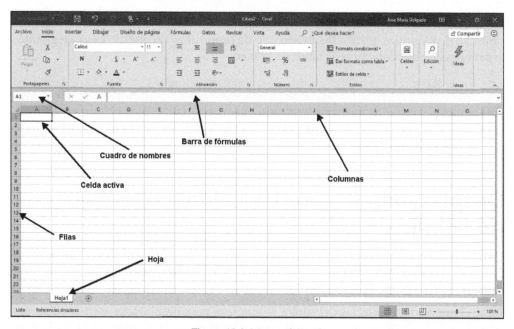

Figura 10.2. Microsoft Excel.

- **Barra de fórmulas:** Añade, visualiza y edita cualquier función, sentencia o expresión incluida en las celdas de la hoja de cálculo. Cuando la celda activa contiene un valor constante, la barra de fórmulas muestra este dato; pero si se trata de una fórmula, verás la expresión completa y una serie de opciones para modificarla y validarla. Esto último es fundamental, ya que en las celdas que contienen alguna fórmula o función, Excel solo muestra el resultado, pero no la expresión que se está aplicando en cada momento.

- **Filas y columnas:** Sirven para referenciar la posición exacta de los datos dentro en la hoja de cálculo. Cada fila lleva asociado un número que la identifica y cada columna una letra. El sistema que siguen las columnas es el secuencial, es decir, si llegamos a la Z, la siguiente será la AA, después la AB y así sucesivamente (bueno la AA no era válida como matrícula, pero sí lo es en Excel).

- **Libros y hojas:** Libro de trabajo es el término que emplea Excel para englobar el contenido de la hoja de cálculo. Del mismo modo que en Word teníamos documentos de texto, aquí tenemos libros. A su vez, cada libro de trabajo está compuesto por una o más hojas. Esta distribución permite estructurar la información teniendo la posibilidad de interrelacionar los datos entre hojas e incluso entre libros distintos.

Del mismo modo que ocurría en Word, la pantalla de inicio de Excel consta de una gran cantidad de plantillas destinadas a todo tipo de propósitos. En nuestro caso, elegiremos la primera de ellas denominada Libro en blanco.

Desplazamiento por las celdas de la hoja de cálculo

Quizás lo que vamos a explicar ahora sea algo obvio, pero como este libro quiere partir de unos conocimientos mínimos de Microsoft Office dedicaremos unas líneas a mostrar cómo movernos por la hoja de cálculo.

Tanto el ratón como las teclas del cursor se emplean para desplazarse entre las distintas celdas de la hoja. El primero servirá para situarnos en cualquier celda de la hoja rápidamente. En cambio, las teclas del cursor serán útiles en aquellos casos en los que tengamos que movernos entre celdas adyacentes o cercanas a la celda activa.

> **NOTA:**
>
> *Cuando las celdas o el espacio de la hoja hasta donde deseamos llegar no se encuentren visibles, emplea las barras de desplazamiento vertical y horizontal que ya aprendimos a manejar con Word. Además, con las teclas* RePág *y* AvPág *te mueves hacia arriba o abajo una pantalla completa dentro de la hoja actual.*

Ir a una celda concreta

La forma más rápida de llegar a una celda determinada de la hoja de cálculo es con el comando Ir a. Su funcionamiento es el siguiente:

1. En la cinta de opciones busca la ficha Inicio. Haz clic en el icono Buscar y seleccionar situado en el grupo Edición.

2. Entre las diferentes opciones que aparecen, escoge el comando Ir a para mostrar el cuadro de diálogo de la figura 10.3.

3. En el cuadro de texto Referencia introduce la celda a la que quieres llegar, por ejemplo, B50. Si lo deseas, también puedes buscar un grupo de celdas o rango, por ejemplo, A10:B10. De los rangos hablaremos un poco más adelante.

4. Da Aceptar y Excel se desplazará hasta la celda o celdas seleccionadas.

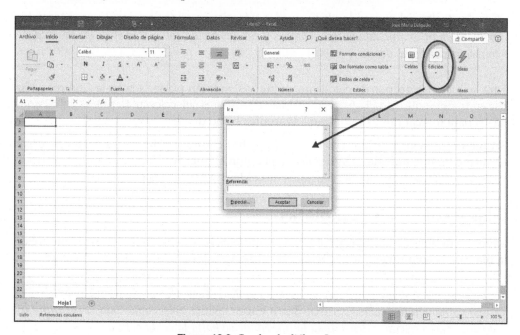

Figura 10.3. Cuadro de diálogo Ir a.

En el cuadro de diálogo Ir a también se hallan las últimas referencias utilizadas y el botón Especial con el que se seleccionan aquellas celdas con unas características determinadas.

Seleccionar celdas

Antes de entrar de lleno en los procesos de introducción y edición de datos, veamos los métodos básicos de selección dentro de una hoja de cálculo de Excel.

En primer lugar, para seleccionar una celda solo tienes que hacer clic sobre ella o tocarla si dispones de un dispositivo táctil. En ese momento, un recuadro la rodeará indicando que es la celda activa. Los pasos para seleccionar un grupo de celdas tampoco son demasiado complicados:

1. Haz clic en la primera celda que quieres que componga la selección.
2. A continuación, mantén pulsada la tecla Mayús y haz clic en la última celda que quieres incluir en la selección. Una vez hecho esto, todas las celdas situadas entre las dos seleccionadas aparecen resaltadas.

Para seleccionar grupos de celdas no contiguos, mantén pulsada la tecla Control y haz clic en la siguiente celda o grupo de celdas que quieres seleccionar. Repite estos mismos pasos para marcar tantas celdas no adyacentes como desees.

Si quieres seleccionar celdas con el ratón, solo haz clic en la primera y arrastra el cursor al mismo tiempo que mantienes pulsado el botón izquierdo del ratón. Con este método y con la tecla Control selecciona grupos de celdas no consecutivos.

Filas y columnas completas

La forma de seleccionar filas y columnas completas es sencilla: haz clic en el nombre de la fila o de la columna para que todas las celdas que la componen queden marcadas.

Seleccionar toda la hoja

Para seleccionar toda la hoja activa, haz clic en el cuadro vacío que se encuentra en la esquina superior izquierda de la hoja en la intersección del encabezado de filas y columnas, junto a la barra de fórmulas. También puedes utilizar la combinación de teclas Control-E.

Añadir datos a la hoja de cálculo

Como ya hemos comentado anteriormente, las celdas contienen principalmente textos, números y fechas. Además, algunas de ellas incluirán las fórmulas y funciones que permitirán realizar los cálculos necesarios, aunque este tema lo veremos un poco más adelante.

Introducir texto

Los textos ayudarán a identificar el origen de los datos y, en definitiva, a crear una hoja de cálculo más legible. La forma de incluir texto en una celda es muy sencilla:

1. Haz clic en la celda donde colocarás el texto.
2. Escribe el texto y, en principio, no te preocupes si sobrepasa los límites de la celda.
3. Pulsa la tecla Intro o haz clic con el ratón en cualquier otra celda para validar la entrada.

Si quieres que el texto no ocupe las celdas contiguas, cuando su tamaño sea superior al de la celda, haz lo siguiente:

1. Selecciona la celda que contiene el texto.
2. Haz clic con el botón derecho del ratón y selecciona el comando Formato de celdas para mostrar el cuadro de diálogo del mismo nombre.
3. Busca la pestaña Alineación y dentro de esta haz clic sobre la casilla de verificación denominada Ajustar texto.
4. Finalmente, da Aceptar para confirmar el cambio.

Introducir fechas y horas

Excel dispone de formatos de fecha para todos los gustos y necesidades. Sigue estos pasos para introducir fechas:

1. Selecciona la celda donde introducirás la fecha.
2. Escribe la fecha, en estos momentos no es importante el formato. Por ejemplo, teclea 27/7/17.
3. Pulsa Intro o haz clic con el ratón en cualquier otra celda. Después de esto, Excel convertirá la fecha introducida al formato que tenga definido por defecto.
4. A continuación, haz clic con el botón derecho sobre la celda donde acabas de introducir la fecha y selecciona el comando Formato de celdas.
5. En el cuadro de diálogo, elige la pestaña Número y en la lista Categoría busca Fecha. Encontrarás un listado con todos los posibles formatos de fecha disponibles en Excel.
6. Para finalizar, escoge el modelo de fecha que desees y da Aceptar.

A partir de este momento, sea cual sea el modo en que introduzcas la fecha, el programa siempre la mostrará con el formato elegido. Es decir, si el modelo es 12 de marzo 2017 y escribimos 12/3/17, el programa se encargará de cambiar la representación de la fecha. Esta característica facilitará el trabajo cuando tengamos que introducir muchas fechas, ya que podremos usar la formulación más corta y Excel hará el resto.

La forma de incluir horas sigue el mismo modo de funcionamiento que las fechas, salvo que en la sección Categoría del cuadro de diálogo Formato de celdas deberás buscar Hora en lugar de Fecha y escoger el modelo adecuado.

Introducir valores numéricos

Para introducir datos numéricos en la hoja de cálculo actúa del mismo modo que hemos descrito para el texto o las fechas. Selecciona la celda y escribe el valor deseado.

> **ADVERTENCIA:**
>
> *Cuando la longitud del valor numérico supera el ancho de la celda, el programa sustituye el contenido por símbolos ########. Para solucionar este contratiempo, coloca el cursor en el borde derecho del nombre de la columna hasta que se transforme en una doble flecha. En ese momento haz doble clic y Excel ajustará automáticamente el ancho de la columna al contenido de la celda.*

Teniendo en cuenta que los datos que más emplearemos dentro de la hoja de cálculo serán sobre todo numéricos, Excel despliega toda su potencia cuando se trata de elegir el formato adecuado para ellos. En el grupo Número de la ficha Inicio se encuentra la lista desplegable Formato de número (ver la figura 10.4), además de los iconos con los que se aplican de forma rápida los formatos numéricos más comunes:

- **Formato de número de contabilidad:** Agrega el símbolo del € al valor numérico y añade solo dos decimales, redondeando el valor si fuera necesario.

- **Estilo porcentual:** Convierte el valor en un porcentaje, incluyendo el símbolo de tanto por ciento (%).

- **Estilo millares:** Coloca el punto de los millares al dato numérico seleccionado.

- **Aumentar decimales:** Permite añadir una nueva posición decimal a los datos seleccionados.

- **Disminuir decimales:** Elimina una posición decimal, redondeando el resultado.

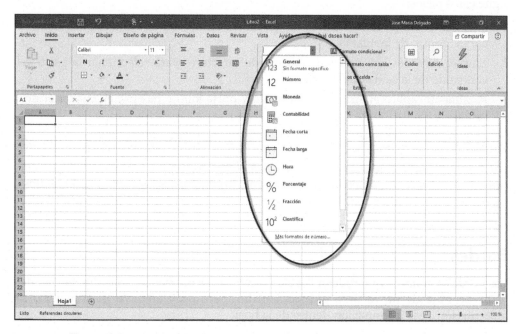

Figura 10.4. Acceso rápido a los formatos numéricos más comunes en la ficha Inicio.

Formatos básicos para celdas

Por defecto, Excel aplica determinados formatos automáticos según la información introducida. Para modificar el formato de las celdas, la forma más sencilla es usar los comandos situados en los grupos Fuente y Alineación de la ficha Inicio. El significado de estas opciones es el mismo que fue descrito en los capítulos dedicados al procesador de textos.

Excel aplica atributos de formato sobre todo el contenido de la celda o solo a una parte preseleccionada con anterioridad.

Para formatear todo el contenido de la celda, selecciónala en primer lugar y a continuación elige los comandos que necesites en la ficha Inicio. En cambio, si deseas modificar parte del contenido de la celda como, por ejemplo, alguna palabra del texto sigue estos pasos:

1. Haz doble clic sobre la celda en la que necesitas aplicar el formato para situar el cursor dentro de la misma.

2. Emplea métodos habituales de edición de caracteres para seleccionar la parte del contenido de la celda que desees.

3. Finalmente, aplica el atributo de formato y pulsa Intro o haz clic en cualquier otra celda.

Bordes

Los bordes son líneas que rodean la celda o celdas seleccionadas, y las diferencian del resto. Se trata de un recurso gráfico sencillo, pero muy efectivo para mejorar la presentación de la información dentro de la hoja.

La forma de aplicar este recurso es la siguiente:

1. Selecciona en primer lugar las celdas a las que aplicarás el borde.

2. En la cinta de opciones, comprueba que se encuentra activa la ficha Inicio.

3. Presta atención al grupo Fuente y haz clic sobre el pequeño símbolo situado a la derecha del icono Bordes para desplegar la amplia lista de posibilidades que ofrece (ver figura 10.5).

4. Para terminar, haz clic en el estilo de línea que quieres usar. Utiliza estas mismas indicaciones si necesitas cambiar el color y el grosor del borde.

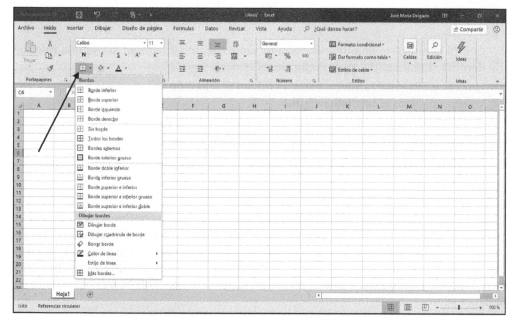

Figura 10.5. Diferentes tipos de bordes disponibles.

Copiar y pegar formato

Excel dispone de la opción Copiar formato que aprovecha el formato aplicado con anterioridad sobre una celda o grupo de celdas. Este comando es muy útil dentro de una aplicación con las características de Microsoft Excel.

El funcionamiento del proceso de copiar y pegar formato en Excel se describe en los pasos siguientes:

1. Selecciona la celda o celdas que tienen el formato que quieres copiar. Cuando hablamos de formato incluimos fuente, colores, color de fondo, formato de fecha o número, etc.

2. Haz clic en el icono Copiar formato situado en el grupo Portapapeles de la ficha Inicio. Observa que junto al cursor habitual de Excel aparece una brocha.

3. A continuación, haz clic para aplicar el formato copiado sobre la celda o celdas que desees.

Etiquetas inteligentes para copiar formato

Aunque trataremos con más detalle el funcionamiento de las etiquetas inteligentes, queremos mostrar dos formas sencillas de emplear el formato de una celda como patrón para aplicarlo a otras mediante las etiquetas inteligentes. El primero de los métodos consiste en:

1. Haz clic en la celda que contiene el formato que quieres usar como referencia para el resto.

2. Coloca el ratón encima del pequeño recuadro negro situado en la esquina inferior derecha, denominado controlador de relleno.

3. Haz clic y, sin soltar, arrastra hasta incluir en la selección todas aquellas celdas sobre las que aplicarás el formato original.

4. Al soltar, Excel mostrará una pequeña etiqueta, haz clic sobre ella y escoge la opción Rellenar formatos solo.

5. Tras este proceso, todas las celdas obtendrán las mismas propiedades de formato que la primera.

El segundo de los métodos consiste en utilizar el comando Copiar (Control-C) sobre la celda que tiene el formato que deseas usar como origen y, a continuación, ejecutar el comando Pegar (Control-V), después de hacer clic para seleccionar la celda o celdas de destino. Aquí, igual que ocurría con el método anterior, aparece una pequeña etiqueta que debes seleccionar, pero en este caso el aspecto es distinto y ofrece muchas más posibilidades. Para copiar solo el formato de origen haz clic sobre el icono resaltado en la figura 10.6.

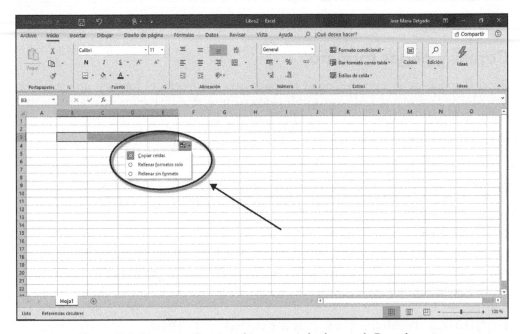

Figura 10.6. Etiqueta inteligente y el icono asociado al comando Pegar formato.

Para entender el significado de los iconos que aparecen en la etiqueta inteligente descrita en el apartado anterior necesitamos conocer un poco mejor Excel, así que dejaremos su descripción para los siguientes capítulos.

El comando Pegar *situado en el extremo izquierdo de la ficha* Inicio *tiene las mismas funciones que la etiqueta inteligente descrita en líneas anteriores. Además, incluye el comando* Pegado especial *con el que se accede al cuadro de diálogo del mismo nombre donde podrás configurar con mucho más detalle todas las opciones de pegado disponibles.*

Estilos

Si hacemos un poco de memoria recordaremos que los estilos permitían agrupar bajo un mismo nombre una serie de características de formato. En Excel también disponemos de estilos para ahorrar trabajo a la hora de aplicar formato a los diferentes elementos de la hoja de cálculo.

En la cinta de opciones, en la ficha Inicio se localiza el grupo Estilos. Para comprobar cómo funciona el comando Estilo de celda, selecciona un grupo de celdas en la hoja de cálculo y haz clic sobre él para acceder a un menú desplegable con todas sus opciones. Como se aprecia en la figura 10.7, los diferentes estilos se dividen por categorías para que resulte más sencillo hallar el formato adecuado. Como es habitual, basta con situar el ratón sobre cualquiera de ellos para que se aplique de forma provisional sobre las celdas seleccionadas.

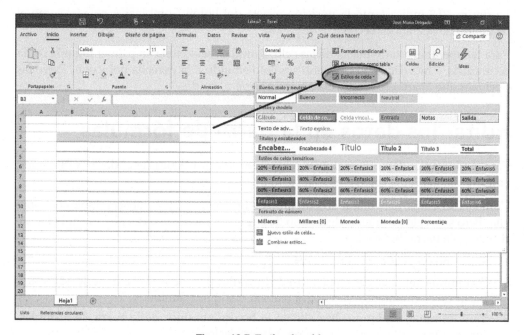

Figura 10.7. Estilos de celda.

Unir celdas

La unión de celdas se emplea principalmente para colocar en la hoja títulos que engloben varias columnas:

1. Abre una hoja en blanco.
2. Haz clic en la celda A2 y escribe: Año 2020.
3. Mantén pulsada la tecla Mayús y haz clic en la celda G2. Todas las celdas intermedias entre la A2 y la G2 quedan seleccionadas.
4. En la cinta de opciones, comprueba que se encuentra seleccionada la ficha Inicio.
5. Haz clic en el botón Combinar y centrar del grupo Alineación. Después de este último paso, todas las celdas seleccionadas se habrán convertido en una sola y, además, el texto habrá quedado centrado dentro de la nueva celda.

La figura 10.8 indica tanto la posición exacta del botón Combinar y centrar como el resultado de la anterior secuencia de pasos.

Para recuperar el estado inicial de las celdas unidas, selecciona en primer lugar la celda combinada y haz clic en el pequeño símbolo situado a la derecha del icono. Entre las opciones que aparecen, escoge el comando Separar celdas.

Editar los datos en la barra de fórmulas

Para modificar los datos de cualquier celda de la hoja de cálculo tienes dos posibilidades: editarlos en la propia celda o usar la barra de fórmulas.

Como ya sabemos, para editar el contenido de una celda basta con hacer doble clic sobre ella. Pero si la celda contiene algún tipo de expresión, función o cálculo, es conveniente recurrir a la barra de fórmulas:

1. Selecciona la celda que modificarás.
2. A continuación, haz clic en la barra de fórmulas para activar el cursor de edición. A partir de ese momento, ya puedes realizar cualquier cambio.
3. Para terminar, da Intro o haz clic en el botón Introducir de la barra de fórmulas, representado por un símbolo verde de verificación.

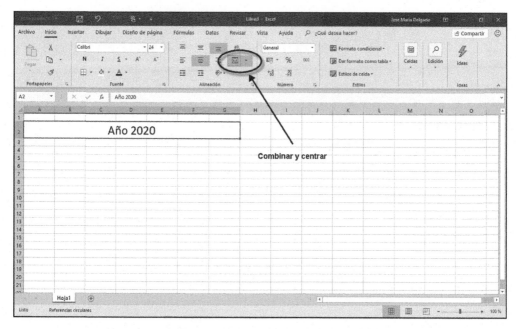

Figura 10.8. Botón Combinar y centrar y ejemplo de unión de varias celdas.

Otra forma de editar el contenido de una celda es seleccionarla y después pulsar F2. Al instante el cursor aparecerá dentro de la celda y podrás realizar cualquier cambio.

Mover datos

Con Excel es posible mover el contenido de una o varias celdas dentro de cualquier lugar de la hoja activa:

1. Selecciona la celda o celdas que moverás.
2. Coloca el cursor en el borde de la selección hasta que se transforme en flecha cuádruple.
3. Haz clic y, sin soltar, arrastra hasta situar la selección sobre la nueva ubicación. Para facilitar esta tarea, Excel sombrea la celda sobre la que se halla situado el cursor en cada momento y muestra su referencia como en la figura 10.9.
4. Cuando estés sobre la celda adecuada, suelta el botón izquierdo del ratón.

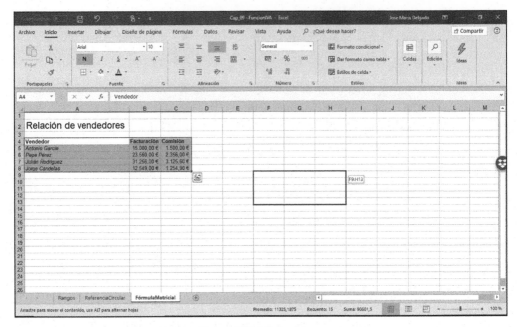

Figura 10.9. Mover datos.

Relleno automático de celdas

Excel ofrece varios métodos para facilitarnos la tarea de introducir datos iguales o con alguna relación entre ellos. Por ejemplo, imagina que has introducido un valor y necesitas que las diez celdas de debajo contengan también la misma información. Es evidente que una solución es recurrir a los comandos Cortar y Pegar, pero existe otra forma más sencilla de hacerlo:

Los pasos siguientes describen el proceso de relleno automático de celdas:

1. Haz clic sobre la celda que contiene el dato que quieres copiar para convertirla en la celda activa.

2. Coloca el cursor sobre el pequeño cuadrado negro situado en la esquina inferior derecha de la celda, denominado controlador de relleno. El cursor se transformará en una pequeña cruz de color negro.

3. Haz clic, mantén pulsado el botón izquierdo del ratón y arrastra para rellenar las celdas contiguas como en la figura 10.10.

4. Suelta el botón del ratón para que aparezcan los datos en las celdas seleccionadas. Ahora Excel muestra una etiqueta inteligente, haz clic sobre ella y encontrarás varias opciones:

- **Copiar celdas:** Copia el valor de la celda original en el resto de las celdas seleccionadas.

- **Serie de relleno:** Si la celda contiene un valor numérico, un día de la semana o una combinación de texto con número (por ejemplo, Capítulo 7), elige esta opción para que el programa incremente de forma automática el valor de la primera celda en el resto (y así aparezca Capítulo 8, Capítulo 9...).

- **Rellenar formatos solo:** Cuando elegimos esta opción, Excel se olvida de los datos y copia solo el formato de la celda de origen.

- **Rellenar sin formato:** Copia el dato de origen en el resto de las celdas, pero sin respetar el formato.

- **Rellenar días o meses:** Si el dato corresponde con el nombre de un mes o un día de la semana, el programa añadirá automáticamente el resto de las celdas con los días o meses siguientes.

- **Relleno rápido:** Toma como referencia las celdas situadas a la derecha o izquierda para completar el contenido de las celdas seleccionadas. Muy útil a la hora de separar nombres, apellidos… A continuación, describiremos con un ejemplo el funcionamiento de esta interesante función y entenderás por qué es tan importante en Excel.

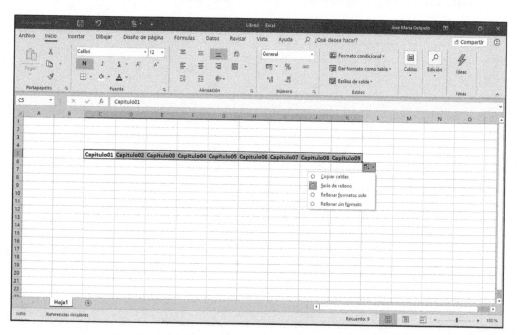

Figura 10.10. Copiar datos y opciones disponibles.

Las posibilidades disponibles serán diferentes en función del tipo de datos incluidos en las celdas.

Si fuera necesario, reduce el número de celdas que contienen el dato que acabas de copiar haciendo clic en el cuadrado de copia y retrocediendo sobre las celdas copiadas.

Relleno rápido

Como hemos comentado, entre las posibilidades de la etiqueta inteligente asociada al relleno de celdas se halla la opción denominada Relleno rápido. Veamos un ejemplo para entender mejor cómo funciona:

1. Imagina que tenemos un enorme listado de nombres de personas, con la particularidad de que tanto el nombre como los apellidos están en la misma celda.

2. Con este escenario se plantea la necesidad de obtener en una celda independiente el nombre de pila de cada una de las personas de la lista.

3. Para resolver el problema, lo primero que harás es escribir los dos o tres primeros datos para que Excel reconozca el patrón que quieres seguir. En la figura 10.11 mira el aspecto de la hoja después de completar estos pasos.

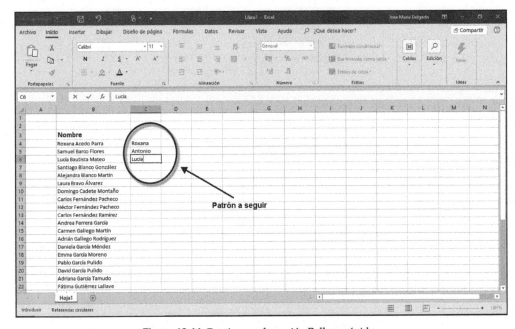

Figura 10.11. Patrón para la opción Relleno rápido.

4. A continuación, selecciona la primera de las celdas, la que contiene el primer valor que hemos indicado. En nuestro ejemplo es la que contiene el nombre José.

5. Haz clic sobre el controlador de relleno (cuadrado de color negro situado en la esquina inferior derecha) y, sin soltar, arrastra hasta llegar a la última celda que deseas completar. Suelta y en la etiqueta inteligente selecciona el comando Relleno rápido. Comprueba cómo el programa ha entendido el patrón indicado y ha conseguido rellenar todas las celdas.

En el ejemplo anterior, si también necesitas obtener de manera separada el primer y segundo apellido, prueba a escribir algunos de estos datos en las celdas situadas a la derecha. Excel rellenará las celdas automáticamente.

Series, autorrelleno de celdas

Lo descrito en la última secuencia de pasos creemos que es en extremo útil, pero Excel aún ofrece mucho más, y para demostrarlo vamos a plantear una situación bastante común. Imagina que estás haciendo una previsión sobre los gastos fijos anuales de tu empresa y tienes que rellenar doce celdas con el nombre de cada mes. ¿Qué te parecería si solo tuvieras que escribir enero y que Excel hiciera el resto? Vamos a ver cómo conseguirlo:

1. Selecciona la celda que contendrá el primer mes y escribe Enero.

2. A continuación, coloca el cursor sobre el controlador de relleno hasta que se transforme en una pequeña cruz de color negro.

3. Haz clic y, sin soltar, arrastra hacia la derecha para que el programa rellene automáticamente las celdas contiguas con los meses correspondientes como en la figura 10.12.

4. Deja de pulsar el ratón cuando aparezca el último mes.

¿No es increíble? Con solo arrastrar el ratón hemos ahorrado el trabajo de escribir los doce meses del año. Esta misma operación repítela con los días de la semana y no es necesario empezar por el primer mes o día, puedes hacerlo con cualquiera. Este método es posible usarlo además con fechas y horas.

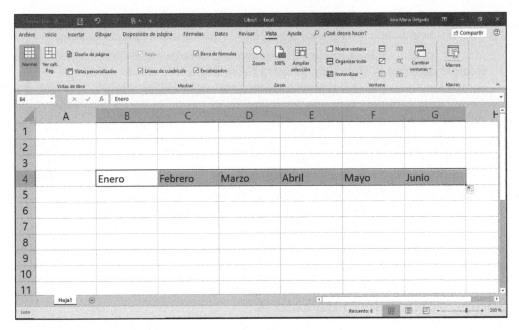

Figura 10.12. Rellenar datos de series.

La opción Rellenar serie (incluida entre las posibilidades de la etiqueta inteligente que aparece después de completar cualquier operación de relleno) también completa datos automáticamente incluso después de haber copiado el dato.

Cuadro de diálogo Series

El cuadro de diálogo Series configura de forma más precisa la funcionalidad asociada al relleno automático de series, indica los valores de incremento, controla los tramos cronológicos, entre otros.

Para rellenar celdas con este método:

1. Haz clic en la celda que contiene el valor inicial de la serie o escríbelo en una nueva celda si fuera necesario.

2. Selecciona las celdas que rellenarás. No olvides que la primera debe ser donde has introducido el valor inicial.

3. En la cinta de opciones comprueba que se encuentra visible la ficha Inicio.

4. En el grupo Edición, busca el comando Rellenar y después haz clic en Series para mostrar el cuadro de diálogo del mismo nombre.

5. Elige las opciones que desees, como el incremento o el valor límite si se trata de un dato numérico. Observa que la opción Cronológica dispone incluso de la posibilidad de crear series solo con los días laborales.

6. Para terminar, da Aceptar y Excel rellenará las celdas seleccionadas con los parámetros de configuración elegidos.

En la figura 10.13 observa el aspecto del cuadro de diálogo Series y la situación del comando Rellenar en la cinta de opciones.

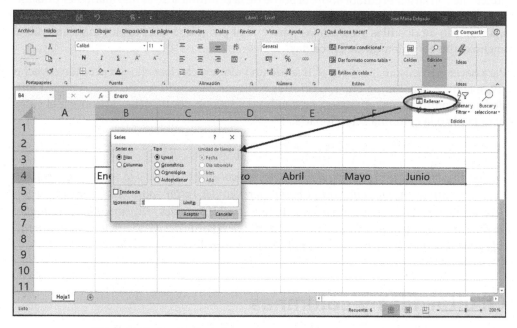

Figura 10.13. Cuadro de diálogo Series y situación del comando Rellenar.

NOTA:

Activa la casilla de verificación Tendencia *para ignorar los valores de incremento y dejar que Excel se encargue de aplicar el mejor ajuste para la serie. El programa utilizará como referencia la información situada en la parte superior izquierda de la celda seleccionada como inicio de la serie.*

Relleno simultáneo de celdas

Siguiendo con los métodos disponibles en Excel para facilitar la tarea de introducción de información en la hoja de cálculo, explicaremos a continuación la forma de añadir un mismo valor en más de una celda al mismo tiempo:

1. Selecciona el grupo de celdas en las que incluirás el mismo valor y a continuación teclea el dato a añadir.

2. Pulsa la combinación de teclas Control-Intro y todas las celdas elegidas se rellenarán con la misma información.

Redimensionar filas y columnas

En apartados anteriores hemos visto cómo adaptar el ancho de una columna para que muestre toda la información y evitar los dichosos símbolos ######. Recuerda que es suficiente con situar el cursor sobre el borde de la columna o de la fila, mantener pulsado el botón izquierdo del ratón y arrastrar; o, si lo prefieres, hacer doble clic sobre la intersección de dos filas y columnas para que el programa adapte automáticamente el ancho o alto al contenido de las celdas.

Para hacer esto mismo, pero especificando un valor exacto, haz clic con el botón derecho sobre la fila o la columna que modificarás y elige el comando Ancho de columna o Alto de fila. A continuación, aparecerá un cuadro de diálogo donde debes introducir el valor para la fila o la columna seleccionada.

> **TRUCO:**
>
> *Es posible modificar el ancho o el alto de varias columnas o filas a la vez. Selecciónalas y, a continuación, haz clic con el botón derecho del ratón sobre ellas para elegir el comando* Ancho de columna *o* Alto de fila. *También puedes seleccionar las columnas o filas que modificarás y después arrastrar desde el borde del encabezado de cualquiera de ellas mientras mantienes pulsada la tecla* Control.

Ocultar filas y columnas

En determinadas ocasiones, es posible que necesites ocultar la información de algunas filas o columnas de la hoja de cálculo. La forma de hacerlo es esta:

1. Selecciona las filas o columnas que ocultarás. Puedes seleccionar más de una si la idea es ocultar varias filas o columnas de una sola vez.

2. Haz clic con el botón derecho sobre la selección y escoge el comando Ocultar.

Si quieres volver a mostrar las columnas o filas ocultas, debes seleccionar las filas o columnas adyacentes. Por ejemplo, si has ocultado la columna B y quieres volver a mostrarla, tendrás que seleccionar las columnas A y C. Una vez hecho esto, haz clic con el botón derecho sobre la selección y utiliza el comando Mostrar.

Buscar y reemplazar

Los comandos Buscar y Reemplazar, situados en el grupo Edición de la ficha Inicio, funcionan de forma similar a la descrita en capítulos anteriores dedicados al procesador de textos. Las diferencias se centran en las listas desplegables disponibles en la parte inferior del cuadro de diálogo, y que aparecen después de marcar el botón Opciones como se aprecia en la figura 10.14. Su descripción es la siguiente:

- **Dentro de:** Define el ámbito de la búsqueda, con las posibilidades de escoger entre la hoja activa o todas las hojas del libro.

- **Buscar:** Determina el sentido de la búsqueda, por columnas y hacia arriba o por filas y hacia la derecha. Por lo general, la más rápida de todas es la búsqueda por columnas.

- **Buscar en:** Selecciona el elemento de la hoja donde se encuentra el término que necesitas buscar: fórmulas, valores o comentarios.

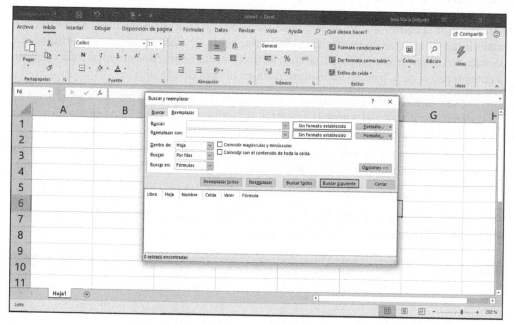

Figura 10.14. Cuadro de diálogo Buscar y reemplazar.

Tanto el comando Buscar como Reemplazar se localizan en la ficha Inicio. Más concretamente, forman parte de las opciones asociadas al icono Buscar y seleccionar del grupo Edición.

TRUCO:

Con la combinación de teclas Control-B *ejecuta el comando* Buscar *y con* Control-L, Reemplazar.

El botón Formato del cuadro de diálogo Buscar y reemplazar restringe la búsqueda a celdas con un formato determinado. Haz clic sobre este botón y selecciona la opción Elegir formato de celda. En ese momento se cerrará provisionalmente el cuadro de diálogo y junto al cursor aparecerá el símbolo de un pequeño cuentagotas. Haz clic sobre la celda que servirá de patrón para la búsqueda y Excel restringirá los resultados únicamente a las celdas que coincidan con el modelo elegido.

Añadir comentarios

Para facilitar la comprensión de los datos incluidos en la hoja de cálculo, Excel ofrece la posibilidad de asociar comentarios a cualquier celda. Quizás en Word esta utilidad no parezca tan importante, pero aquí se convierte en un elemento fundamental para mejorar la comprensión de la información contenida en la hoja de cálculo:

1. Haz clic con el botón derecho del ratón sobre la celda a la que quieres asociar el comentario y busca el comando Insertar comentario. Aparecerá una pequeña viñeta como en la figura 10.15.

2. Escribe dentro de la viñeta el texto que desees. Si el tamaño por defecto no es suficiente, haz clic sobre cualquiera de los cuadrados situados alrededor y arrastra.

3. Selecciona cualquier otra celda para cerrar el comentario.

Observa cómo en la celda donde hemos añadido el comentario aparece un pequeño triángulo rojo en la esquina superior derecha.

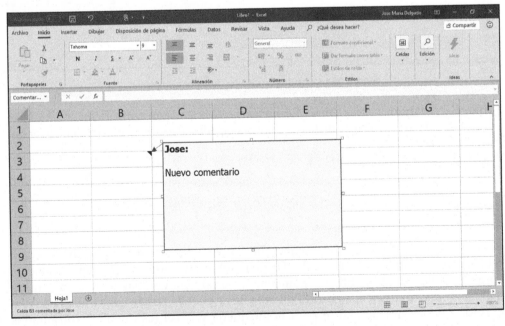

Figura 10.15. Insertar un comentario.

Para visualizar el comentario asociado a una celda, simplemente sitúa el cursor encima. Si lo deseas, también puedes modificar el comentario, basta con hacer clic con el botón derecho sobre la celda y dar Modificar comentario. También es posible borrarlo con el comando Eliminar comentario.

Ordenar el contenido de las celdas

Otra de las operaciones habituales en el trabajo con hojas de cálculo es la ordenación de datos. La forma más rápida de hacerlo es esta:

1. Selecciona las celdas que ordenarás.
2. Según el sentido de ordenación que necesites aplicar, haz clic en los botones Orden ascendente u Orden descendente situados en el grupo Ordenar y filtrar de la ficha Datos. Observa la situación y el aspecto de estos botones en la figura 10.16.

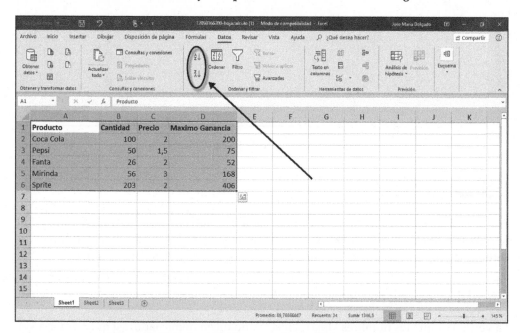

Figura 10.16. Botones Ordenar ascendente y Ordenar descendente.

Para realizar procesos de ordenación más complejos, involucrando más de una columna, emplea el comando Ordenar de la ficha Datos:

1. Haz clic para seleccionar todas las columnas que intervendrán en la ordenación.
2. Busca el comando Ordenar situado en la ficha Datos para mostrar el cuadro de diálogo de la figura 10.17.
3. Utiliza las distintas listas desplegables para definir el criterio de ordenación que vas a seguir y las columnas que deseas implicar. Excel permite un máximo de tres columnas.
4. Indica si existe o no encabezado en la selección y, si todo es correcto, da Aceptar.

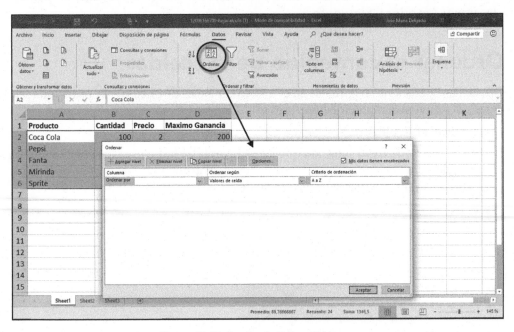

Figura 10.17. Cuadro de diálogo Ordenar.

Editar hojas

Por defecto, Excel incluye una única hoja cada vez que creamos un nuevo libro. Ni el número de hojas, ni el nombre, ni incluso su color tienen por qué ser definitivos. A continuación, veremos cómo modificarlos según nuestros gustos o necesidades.

Cambiar nombre

La verdad es que los nombres Hoja1, Hoja2… no dicen demasiado, así que vamos a ver cómo cambiar esta denominación:

1. En la parte inferior de la ventana, haz clic con el botón derecho del ratón sobre la pestaña que identifica la hoja.

2. Busca el comando Cambiar nombre. En ese instante, el nombre de la hoja aparece seleccionado.

3. Escribe el nuevo nombre de la hoja y pulsa Intro. El nombre de una hoja puede tener como máximo treinta caracteres.

Añadir una nueva hoja

Otra operación habitual es añadir nuevas hojas y para hacerlo solo es necesario hacer clic en el pequeño botón circular con un signo más en su interior situado a la derecha de la última hoja.

Asimismo, puedes hacer clic con el botón derecho sobre el nombre de alguna de las hojas del libro de trabajo y buscar el comando Insertar. En el cuadro de diálogo que aparece, haz doble clic sobre el icono Hoja de cálculo.

Eliminar

Veamos ahora cómo eliminar una hoja:

1. Haz clic con el botón derecho sobre el nombre de la hoja que quitarás del libro actual.

2. Busca el comando Eliminar y después pulsa Aceptar en el cuadro de diálogo de confirmación.

Mover

Para cambiar la posición de una hoja, sigue estos pasos:

1. Haz clic con el botón derecho sobre el nombre de la hoja que quieras mover de posición.

2. Selecciona el comando Mover o copiar para mostrar el cuadro de diálogo que aparece en la figura 10.18.

3. En la lista, elige alguno de los libros abiertos como destino de la hoja o, si lo prefieres, envíala a un nuevo libro de trabajo con la opción Nuevo libro.

4. En el cuadro Antes de la hoja, haz clic sobre la hoja que quieras anteponer a la seleccionada.

5. Finalmente, da Aceptar para completar la operación.

Si lo que quieres es hacer una copia de la hoja seleccionada, solo activa la casilla Crear una copia.

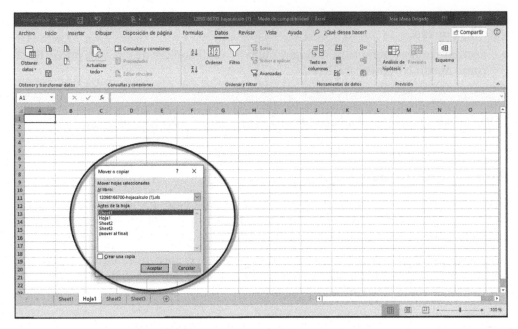

Figura 10.18. Cuadro de diálogo Mover o copiar.

Dividir la ventana de la hoja de cálculo

Imagina que dentro de una misma hoja has incluido los datos sobre los gastos de los seis últimos meses y necesitas hacer una serie de comparaciones entre enero y junio. Con la vista normal, es probable que tuvieras que estar continuamente utilizando la barra de desplazamiento y aun así sería bastante incómodo. Para solucionar este tipo de problemas puedes crear una división temporal de la hoja para que muestre dos o más secciones al mismo tiempo. La forma de hacerlo es la siguiente:

1. Selecciona en el libro de trabajo la hoja que dividirás.

2. A continuación, escoge el comando Dividir en el grupo Ventana de la ficha Vista y obtendrás un resultado similar al de la figura 10.19.

La primera vez que emplees el comando Dividir la hoja quedará separada en cuatro zonas iguales con sus respectivas barras de desplazamiento. Si solo necesitas utilizar la división vertical arrastra la barra de división horizontal hacia arriba hasta que salga de los límites de la ventana. Para eliminar la división vertical arrastra hacia la derecha o la izquierda igualmente hasta que desaparezca.

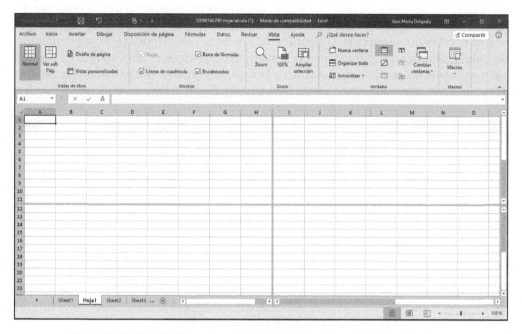

Figura 10.19. Hoja dividida en cuatro partes iguales; observa el detalle de las barras de desplazamiento asociadas a cada sección.

Inmovilizar y movilizar paneles

Otros dos comandos que debes conocer son Inmovilizar y Movilizar paneles en el grupo Ventana de la ficha Vista. Con ellos puedes hacer que las filas o columnas permanezcan siempre visibles incluso si empleas las barras de desplazamiento vertical u horizontal.

1. Haz clic en la columna o la fila siguiente a la que quieres inmovilizar. Es decir, si deseas mantener siempre visible hasta la columna D, selecciona la columna E.

2. En la cinta de opciones comprueba que se encuentra seleccionada la ficha Vista.

3. Busca el comando Inmovilizar del grupo Ventana. En la lista desplegable, elige la primera de las opciones denominada Inmovilizar paneles.

Para devolver la hoja a su estado normal, vuelve a usar el comando Inmovilizar, pero en este caso la primera de las opciones se habrá transformado en Movilizar paneles.

> **NOTA:**
>
> *Además del comando* Inmovilizar paneles *encontrarás dos posibilidades más que permiten bloquear la primera fila o columna de la hoja actual.*

Proteger hoja y libro

En la cinta de opciones en la ficha Revisar, observa el contenido del grupo Proteger. El primero de los comandos, denominado Proteger hoja, abre el cuadro de diálogo del mismo nombre que aparece en la figura 10.20. Activa la casilla Proteger hoja y contenido de celdas bloqueadas e introduce la contraseña que desees. Finalmente, es posible personalizar el acceso de otros usuarios a la hoja, activando o desactivando las casillas de verificación asociadas a las operaciones permitidas en la hoja de cálculo.

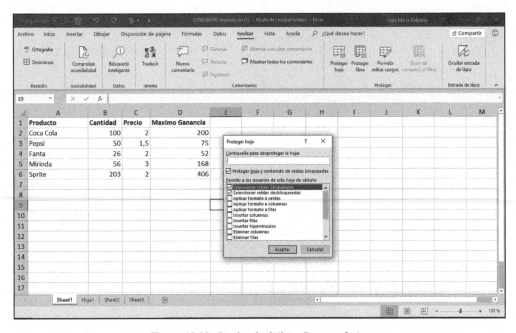

Figura 10.20. Cuadro de diálogo Proteger hoja.

Si necesitas proteger la estructura del libro, de modo que ningún otro usuario pueda eliminar, mover o añadir nuevas hojas, hazlo con el comando Proteger libro y **añade una contraseña.**

Resumen

Excel es, sin lugar a duda, la mejor aplicación del mercado para el tratamiento de datos numéricos. Con ella podrás aplicar fórmulas, usar herramientas de análisis, crear gráficos de datos y un sinfín más de posibilidades relacionadas con la interpretación de la información contenida en la hoja de cálculo.

Una hoja de cálculo se divide en filas y columnas que a su vez permiten referenciar cualquier dato almacenado en la hoja. Varias hojas componen un libro de trabajo.

La forma de introducir información en la hoja de cálculo es muy sencilla, basta con hacer clic sobre una celda y escribir el contenido. Además, Excel contempla ciertas ayudas a la hora de introducir series de datos del estilo: Enero, Febrero... o 1, 2, 3... En este tipo de situaciones es suficiente con escribir el primer término o valor y utilizar el controlador de relleno para completar el resto de las celdas adyacentes, al tiempo que elegimos la opción adecuada en la etiqueta inteligente.

Otras opciones interesantes son la posibilidad de añadir comentarios a las celdas y la ordenación de sus contenidos; además puedes inmovilizar ciertas zonas de la hoja de cálculo para visualizar mejor los datos.

11

Un nombre para todo

- Emplear las referencias a celdas.
- Trabajar con rangos.
- Usar el Administrador de nombres.
- Definir constantes.
- Utilizar referencias a otras hojas y libros.
- Introducir y editar fórmulas.
- Resolver referencias circulares.
- Aplicar filtros sencillos.

Referencias a celdas

En el primer capítulo ya empleamos algunas referencias a celdas. Estas no son más que llamadas que hacemos a otras celdas dentro de una expresión. En nuestro ejemplo utilizábamos los nombres de las celdas B6 y B8 para realizar el cálculo, por lo tanto, estábamos usando referencias a las celdas B6 y B8.

Cuando el libro de trabajo se encuentre repleto de hojas y cada una de ellas, a su vez, saturada de datos, fórmulas, etcétera, la nomenclatura por defecto para hacer referencia a celdas o grupos de celdas se muestra insuficiente e ineficaz. Para solucionar este problema, Excel ofrece distintos métodos para referenciar celdas o rangos de celdas de forma mucho más comprensible mediante la asignación de nombres. En los apartados siguientes describiremos cómo aprovechar esta interesante y útil herramienta.

Referencias con el ratón

Existe un método mucho más cómodo que escribir el nombre de las celdas o rangos que queremos emplear en una fórmula. Esta forma implica usar el ratón y para explicarlo, a continuación, calcularemos la diferencia total entre los gastos y los ingresos del segundo trimestre a partir de los datos de la figura 11.1.

1. Selecciona la celda C10 y escribe el signo = para indicarle al programa que a continuación viene una fórmula o una expresión.

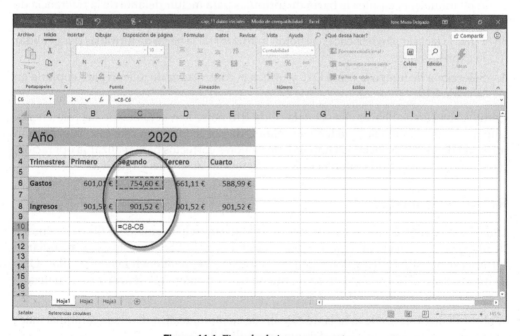

Figura 11.1. Ejemplo de ingresos y gastos.

2. A continuación, haz clic en la celda C8.
3. Escribe el signo menos (-) y haz clic en la celda C6.
4. Para finalizar, pulsa la tecla Intro.

Esta forma de crear fórmulas y de introducir referencias es mucho más sencilla que escribir la columna y fila de la celda, pero aún quedan muchas sorpresas que iremos mostrando a lo largo de este capítulo.

Referencias absolutas y relativas

Siguiendo con la hoja de ejemplo, haz clic en la celda C10 para seleccionarla, después coloca el ratón sobre el controlador de relleno (esquina inferior derecha) y arrastra hacia la derecha para copiar la fórmula en la celda D10. A continuación, haz clic sobre esta última celda y comprueba que no solo se ha copiado la fórmula, sino que se están utilizando las celdas D6 y D8 para los cálculos.

El motivo es que las referencias de la fórmula que hemos copiado son referencias relativas y, por lo tanto, se actualizan al copiar o mover la fórmula. Esto es perfecto, ya que evita tener que modificar la expresión. Pero en otras ocasiones necesitaremos que se mantengan las referencias a las celdas originales y para estos casos solo debes incluir el símbolo de dólar ($) delante del nombre de la columna y del número de la fila. Por ejemplo:

1. Haz clic sobre la celda D10 para seleccionarla.
2. A continuación, emplea la barra de fórmulas para incluir delante de la referencia de cada celda el símbolo del dólar. La expresión debe quedar así: =$D$8-$D$6.
3. Pulsa la tecla Intro o haz clic en el botón Introducir de la barra de fórmulas para validar la expresión.
4. Selecciona de nuevo la celda D10 y utiliza el controlador de relleno para copiarla en la celda E10.

Comprueba cómo al hacer clic sobre la celda E10 no se han actualizado las referencias, sino que se mantienen las que tenía la celda D10. Por lo tanto, en este caso la expresión no es válida ya que no estamos tomando los valores correctos para realizar la operación, pero sirve para ilustrar la diferencia entre referencias absolutas y relativas.

Referencias mixtas

Utilizando referencias mixtas, Excel permite bloquear exclusivamente la fila o la columna de la expresión. Un ejemplo podría ser =D$4:E$4 + D$6:E$6. En este caso, al copiar la fórmula se actualizan los valores de las columnas y se mantienen los de las filas. Otro ejemplo sería =$D$4 + D6, aquí se mantiene fija la primera referencia y se actualiza la segunda.

A partir de los valores de la hoja de cálculo de ejemplo, realiza diversas combinaciones para comprobar el efecto de las distintas posibilidades.

Rangos

Se define un rango como un grupo de celdas no necesariamente consecutivas. En Excel se asignan nombres a rangos y, de este modo, se usa ese nombre dentro de cualquier fórmula o expresión para hacer referencia a todas las celdas que lo componen. Esta característica, además de hacernos la vida más fácil, permite identificar mucho más rápidamente el origen o la procedencia de los datos. Para asociar un nombre a un rango de celdas sigue estos pasos:

1. Con los métodos que ya conoces selecciona el conjunto de celdas que formarán el rango.

2. Haz clic sobre el comando Asignar nombre situado en el grupo Nombres definidos de la ficha Fórmulas.

3. En el cuadro de diálogo que aparece en la figura 11.2, escribe el nombre que quieres asignar al rango seleccionado. Observa cómo el rango elegido aparece en el cuadro de texto Se refiere a:.

4. Finalmente, haz clic en Aceptar.

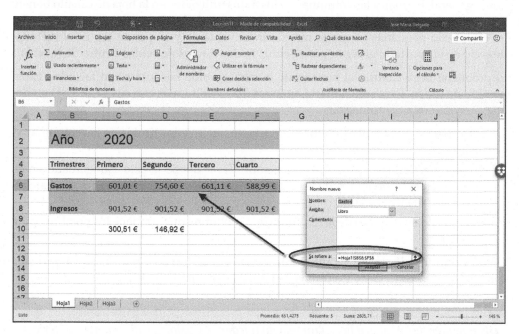

Figura 11.2. Cuadro de diálogo Nombre nuevo.

TRUCO:

Un método rápido de asignar un nombre a un rango es seleccionar las celdas y después hacer clic en el Cuadro de nombres *de la barra de fórmulas. Una vez aquí, escribe el nombre que desees y pulsa la tecla* Intro.

Para ver y seleccionar cualquiera de los rangos creados dentro del libro de trabajo actual, despliega la lista Cuadro de nombres situada en la barra de fórmulas. Si haces clic sobre alguno de los nombres de rango definido, se seleccionarán todas las celdas que lo componen.

Una vez definido un nombre de rango, tanto en fórmulas como en funciones podrás sustituir la referencia a las celdas por el nombre de dicho rango. Por ejemplo:

```
= Gastos - Ingresos
```

Nombres para las filas y columnas de un rango de datos

Por lo general, las filas y las columnas de los datos utilizados en la hoja de cálculo tienen un rótulo o nombre que los identifica. En nuestro ejemplo, Gastos e Ingresos. Cuando las tablas son pequeñas no surge ningún inconveniente y se puede seguir el método descrito en el apartado anterior para definir varios rangos de celdas dentro de la tabla.

El problema llega cuando el tamaño de la tabla impide encontrar con facilidad cada nombre de rango. Para solucionarlo, nombra filas y columnas con sus títulos del modo que describimos a continuación:

1. Selecciona toda la tabla y, lo más importante, incluye los títulos de las columnas y de las filas.

2. A continuación, haz clic sobre el comando Crear desde la selección situado en el grupo Nombres definidos de la ficha Fórmulas para mostrar el cuadro de diálogo (como el de la figura 11.3).

3. Indica la posición tanto de la fila como de la columna que contiene los nombres y da Aceptar.

Una vez completados los pasos anteriores, despliega el Cuadro de nombres y comprueba cómo se han incluido tanto los títulos de las filas como de las columnas.

Con este método será mucho más intuitivo emplear funciones. Por ejemplo:

```
= SUMA (Gastos)
```

Es más, será el propio programa el que muestre el nombre del rótulo cuando tecleemos sus primeras letras en una fórmula o función (la figura 11.4).

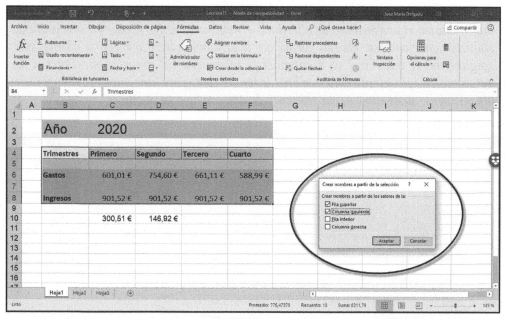

Figura 11.3. Asignar nombres a rangos a partir de las filas y a las columnas de la tabla.

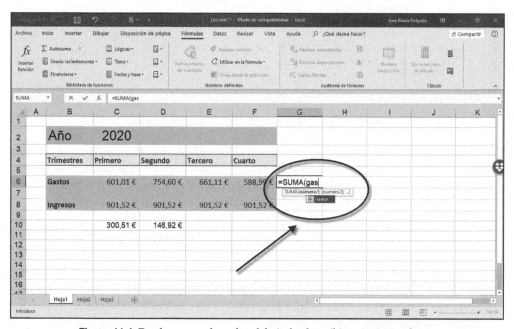

Figura 11.4. Excel muestra el nombre del rótulo al escribir sus primeras letras.

Cuando escribas el nombre del rótulo precedido por el signo =, Excel resalta de forma automática las celdas que lo componen como en la figura 11.5. También es lo suficientemente inteligente para que a medida que introduces el nombre del rango se muestre una pequeña etiqueta donde aparece. De esta forma nos ahorramos escribirlo entero y además nos aseguramos de que Excel va a entender la referencia. En general, esta función de autocompletar sirve tanto para nombres de rangos como para funciones o para cualquier otro elemento susceptible de ser referenciado desde la hoja de cálculo.

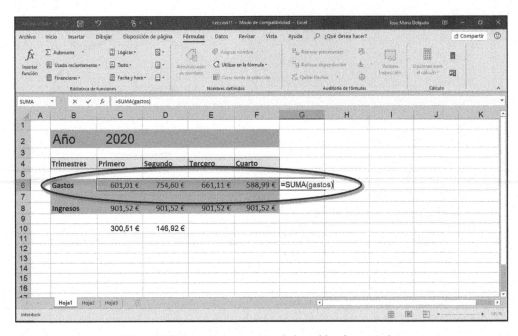

Figura 11.5. Selección automática de las celdas de un rótulo.

Con lo descrito hasta ahora podrías conocer cuánto pagas de alquiler en el mes de febrero sustituyendo el método tradicional = C8 por = *Febrero Alquiler*. Sin duda, este último método, aunque algo más largo, resulta mucho más intuitivo y natural, sobre todo cuando trabajamos con grandes cantidades de información.

En realidad, el espacio que existe en la fórmula = Febrero Alquiler corresponde al operador de intersección de Excel, indicando, en este caso, que la celda que se busca es la que se encuentra en la intersección de la fila Febrero y la columna Alquiler. Además, a medida que escribes el nombre de cada rótulo, Excel marca su contenido para que te cerciores de inmediato de si la selección es correcta.

Resumiendo, la diferencia entre los nombres de rangos y los nombres para filas y columnas es que mientras el primero identifica a un conjunto de celdas por su nombre, el segundo permite usar los títulos o rótulos de esas filas y columnas para hacer referencia a su contenido en expresiones, fórmulas y funciones.

Administrador de nombres

Entre las posibilidades del grupo Nombres definidos de la ficha Fórmulas destaca el comando Administrador de nombres. Selecciónalo y aparecerá el cuadro de diálogo que muestra la figura 11.6, desde donde es posible:

- Comprobar todos los nombres definidos en la hoja de cálculo.
- Añadir nuevos nombres, mediante el botón Nuevo.
- Editar algunos de los nombres existentes, seleccionándolos y usando el botón Modificar.
- Eliminar cualquiera de los nombres definidos, haciendo clic sobre ellos y a continuación sobre el botón Eliminar.

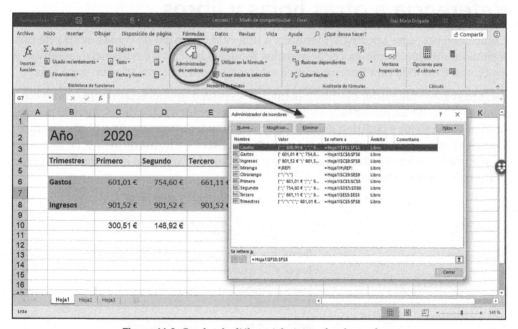

Figura 11.6. Cuadro de diálogo Administrador de nombres.

> **NOTA:**
>
> *Otra forma de trabajar con grupos de datos dentro de una hoja de datos son las tablas de Excel. Con ellas es posible filtrar datos, darles un formato específico o añadir filas de totales. Trataremos este tema en los próximos capítulos.*

Constantes

Las constantes definen valores fijos dentro de una hoja de cálculo (un ejemplo puede ser el IVA). Esta información suele permanecer invariable, pero si por cualquier motivo necesitas cambiarla, será más sencillo hacerlo solo en el valor de la constante que en todos los lugares de la hoja de cálculo donde se utilice. Para definir una constante:

1. Abre el Administrador de nombres desde la ficha Fórmulas y busca el botón Nuevo.

2. En el cuadro de diálogo que aparece, escribe IVA en el campo Nombre y más abajo, en el cuadro Se refiere a, introduce =16%.

3. Haz clic en Aceptar.

A partir de este momento, podrás utilizar fórmulas del tipo:

```
= 1.540 * IVA
```

...donde IVA es el nuevo nombre asociado al valor constante que acabamos de crear.

Referencia a otras hojas y libros

Como sabemos, una referencia identifica a una celda o grupo de celdas dentro de una fórmula o función. También conocemos los modelos básicos de referencias: relativas y absolutas. Con toda esta información ya estamos preparados para dar un paso más.

Sería muy poco útil poder distribuir la información en distintas hojas dentro de un libro y no disponer de los mecanismos necesarios para acceder a estos datos. Incluso puedes ir un poco más lejos y pedirle a Excel que permita acceder a hojas de otros libros distintos. Como es lógico, estas cuestiones están resueltas en Excel. La forma de incluir, en fórmulas y funciones, referencias a celdas, a rangos y nombres de rangos de hojas del libro actual y de otros libros se encuentra en la tabla 11.1.

Tabla 11.1. Referencias a celdas de otras hojas y otros libros.

Sintaxis	Significado
= Hoja2!C15+Hoja1!B7	Suma los valores de la celda C15 situada en la hoja2 y B7 situada en la hoja1.
= Hoja2!Gastos	Hace referencia al rango Gastos de la hoja2.
= [libro1.xls]!Hoja1!C3	La referencia apunta a la celda C3 de la hoja1 del archivo de hoja de cálculo libro1.xls.
= [libro1.xls]!Hoja1!Ventas	Igual que el caso anterior, pero en esta ocasión la referencia apunta a un rango dentro de la hoja1.

Para entender mejor el funcionamiento de las referencias entre hojas, describimos a continuación los pasos necesarios para sumar dos valores de hojas distintas:

1. Haz clic sobre la celda donde incluirás la fórmula o función y escribe el signo =.

2. A continuación, selecciona la celda dentro de la hoja actual que contiene el primer valor. Después escribe el operador +.

3. Selecciona la ficha de la hoja que contiene el segundo dato a sumar y haz clic en la celda correspondiente. Pulsa Intro y automáticamente Excel volverá a la hoja que contiene la fórmula, mostrando el resultado correcto.

Si en lugar de dos quisiéramos sumar tres o más valores colocados en hojas diferentes, tan solo es necesario añadir el operador después de seleccionar cada celda, repetir esta operación hasta llegar al último valor y pulsar la tecla Intro.

Del mismo modo, si la referencia es a otro libro, usa las teclas Alt-Tab para mostrar el libro que con anterioridad habrás abierto y haz clic en la celda que necesites. Si es el último valor, pulsa Intro y, si no es así, introduce el operador y vuelve al libro de origen.

> **TRUCO:**
>
> El botón Filtro *del cuadro de diálogo* Administrador de nombres *ofrece varios criterios de selección para localizar con mayor facilidad los nombres definidos en la hoja de cálculo.*

¿Qué es una referencia circular?

Cuando una celda incluye una fórmula o función que hace referencia a sí misma, se dice que existe una referencia circular. Cuando así ocurre, Excel muestra un cuadro de diálogo en el que informa del problema e indica algunas posibles soluciones.

Después de hacer clic en Aceptar en el cuadro de diálogo de aviso, Excel mostrará la ayuda del programa para indicarnos diferentes modos de actuar en estos casos. Resumiendo, debemos ir hasta el grupo Auditoría de fórmulas incluido en la ficha Fórmulas. Aquí haremos clic sobre el pequeño botón situado a la derecha del comando Comprobación de errores y buscaremos Referencias circulares para finalmente elegir la celda que contiene el error. La figura 11.7 muestra el aspecto de la cinta de opciones después de realizar todos estos pasos.

> **NOTA:**
>
> *Si tus hojas de cálculo no contienen demasiada información, quizás no veas demasiado útil el rastreo de referencias, pero con grandes volúmenes de datos se hace imprescindible.*

Filtros

Cuando la información almacenada en la hoja de cálculo adquiera un volumen importante, la búsqueda de cualquier dato puede convertirse en una tarea complicada.

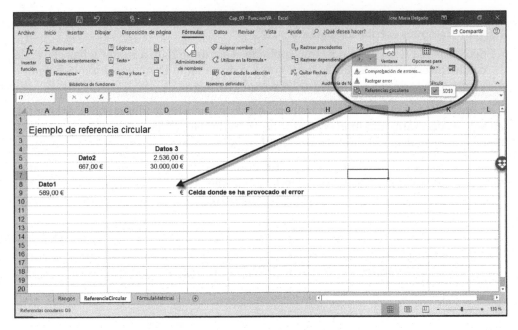

Figura 11.7. Localizar referencias circulares.

En la ficha Inicio, más concretamente dentro del grupo Edición, se encuentra el comando Buscar con el que podremos localizar cualquier término dentro de la hoja de cálculo. Pero no siempre resulta suficiente y, por este motivo, Excel dispone de una opción específica para realizar este tipo de tareas. Con el comando Filtro se seleccionan solo aquellos elementos de una lista que cumplan con los criterios que nosotros indiquemos, ocultando el resto. Por ejemplo, en la lista de la figura 11.8 queremos que muestre únicamente aquellos elementos que contengan la palabra Badajoz en la columna Provincia:

1. Haz clic en la celda que contiene el dato que emplearás como criterio de búsqueda; en este caso, Provincia.

2. A continuación, busca el comando Filtro situado en el grupo Ordenar y filtrar de la ficha Datos.

3. A partir de ese momento, el primer elemento de cada una de las columnas seleccionadas se convierte en lista desplegable indicando que el modo Filtro está activo (como en la figura 11.9).

4. Haz clic en el botón situado a la derecha de la celda Provincia y en la ventana desplegable desactiva la casilla de verificación Seleccionar todo. A continuación, marca la casilla correspondiente a la entrada Badajoz para definir este término como criterio de filtrado.

5. Como puedes comprobar han desaparecido todos los elementos de la lista salvo aquellos que contienen el elemento Badajoz.

Para mostrar todos los elementos de la lista, usa la opción Borrar filtro; y para desactivar el modo Filtro, marca de nuevo el comando Filtro en la ficha Datos.

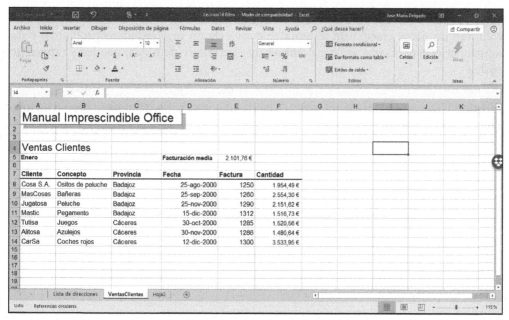

Figura 11.8. Información de ejemplo.

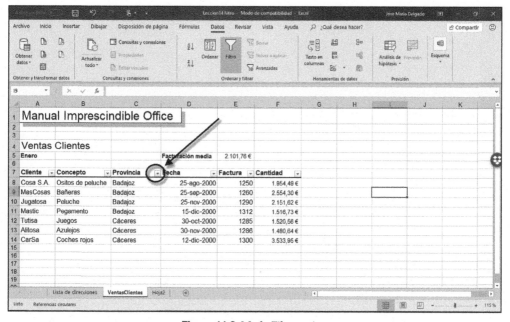

Figura 11.9. Modo Filtro activo.

Resumen

Las referencias básicas a celdas (es decir, el nombre de la columna junto al nombre de la fila) es válida para casos donde exista poca información en la hoja de cálculo. Pero si el volumen de datos crece, este sistema se convierte en un verdadero problema; para solucionarlo es necesario utilizar nombres que permitan identificar grupos y rangos de celdas.

Las referencias a celdas se pueden complicar tanto como deseemos para cubrir cualquier necesidad. Es posible definir referencia a celdas de otras hojas del mismo libro o incluso a hojas de otros libros.

12

En este capítulo aprenderás a:

- Introducir y editar fórmulas.
- Trabajar con funciones simples.
- Emplear funciones de fechas y horas.
- Editar funciones.
- Calcular la cuantía de los pagos de un préstamo.
- Detectar errores comunes.
- Validar datos de funciones y fórmulas.

Introducción

Cuando tenemos la información perfectamente ordenada en nuestra hoja de cálculo, el siguiente paso es articular los medios necesarios para obtener resultados a partir de esos datos. En los apartados siguientes aprenderemos a trabajar con fórmulas, a realizar expresiones de cálculo sencillas y, en definitiva, a encontrarle el verdadero sentido a Excel.

Fórmulas y funciones

Las fórmulas permiten realizar cálculos sencillos a partir de los datos contenidos en la hoja de cálculo. Pueden estar formadas por referencias a celdas, operadores aritméticos, funciones, constantes, rangos, nombres de rangos, etc. De todos estos elementos hablaremos en los apartados siguientes.

Con los operadores aritméticos realizaremos cálculos sencillos en la hoja de cálculo. La lista de los operadores aritméticos permitidos en Excel se muestra en la tabla 12.1.

Tabla 12.1. Operadores aritméticos.

Operador	Función
+	Suma
-	Resta
*	Multiplicación
/	División
^	Exponenciación
%	Porcentaje

Además de los operadores aritméticos, existen en Excel los llamados operadores de comparación con los que se determina si el resultado de la verificación es verdadero o falso (ver figura 12.1). Además, en la tabla 12.2 tienes todos los operadores de comparación disponibles.

Tabla 12.2. Operadores de comparación.

Operador	Función
<	Menor que
>	Mayor que
=	Igual a
<>	Distinto que
<=	Menor o igual que
>=	Mayor o igual que

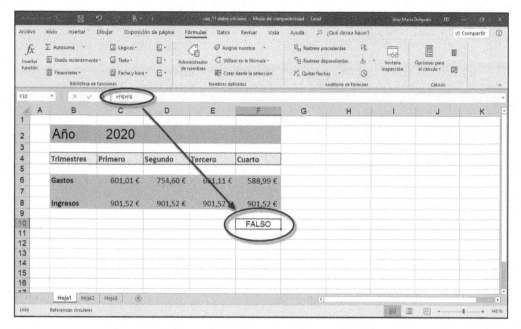

Figura 12.1. Ejemplo de uso de los operaciones de comparación.

Nueva fórmula

Veamos a continuación los pasos necesarios para crear una fórmula. En este caso usaremos los datos de ejemplo de la hoja que aparece en la figura 12.2.

Utilizando los valores del ejemplo calcularemos la diferencia entre los gastos y los ingresos del primer trimestre:

1. Haz clic en la celda B10 y escribe el símbolo igual. Esta es la forma de indicarle a Excel que lo que viene a continuación no es un dato sino una fórmula o expresión. Observa también que se ha activado la barra de fórmulas.

2. Escribe el nombre de la celda que contiene los ingresos correspondientes al primer trimestre: B8.

3. A continuación, introduce el símbolo menos (-) y después el nombre de la celda que contiene los gastos: B6.

4. Para finalizar, pulsa la tecla Intro. Comprueba cómo la celda B10 recoge ahora la diferencia entre los gastos y los ingresos del primer trimestre.

NOTA:

Observa un detalle importante, al seleccionar de nuevo la celda B10 aparecerá en la barra de fórmulas la expresión que acabamos de insertar. Este será el espacio que debes emplear si necesitas cambiar cualquier valor o referencia.

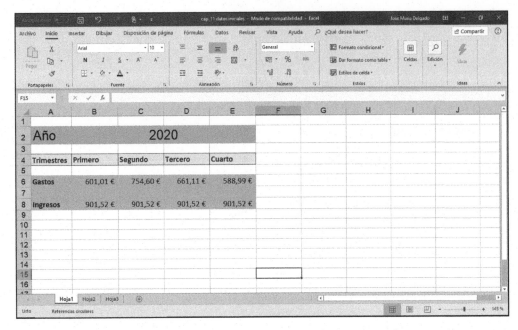

Figura 12.2. Datos de ejemplo.

Cuestión de prioridades

Excel no aplica la misma prioridad a todos los operadores dentro de una expresión. El orden de prioridades es el siguiente:

1. Cualquier operación contenida entre paréntesis ().
2. Valor negativo -.
3. Porcentajes %.
4. Exponenciación ^.
5. La multiplicación (*) y la división (/) de izquierda a derecha.
6. La suma (+) y la diferencia (-) de izquierda a derecha.
7. Operador de texto (&).
8. Operadores de comparación (< = >).

Es muy importante tener presente estos criterios.

Funciones simples

Una vez tratadas las expresiones sencillas, en el siguiente paso dentro de la escala de complejidad de Excel estarían las funciones. Con ellas podemos ampliar de forma notable las posibilidades de cálculo de las expresiones.

Las funciones se componen de dos partes: el nombre de la función SUMA, MÍN, MÁX...
y los argumentos que, por lo general, serán referencias a celdas, rangos o nombres de
rangos.

Excel dispone de una gran cantidad de funciones, y si tuviéramos que explicar el
comportamiento de todas necesitaríamos varios libros como este. Describiremos las más
comunes que serán, en definitiva, las que uses en la mayoría de los casos.

Las funciones tienen una sintaxis determinada y como es imposible acordarnos de todas,
Excel ofrece varias herramientas para ayudarnos. La primera es la barra de fórmulas: al
introducir el símbolo = y activarse la barra, aparecerán en el extremo izquierdo una lista
de las funciones más comunes como puedes observar en la figura 12.3; para emplear
cualquiera de ellas solo tienes que seleccionarla. Si necesitas alguna función que no se
encuentra disponible en esta lista, haz clic sobre la última opción denominada Más
funciones.

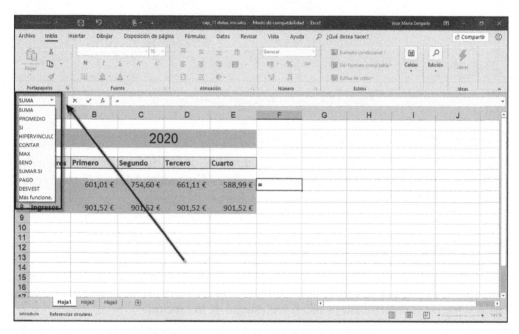

Figura 12.3. Lista de funciones de la barra de fórmulas.

Otra posibilidad es utilizar el comando Insertar función situado en el extremo izquierdo
de la ficha Fórmulas. En esta ocasión, Excel muestra el cuadro de diálogo que aparece
en la figura 12.4, donde encontrarás todas las funciones disponibles divididas por
categorías.

El cuadro de diálogo Insertar función es una excelente herramienta ya que, además de
permitirnos encontrar la función que necesitamos en cada caso, ofrece información
detallada sobre la sintaxis de la función, parámetros y resultados que devuelve.

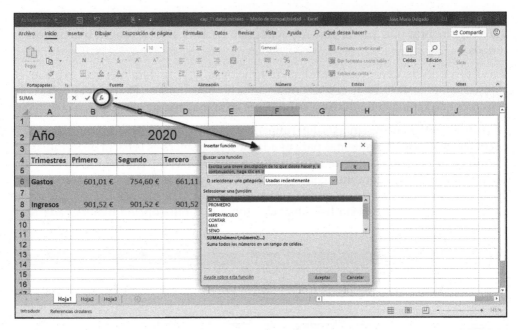

Figura 12.4. Cuadro de diálogo Insertar función.

Autosuma

Una de las funciones que utilizaremos con más frecuencia será sin lugar a duda Autosuma: como podrás imaginar por su nombre, devuelve el resultado de la suma de las celdas cuyas referencias determinemos como argumento de la función.

Para ver una aplicación práctica de la función Autosuma, usaremos de nuevo el ejemplo de los ingresos y los gastos. En este caso, el objetivo es calcular el total de gastos y el de ingresos de todo el año.

1. Haz clic en la tecla G4 y escribe: Totales año; después utiliza la tecla Intro.

2. A continuación, haz clic en la celda G6.

3. Busca el botón Autosuma situado en el grupo Biblioteca de funciones de la ficha Fórmulas. Como se aprecia en la figura 12.5, Excel se ha anticipado a nuestra operación y ha seleccionado el rango de celdas que queremos incluir como argumento en la función Autosuma.

4. De todos modos, como no queremos incluir la celda F6, vamos a definir nosotros mismos el rango. Selecciona la celda B6, arrastra hasta la E6 y pulsa la tecla Intro o haz clic en cualquier otra celda.

5. Para calcular del mismo modo la suma de todos los ingresos, haz clic en la celda G6 y emplea el comando Copiar (Control-C).

6. Por último, selecciona la celda G8 y ejecuta el comando Pegar (Control-V).

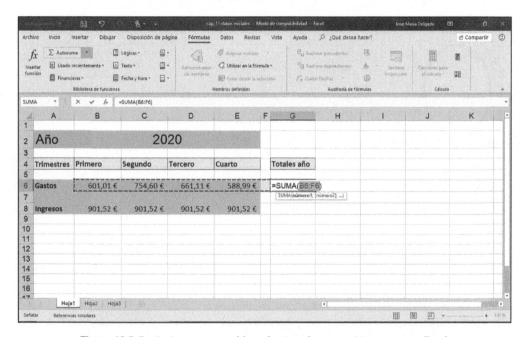

Figura 12.5. Botón Autosuma y celdas seleccionadas automáticamente por Excel.

NOTA:

Con las teclas Esc *o* Intro *eliminas la selección de la celda G6.*

Si quieres comprobar la sintaxis de la función Autosuma, haz clic en la celda G6 o G8 y observa la barra de fórmulas.

Promedio, Cuenta, Máx y Mín

Además de la función que acabamos de ver, el botón Autosuma contiene otra serie de funciones interesantes. Para acceder a ellas haz clic sobre el pequeño botón que se halla a la derecha y al instante se desplegará una lista con todas sus posibilidades (ver figura 12.6).

El significado las opciones incluidas dentro del botón Autosuma es el siguiente:

- **Promedio:** Devuelve la media de los valores de las celdas indicadas como parámetro. En definitiva, se trata de sumar todos los valores y dividirlos por el número de ellos.

- **Contar números:** Calcula el número de celdas que contienen algún valor dentro de la serie que indiquemos como parámetro.

- **Máx:** Devuelve el valor más alto del rango que pasemos como parámetro.

- **Mín:** Devuelve el valor más bajo del rango que pasemos como parámetro.

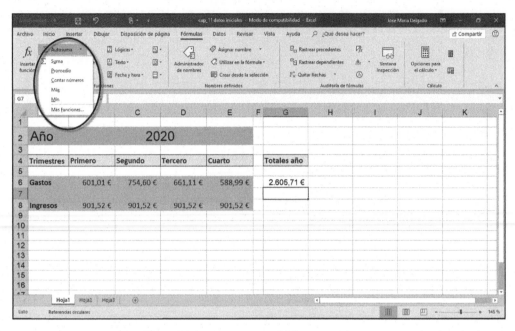

Figura 12.6. Otras opciones del botón Autosuma.

TRUCO:

Si la función Contar números *devuelve el número de celdas que tienen algún valor, la función* Contar si *proporciona el número de celdas que cumplen un determinado criterio. Ambas son opciones muy útiles.*

Con nuestra hoja de ejemplo, calcularemos a continuación el promedio de gastos e ingresos:

1. Haz clic en la celda H4 y escribe: Promedio año.

2. A continuación, selecciona la celda H6 y haz clic sobre el botón situado a la derecha del comando Autosuma. Entre las funciones disponibles elige Promedio.

3. Selecciona con el ratón el rango de celdas B6:E6 y pulsa la tecla Intro.

4. Copia la celda H6 y pégala en la H8 para obtener también el promedio de ingresos del año. En la figura 12.7 se ilustran estas últimas operaciones.

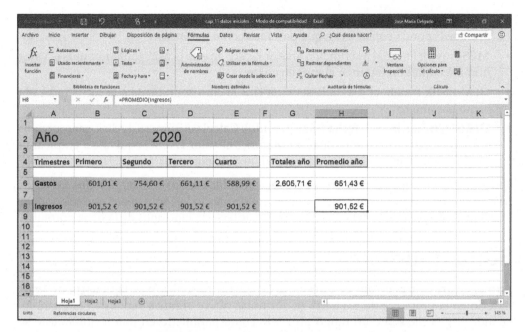

Figura 12.7. Resultado de la función Promedio.

NOTA:

Como habrás comprobado, al emplear algunas de las funciones del botón Autosuma *o el comando* Insertar función, *no es necesario escribir en primer lugar el signo =, es suficiente seleccionar la celda.*

Funciones para fechas y horas

En Excel también son de uso bastante común las funciones que aportan información sobre fechas y horas. Por ejemplo, si incluyes en una celda la función:

= Ahora()

...siempre tendrás en ella la fecha y la hora actual.

ADVERTENCIA:

Con la tecla F9 se actualizan los datos de aquellas celdas que contengan funciones de fechas o de horas.

Otras funciones de este tipo son:

- **HOY():** Devuelve la fecha actual y se usa sobre todo en combinación con las funciones Mes, Día y Año.

- **DIA(hoy()):** Con esta composición de funciones obtendríamos el día actual o el día que corresponda con la fecha que pasemos como parámetro.
- **MES(hoy()):** Es igual a la función anterior, pero en esta ocasión obtendremos el valor numérico que corresponde al mes en curso.
- **DIASEM():** Señala el día de la semana (1 a 7) correspondiente a la fecha indicada como parámetro.
- **DIAS360(fecha inicial, fecha final, método):** Calcula el número de días transcurridos entre dos fechas. Para el parámetro Método, el valor FALSO equivale a emplear el modelo americano y el VERDADERO al modelo europeo.

Todavía existen algunas funciones más relacionadas con las fechas, pero las descritas hasta aquí son las más comunes. Si quieres conocerlas todas, solo tienes que seleccionar la categoría Fecha y hora dentro del grupo Biblioteca de funciones de la ficha Fórmulas.

Editar funciones

Lo mejor para editar cualquier expresión es la barra de fórmulas, pero también podríamos hacerlo en la propia celda. La barra de fórmulas ofrece algunas ventajas. Por ejemplo, cuando hagas clic sobre un rango utilizado como parámetro en una fórmula, este se activa en la hoja de cálculo (como se ilustra en la figura 12.8) y queda delimitado por un rectángulo de color. De este modo y usando también el cuadro de relleno, se modifica el rango fácilmente.

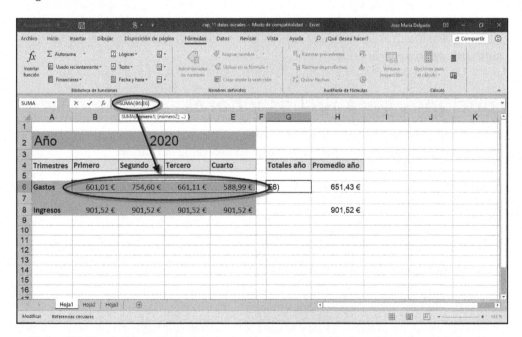

Figura 12.8. Uso de la barra de fórmulas junto con el rango resaltado al que hace referencia la función.

La barra de fórmulas tiene tres pequeños iconos que hemos resaltado en la figura 12.9 para que no tengas problemas a la hora de localizarlos.

El significado de cada uno de ellos es el siguiente:

- **Insertar función:** Si la celda activa se encuentra vacía mostrará el cuadro de diálogo Insertar función. En cambio, cuando editamos una función, mostrará el cuadro de diálogo Argumentos de función para que modifiques los parámetros que intervienen en la misma.

- **Cancelar:** Simplemente abandona el modo edición y deja la función o expresión como estaba. La tecla Esc cumplirá el mismo propósito en la mayoría de los casos, pero es importante conocer otras opciones.

- **Introducir:** Este icono, representado por una pequeña marca de verificación de color verde, tiene como propósito aceptar los cambios realizados en la expresión. En ocasiones utilizaremos la tecla Intro para aceptar los cambios o las modificaciones de una función y en otros casos recurriremos a este icono.

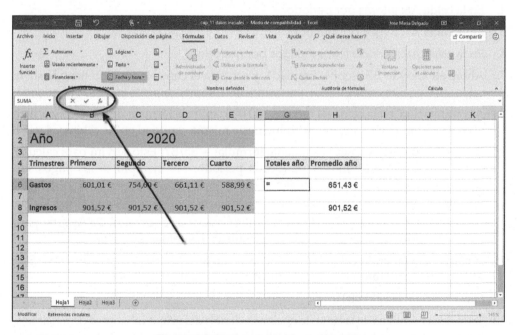

Figura 12.9. Botones de la barra de fórmulas.

TRUCO:

A medida que escribimos el nombre de una función, Excel mostrará una lista con todas las posibles coincidencias. De este modo es mucho más fácil recordar funciones de las que solo conocemos una parte y escribirlas correctamente.

Un ejemplo: ¿cómo calcular la cuota a pagar de un préstamo?

Por suerte o por desgracia, la mayoría hemos estado, estamos o estaremos en la situación de solicitar un crédito bancario y, como es lógico, acudiremos a más de una entidad de préstamo para comparar las distintas ofertas y elegir la que consideremos más ventajosa.

Para ayudarnos en estas circunstancias, Excel dispone de una función denominada Pago que permite conocer el valor de las cuotas del préstamo. Los bancos suelen emplear una jerga técnica y abrumarnos con palabrejas extrañas, pero a nosotros lo que realmente nos interesa es cuánto tendremos que pagar al mes, al trimestre… Sin más, veamos el ejemplo:

1. En la celda A1 escribe: Comparativa préstamos.

2. En la celda A4: Cantidad a pedir.

3. En la celda A5: Interés anual.

4. En la celda A6: Interés por período.

5. En la celda A7: Pagos por período.

6. En la celda A8: Período (años x pagos por período).

7. Ahora en la celda B3 escribe: Entidad1, y arrastra el controlador de relleno hasta la celda D3. Con esto conseguimos que aparezcan automáticamente Entidad2 y Entidad3.

8. A continuación, en la celda B4 escribe: 120 000, aplícale formato de moneda y utiliza el controlador de relleno para introducir esta misma cantidad en las celdas C4 y D4.

9. En la celda B6 debes tener la siguiente fórmula: = B5/B7. Esto servirá para calcular el tanto por ciento de interés para cada período. Por ejemplo, si los pagos son mensuales, será el interés principal entre 12.

10. Haz clic con el botón derecho sobre la celda B6 y elige Formato de celdas. Selecciona Porcentaje e introduce el valor 2 en la casilla Posiciones decimales. Da Aceptar para cerrar el cuadro de diálogo y copia la fórmula en las celdas C6 y D6.

11. A continuación, en la celda B5 escribe: 3 %; en la celda B7, 12; y en B8, 360. Este último valor equivale a doce pagos mensuales durante treinta años.

12. Haz clic sobre la celda B10.

13. En la ficha Fórmulas de la cinta de opciones, dentro del grupo Biblioteca de funciones, busca la categoría Financieras y en ella la función Pago. Al instante, aparecerá el cuadro de diálogo Argumentos de la función.

14. Haz clic en el pequeño botón a la derecha del cuadro de texto Tasa y, cuando se oculte el cuadro de diálogo principal, selecciona la celda B6. Para volver a mostrar el cuadro, haz clic en el botón que indica la figura 12.10.

15. El siguiente paso será seleccionar el botón asociado al valor Nper (Número de períodos), pero esta vez haz clic sobre la celda B8.

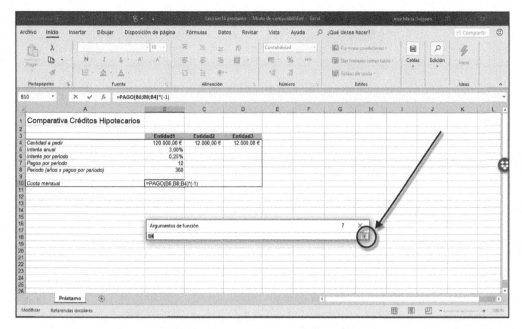

Figura 12.10. Botón para volver al asistente para funciones.

16. De nuevo, en el cuadro de diálogo Argumentos de función, haz clic sobre el botón asociado al parámetro Va (valor actual o cantidad a pedir), marca la celda B4 y vuelve al cuadro de diálogo Argumentos de función.

17. Finalmente, da Aceptar y emplea el botón Formato de moneda de la ficha Inicio para que la celda B10 muestre el aspecto correcto.

El resultado después de todas estas operaciones será el que se ilustra en la figura 12.11.

TRUCO:

Las funciones de tipo financiero en Excel obtienen un valor negativo siempre que se trate de un pago y valores positivos cuando la función devuelve dividendos obtenidos. Para arreglar esto, multiplica el resultado por –1, de manera que la expresión quede =PAGO(B6;B7;B4)*(-1).

ADVERTENCIA:

Los gastos de constitución, seguros y otras costas que conllevan en la mayoría de los casos la solicitud de un préstamo bancario, todos estos gastos (como es lógico) no los contempla la función PAGO.

En la categoría Financieras encontrarás otras funciones bastante interesantes, si haces uso frecuente de los productos que ofrecen las entidades bancarias.

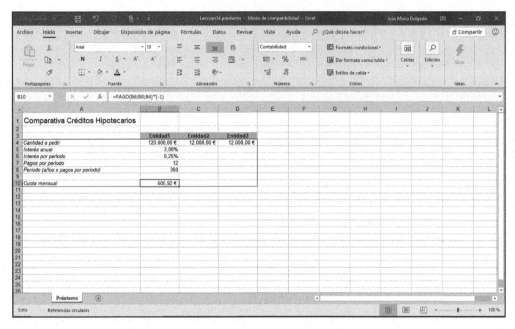

Figura 12.11. Aspecto final de la hoja de cálculo después de utilizar la función PAGO.

Cuadro de amortización

En el apartado anterior hemos comprobado cómo Excel permite conocer información importante para tomar decisiones. En el ejemplo, podíamos determinar con facilidad qué entidad ofrecía las mejores condiciones para nuestro préstamo.

Una vez tomada la decisión, vendría bien disponer de un listado detallado de todos los pagos a realizar. Este documento se denomina «Cuadro de amortización». y desde Excel es muy sencillo obtenerlo:

1. Abre el menú Archivo y busca Nuevo.
2. Haz clic en el cuadro de búsqueda de plantillas en línea y escribe Amortización del préstamo.
3. Entre los resultados de la búsqueda se encuentra una plantilla denominada Programación de la amortización de préstamo. Haz doble clic sobre ella para abrirla.
4. En la figura 12.12 mira el aspecto de la plantilla después de rellenar los datos necesarios.

Errores más comunes en las fórmulas

Si existe algún error en la definición de una fórmula o función, Excel muestra un mensaje indicando el posible problema. La tabla 12.3 incluye el significado de los más comunes.

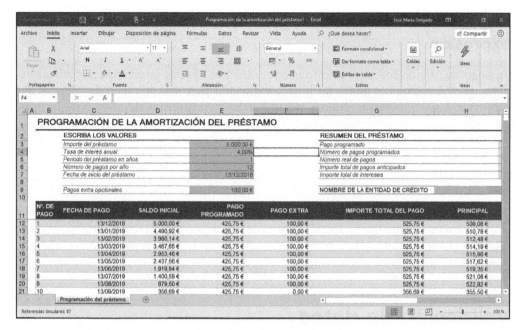

Figura 12.12. Cuadro de amortización.

Tabla 12.3. Errores más comunes en las fórmulas de Excel.

Error	Descripción
#¿NOMBRE?	Suele ocurrir cuando el nombre de la función está mal escrito o se emplean nombres que no existen. Por ejemplo, en referencias a rangos que no están definidos.
#¡DIV/0!	Evidentemente se está tratando de dividir por cero y, como ya se sabe, se trata de una operación no permitida.
#¡NULO!	La fórmula incluye una intersección de dos rangos que realmente no se intersecan.
#¡NUM!	Existe algún problema con un valor utilizado en la fórmula.
#¡REF!	Alguna de las referencias utilizadas en la fórmula no existe.
#¡VALOR!	Algunos de los argumentos introducidos como parámetros en la función no son válidos.

La localización de alguno de estos errores es evidente en muchos casos, pero en otros resultará más complicada. En la ficha Fórmulas, el comando Comprobación de errores del grupo Auditoría de fórmulas incluye varias opciones que pueden ayudarnos con esta tarea.

En muchas ocasiones, también sucede que Excel no muestra un mensaje de error tan evidente y solo aparece una etiqueta inteligente junto a la celda indicando alguna sugerencia.

Mostrar visualmente el origen de los cálculos de una expresión

En hojas de cálculo con poca información no tendrás ningún problema en localizar los datos que intervienen en una determinada expresión, pero si el volumen de información comienza a ser importante puedes recurrir a las herramientas de rastreo de la ficha Fórmulas. Concretamente, selecciona la celda que tiene la expresión que deseas rastrear y haz clic en los comandos Rastrear dependientes y Rastrear precedentes situados en el grupo Auditoría de fórmulas.

TRUCO:

En el menú Archivo, *selecciona* Opciones *para mostrar las opciones de configuración del programa. Dentro de la sección* Fórmulas *y, más concretamente en el apartado* Reglas de verificación de Excel, *activa o desactiva aquellas comprobaciones que el programa realiza automáticamente.*

Validación de datos

Normalmente introducimos la información en las celdas de nuestra hoja de cálculo sin ningún tipo de control, pero podría interesarnos limitar el tipo de dato. Para aplicar una regla de validación, sigue estos pasos:

1. Selecciona la celda o rango de celdas sobre las que aplicarás las restricciones de entrada de datos.

2. El comando Validación de datos situado en el grupo Herramientas de datos de la ficha Datos muestra en su extremo una lista desplegable. Haz clic en el icono y entre las opciones disponibles elige Validación de datos.

3. En la lista desplegable Permitir escoge el tipo de datos a los que desees limitar la entrada de la celda.

4. Después de seleccionar el modelo de datos, utiliza la lista Datos y las opciones situadas debajo para ajustar la entrada todo lo posible como en el ejemplo de la figura 12.13. Una gran ventaja es que Mínimo y Máximo pueden ser referencias a celdas. Por lo tanto, es posible incluir estos valores en dichas celdas y modificarlos cada vez que sea necesario sin tener que volver a definir la regla de validación.

5. A continuación, haz clic en la pestaña Mensaje de entrada para escribir la información que aparecerá en una viñeta de color amarillo al seleccionar las celdas con criterio de validación.

6. Con la última de las fichas personaliza un mensaje que aparecerá cada vez que introduzcas un dato que incumpla la regla de validación.

Para modificar la regla de validación, solo tienes que seleccionar las celdas afectadas y ejecutar de nuevo el comando Validación de datos.

Como habrás podido observar, el comando Validación de datos incluye otras dos opciones además de la descrita en los puntos anteriores:

- **Rodear con un círculo datos no válidos:** Destaca con un círculo las celdas cuya entrada no corresponde con las restricciones impuestas.

- **Borrar círculos de validación:** Elimina las marcas que aparecen en la hoja tras emplear la opción anterior.

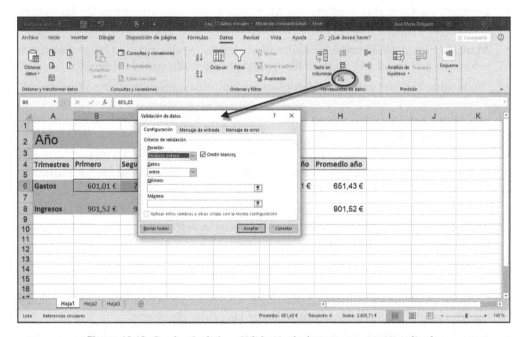

Figura 12.13. Cuadro de diálogo Validación de datos con un criterio aplicado.

Si decides compartir un libro de Excel no podrás establecer ninguna regla de validación. Por lo tanto, si tienes pensado usar esta propiedad, hazlo antes de compartirlo.

Opciones de pegado especial

En los capítulos anteriores hemos descrito algunas funcionalidades de las etiquetas inteligentes. Veamos ahora el significado de los diferentes comandos que aparecen después de utilizar Copiar y Pegar, ya que muchos de ellos se encuentran relacionados con expresiones y funciones. La figura 12.14 muestra el aspecto de la etiqueta inteligente. Recuerda que para conocer el nombre de cada icono basta con situar el cursor sobre él:

- **Pegar:** Equivale a usar el comando Pegar que todos conocemos e incluye tanto fórmulas como formato.

- **Fórmulas:** En este caso respetaría todo el texto, números y fórmulas, pero no aplicaría ningún atributo de formato.

- **Formato de fórmulas y números:** Mantiene el formato numérico de las celdas seleccionadas, junto con las fórmulas originales.

- **Mantener formato de origen:** El formato de las celdas de origen es empleado como referencia por Excel y lo pega en las celdas destino junto con el contenido.

- **Sin bordes:** Hablaremos de los bordes en los capítulos siguientes, ahora simplemente diremos que se trata de líneas que sirven para resaltar celdas o rangos. En este caso, el contenido de las celdas seleccionadas se copia en la ubicación de destino, obviando los bordes que tengan las celdas.

- **Mantener ancho de columnas de origen:** Si es necesario, el ancho de las columnas destino se modifica para mantener el mismo ancho disponible en las columnas origen.

- **Transponer:** Alterna la orientación de las celdas copiadas inicialmente. Si las celdas originales están en varias filas de una sola columna, al trasponerlas se pegarán como varias columnas de una sola fila.

- **Valores:** En caso de celdas con fórmulas, escoge esta opción para pegar únicamente el resultado.

- **Formato de valores y números:** Igual que el caso anterior, pero además de los valores respetaría también el formato numérico de las celdas de origen.

- **Formato de valores y origen:** Pega los datos calculados, pero también el formato completo de celda.

- **Formato:** Lo hemos utilizado en capítulos anteriores, si eliges esta opción Excel respeta únicamente el formato.

- **Pegar vínculo:** Crea un vínculo hacia las celdas de origen y, así, cualquier cambio quedará reflejado de inmediato.

- **Imagen:** Toma como referencia únicamente la imagen contenida en la celda de origen.

- **Imagen vinculada:** Actúa del mismo modo que el comando anterior, pero en este caso sirve para imágenes vinculadas y no incrustadas.

NOTA:

Todas las funciones asociadas a la etiqueta inteligente descritas en este apartado también se encuentran disponibles si haces clics sobre el icono Pegar de la ficha Inicio.

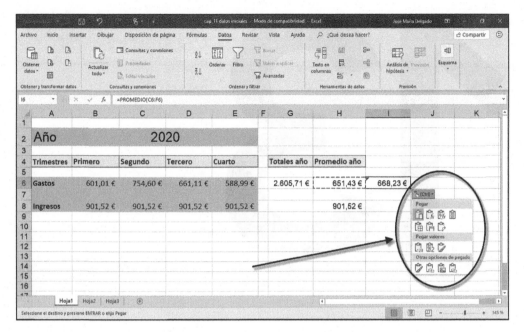

Figura 12.14. Opciones de pegado especial.

Resumen

Las fórmulas y funciones son la columna vertebral de Excel. Permiten tratar los datos contenidos en la hoja de cálculo y obtener resultados a partir de ellos. Siempre que incluyas una fórmula o función dentro de una celda de tu hoja de cálculo, debes escribir en primer lugar el signo =.

Las fórmulas sencillas se componen con los operadores aritméticos (+, -, *...) y de comparación (=, >). Si necesitas hacer cálculos más complejos, deberás recurrir a las funciones y, en este caso, utilizar la lista que aparece a la izquierda de la barra de fórmulas, después de escribir el símbolo = en una celda o también puedes recurrir a las opciones del grupo Biblioteca de funciones de la ficha Fórmulas.

Existen funciones de todo tipo: financieras, matemáticas, estadísticas y muchas más que seguro necesitaremos en nuestros proyectos habituales con Excel.

13

Gráficos de datos

- Crear gráficos.
- Conocer los elementos que componen un gráfico.
- Crear hojas de gráficos.
- Editar un gráfico.
- Añadir nuevos datos a un gráfico.
- Crear minigráficos.

Introducción a los gráficos en Excel

Los gráficos de representación de Excel ayudan a comprobar de manera rápida y visual las evoluciones de una serie de valores, desde intenciones de votos hasta datos de crecimiento, pasando por encuestas, comparativas, entre muchos otros.

En un programa como Excel, donde el carácter principal de la información son datos numéricos, resulta imprescindible una herramienta potente para la creación de gráficos. Buscando un sencillo ejemplo, cualquier informe sobre resultados económicos no estaría completo si no incluyera gráficos que mostraran las evoluciones de las ventas o de la facturación con respecto a los últimos meses, años o semanas.

En la figura 13.1 se aprecia el típico gráfico de barras que seguro has visto más de una vez. Como puedes comprobar, es suficiente con un simple vistazo para percibir la evolución de los valores mostrados.

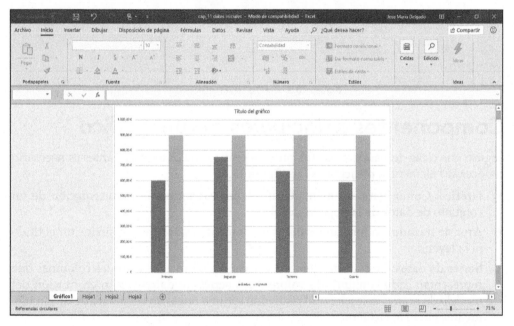

Figura 13.1. Típico ejemplo de un gráfico de barras.

Dado que las características de representación de los datos son muy diversas, Excel dispone de un extenso catálogo de modelos de gráficos diferentes y totalmente personalizables.

Los gráficos en Excel no se limitan a representar valores bilineales, sino que ofrecen la posibilidad de ampliar la representación al eje z, como en el ejemplo de la figura 13.2. En este caso, el modelo de gráfico elegido es tridimensional permitiendo comprobar la evolución de los datos basándose en tres parámetros de referencia.

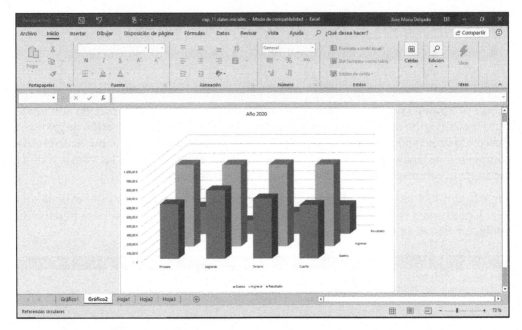

Figura 13.2. Gráfico tridimensional.

Componentes principales de un gráfico

Seguro que estás deseando crear tus propios gráficos de datos, pero antes es necesario conocer sus elementos principales (ver figura 13.3):

- **Gráfico:** Como hemos comentado antes, corresponde a la representación de un conjunto de datos de la hoja de cálculo.

- **Área de trazado:** La forman los datos fundamentales del gráfico, sin incluir el título ni la leyenda.

- **Series de datos:** En nuestro ejemplo, corresponderían a las distintas columnas que representan cada conjunto de valores. Las series de datos varían en función del modelo de gráfico seleccionado pudiendo ser una línea, un segmento de un círculo, un área circular, etcétera.

- **Título:** Es el nombre del gráfico. Normalmente se utiliza una etiqueta de texto situada en el encabezado del gráfico.

- **Ejes:** Son las líneas que marcan la escala de referencia en todos los modelos de gráficos salvo en los circulares o de tarta. En los gráficos de dos dimensiones tendremos un eje x o de abscisas y un eje y o de categorías. Además, en los gráficos tridimensionales existe un tercer eje, denominado z.

- **Marcas de graduación:** Están asociadas a cada uno de los ejes del gráfico y determinan la escala de valores usada. Son fundamentales para mostrar de forma clara las magnitudes de la representación.

- **Puntos de datos:** Valor que aparece asociado a las diferentes series de datos para tener constancia exacta de su alcance. Por ejemplo, si es un gráfico de facturación por meses, junto a la barra que representa cada mes se halla el total facturado.

- **Nombre de series:** La asignación de nombres a las series de datos es una tarea de la que se encarga habitualmente Excel, tomando como referencia la información de la hoja de cálculo. También es posible asignar y modificar el nombre de las series de forma manual.

- **Leyenda:** Este cuadro cumple una misión informativa ofreciéndonos mediante un código de colores el dato que representa cada serie.

- **Rótulos de los ejes:** Nombre que aparece junto a cada uno de los ejes como reseña de la información que representa. Por ejemplo, meses para el eje x y facturación para el eje y.

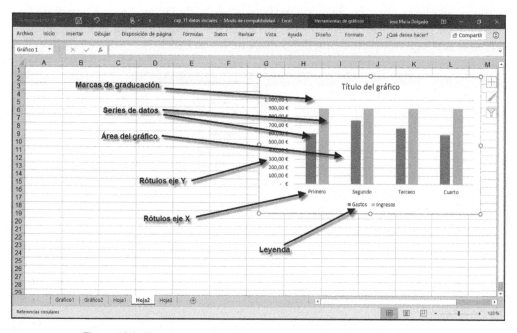

Figura 13.3. Componentes más relevantes de un gráfico de dos dimensiones.

Crear gráficos

Quizás puedas pensar que añadir un gráfico de datos a tu hoja de cálculos es un proceso complicado. Sin embargo, no es así. Excel dispone de herramientas que simplifican esta tarea. Veamos un ejemplo:

1. Tomaremos como referencia los datos que empleamos en capítulos anteriores y aparecen en la figura 13.4. El propósito es obtener un gráfico que permita comprobar de forma visual la evolución de los gastos e ingresos por trimestre de todo el año.

2. Selecciona todo el rango de celdas que contiene la información, en nuestro ejemplo desde la celda A:4 hasta la E:8.

3. En la cinta de opciones, busca la ficha Insertar y observa las opciones del grupo Gráficos.

4. Haz clic sobre el comando Gráficos recomendados para acceder al cuadro de diálogo de la figura 13.5.

5. Excel analiza los datos seleccionados y muestra una selección de los gráficos que considera mejor para representarlos. Propone varias opciones en el margen izquierdo que se amplían con un clic sobre cualquiera de ellas. Elige un modelo y da Aceptar para añadirlo a la hoja.

6. Después del último paso ya tendremos el gráfico en nuestra hoja, haz clic sobre él y arrastra para modificar su posición.

Si deseas explorar otros modelos de gráficos además de las opciones recomendadas, selecciona la pestaña Todos los gráficos del cuadro de diálogo Insertar gráfico y tendrás acceso al catálogo completo de modelos disponibles en Excel.

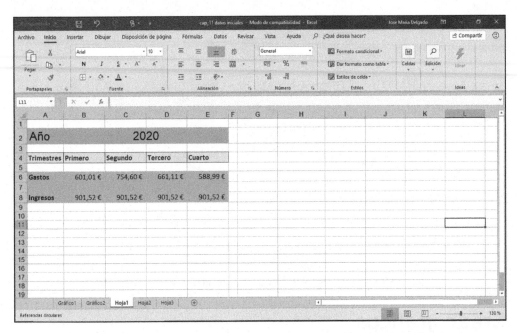

Figura 13.4. Datos de ejemplo utilizados para generar el gráfico de datos.

Cada vez que insertes un gráfico o selecciones alguno en la hoja de cálculo, Excel mostrará en la cinta de opciones una nueva categoría denominada Herramientas de gráficos. Asociada a esta nueva categoría dispones de dos fichas: Diseño y Formato. Entre ellas agrupan todas las funciones y herramientas disponibles para trabajar con gráficos de datos en Excel.

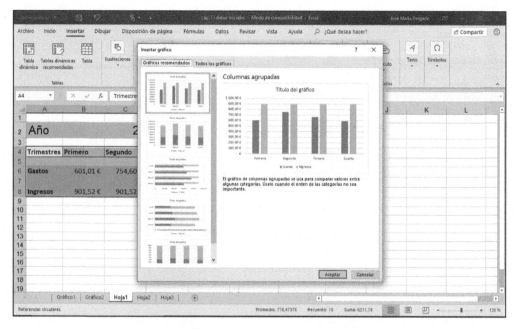

Figura 13.5. Cuadro de diálogo Insertar gráfico.

Etiquetas inteligentes para crear gráficos

Hemos hablado más de una vez de las numerosas posibilidades que ofrecen las etiquetas inteligentes. Otra forma sencilla de crear un gráfico es usar esta característica de Excel. El proceso es el siguiente:

1. Selecciona el rango de celdas que servirá como origen de datos. Debes elegir correctamente las celdas para que la información sea válida para crear un gráfico.

2. Una vez completado el paso anterior, observa en la figura 13.6 la ventana que muestra el programa después de hacer clic en la etiqueta inteligente.

3. Estudia las opciones disponibles en la parte superior y escoge Gráficos.

4. A continuación, coloca el cursor sobre los distintos modelos de gráficos y aparecerá una vista previa.

5. Para terminar, haz clic sobre el tipo de gráfico que desees utilizar.

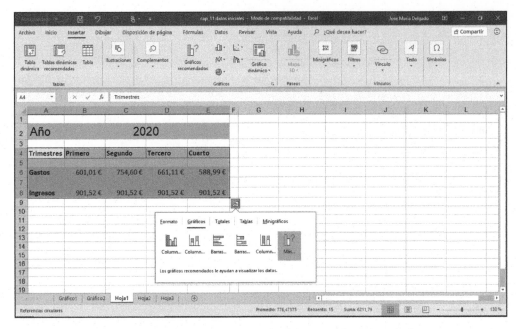

Figura 13.6. Etiqueta inteligente asociada a la creación de gráficos de datos.

NOTA:

Como habrás observado, Excel modifica el contenido de las opciones asociadas a las etiquetas inteligentes en función de los datos marcados. En capítulos anteriores describimos la forma de rellenar celdas automáticamente mediante esta característica; pero, en cambio, si seleccionamos un rango completo con encabezados, las posibilidades son completamente diferentes.

Añadir nuevos datos a un gráfico

Los datos seleccionados en el momento de crear un gráfico no tienen por qué ser definitivos. Ya hemos comentado anteriormente que las modificaciones hechas sobre la hoja de cálculo se reflejan de forma automática en el gráfico, pero ¿qué ocurre si necesitamos añadir nuevos datos? El proceso no es complicado, aunque existen dos posibilidades:

- **Incluir nuevos datos a las series ya existentes:** Tomando como referencia el ejemplo que estamos utilizando en este capítulo, equivaldría a añadir un nuevo trimestre a los ya representados.

- **Añadir una nueva serie de datos:** En nuestro caso sería, por ejemplo, añadir una nueva fila denominada Totales que complementaría a la de Ingresos y Gastos existentes.

En cualquiera de las situaciones, los pasos necesarios para ampliar la información representada en el gráfico son estos:

1. Añade la información necesaria al origen de los datos que sirve como referencia al gráfico. En nuestro caso, agregaremos una línea de totales que complemente las de gastos e ingresos existentes.

2. Haz clic en el gráfico y comprueba en la figura 13.7 cómo las series de datos junto con sus valores quedan rodeadas por rectángulos de distinto color.

3. Cada uno de los rectángulos tiene un controlador de relleno en la esquina inferior derecha. Haz clic sobre el que contiene los valores y, sin soltar, arrastra para incluir en la selección los nuevos datos. En nuestro ejemplo, tendremos que arrastrar el rectángulo azul hasta incluir la nueva fila de totales.

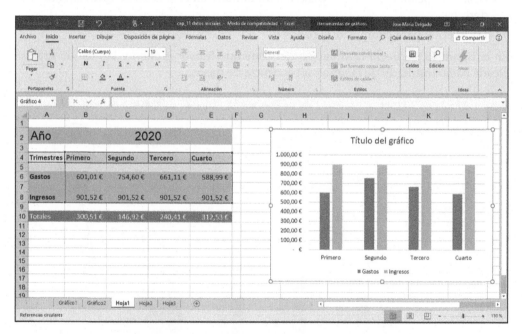

Figura 13.7. Series de datos y valores listos para modificarlos.

Hojas de gráficos

Existen dos modos de incluir un gráfico en un libro de Excel: incrustado dentro de alguna de las hojas del libro (como hemos visto hasta ahora) o de forma independiente en una hoja de gráficos.

Los gráficos incrustados tienen como principal ventaja la proximidad de los datos de origen a la hora de comprobar y modificar cualquier valor. En su contra tiene que ocupan espacio y esto puede ser un inconveniente si la hoja contiene mucha información.

Las hojas de gráficos independientes hacen que sea más fácil organizar la información del libro de trabajo. Además, mejoran la compresión de los datos en aquellos casos donde exista un gran volumen de información representada. Para convertir un gráfico incrustado en una hoja de gráfico sigue estos pasos:

1. Selecciona el gráfico que trasladarás a una hoja independiente. Es conveniente hacer clic sobre algún espacio vacío para no seleccionar ningún elemento concreto del gráfico.

2. Observa cómo Excel muestra en la cinta de opciones la categoría Herramientas de gráficos. Escoge la ficha Diseño asociada a esta nueva categoría.

3. En el extremo derecho de la ficha Diseño se halla el comando Mover gráfico, haz clic sobre él.

4. Busca la opción Hoja nueva y escribe un nombre en el cuadro de texto situado a la derecha.

5. Da Aceptar para completar el proceso.

En la figura 13.8 aprecia la situación del comando Mover gráfico y la hoja de gráfico creada como resultado de la anterior secuencia de pasos.

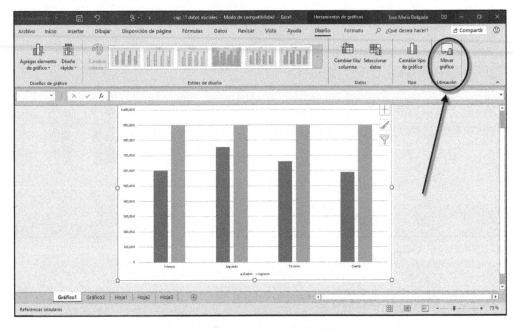

Figura 13.8. Comando Mover gráfico.

NOTA:

El comando Mover gráfico *traslada un gráfico a cualquiera de las hojas de libro de trabajo. Debes seleccionar la opción* Objeto en *y elegir la hoja de destino.*

Modificar datos de origen en hojas de gráficos

Cuando el gráfico se encuentra en una hoja de gráfico independiente, el procedimiento para modificar los datos de origen o añadir nuevos valores es algo diferente. En estos casos realiza los pasos siguientes:

1. Haz clic con el botón derecho sobre el gráfico y busca el comando Seleccionar datos. Este comando también se encuentra disponible en la cinta de opciones dentro del grupo Datos de la ficha Diseño.

2. Aparecerá el cuadro de diálogo como el de la figura 13.9 y, al mismo tiempo, se abre la hoja que contiene los datos de origen con el rango actual.

3. Usa el botón situado a la derecha del cuadro de texto Rango de datos del gráfico para elegir un nuevo grupo de celdas que sirva como origen de datos para el gráfico.

4. Si prefieres editar alguna de las series del gráfico de modo independiente, las opciones más convenientes son utlizar las pestañas Agregar, Modificar o Quitar (situadas justo a la izquierda si se trata de filas o el espacio disponible a la derecha para las columnas).

5. Para terminar, haz clic en el botón Aceptar.

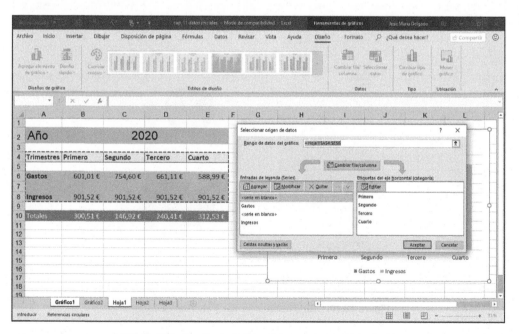

Figura 13.9. Cuadro de diálogo Seleccionar origen de datos.

Este mismo método puedes utilizarlo para los gráficos incrustados si necesitas modificar los datos de origen.

Editar el gráfico

Si necesitas cambiar alguna de las propiedades o características del gráfico, busca la categoría Herramientas de gráficos en la cinta de opciones. Como sabes, se activa de forma automática cada vez que seleccionas un gráfico o abres una hoja de gráfico.

La mayoría de las opciones disponibles en las fichas Diseño y Formato son muy evidentes de modo que no vamos a detenernos demasiado en ellas. Únicamente veremos el grupo Estilo de diseño como herramienta imprescindible para transformar el aspecto del gráfico y las opciones del grupo Insertar formas de la ficha Formato. Con esta última, es posible incluir todo tipo de flechas, líneas y llamadas como en la figura 13.10.

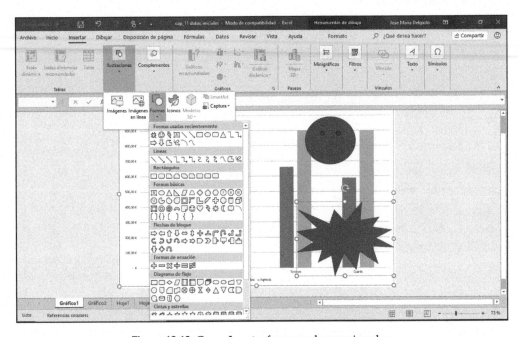

Figura 13.10. Grupo Insertar formas y algunos ejemplos.

Si bien es cierto que la mayoría de los comandos se hallan en las fichas Diseño y Formato, existe una manera rápida y sencilla de configurar tanto el tipo de gráfico como los elementos que lo componen. Después de seleccionar un gráfico comprueba cómo aparecen tres pequeños iconos en la esquina superior derecha:

- Con el primero de ellos, representado por un signo más (+), se eligen los elementos del gráfico que deseamos mostrar. Haz clic sobre la casilla de verificación situada a la derecha para ocultar o hacer visible cualquiera de ellos.

- El siguiente de los iconos representado por un pequeño pincel ofrece diferentes estilos y combinaciones de colores para personalizar el gráfico.

- Por último, el tercer icono tiene como propósito configurar tanto las series de datos como las categorías del gráfico. Puedes ocultar o mostrar cualquiera de ellas con tan solo un clic sobre la casilla de verificación situada a la izquierda (como se aprecia en la figura 13.11). Después de realizar cualquier cambio en este panel es necesario emplear el botón Aplicar.

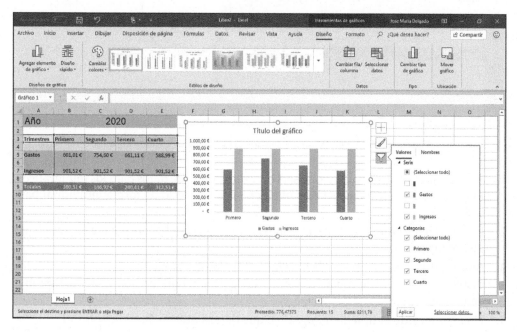

Figura 13.11. Ocultar o mostrar series y categorías.

Minigráficos

Los minigráficos son pequeños gráficos incrustados dentro de una celda y que representan el comportamiento o la tendencia de una serie de datos. En la figura 13.12 hemos utilizado estos gráficos en nuestra hoja de ejemplo para representar la evolución de los gastos e ingresos.

Veamos cómo añadir este nuevo elemento a la hoja de cálculo. Como suele ser habitual en Excel, existen varias formas de hacerlo. En este caso vamos a emplear las etiquetas inteligentes:

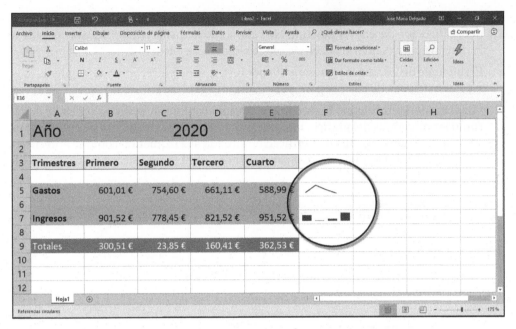

Figura 13.12. Minigráficos representado la evolución de gastos e ingresos.

1. Selecciona el rango de celdas que servirá como origen de datos para los minigráficos. Puedes seleccionar todas las filas que necesites o hacerlo de forma individual para cada serie.

2. En el siguiente paso, haz clic en el icono de la etiqueta inteligente para ver las opciones disponibles.

3. Busca en la parte superior Minigráficos y coloca el cursor sobre los modelos disponibles para comprobar su aspecto en la propia hoja, como puedes comprobar en la figura 13.13.

4. Una vez elegido el tipo de minigráfico que deseas utilizar, haz clic sobre él.

Debido al tamaño de los minigráficos el número de modelos disponibles no es muy amplio, concretamente tenemos tres posibilidades: Línea, Columna y Ganancia o pérdida. Los dos primeros ya los conocemos, y con respecto al tercero representa cambios negativos o positivos mediante diferentes colores, por defecto azul para ganancias y rojo para pérdidas.

NOTA:

Para eliminar un minigráfico haz clic con el botón derecho sobre él y selecciona el comando Minigráficos. *A continuación, elige* Borrar minigráficos seleccionados *o* Borrar grupo de minigráficos seleccionados. *También puedes utilizar el comando* Borrar *de la ficha* Diseño *de la categoría* Herramientas para minigráfico.

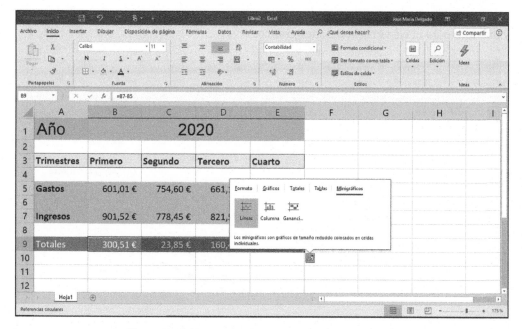

Figura 13.13. Etiqueta inteligente para añadir minigráficos.

La cinta de opciones, en la ficha Insertar, incluye en el grupo Minigráficos los tres modelos disponibles. Haz clic sobre cualquiera de ellos y en el cuadro de diálogo que aparece escoge tanto el rango de datos como la situación en la hoja de cálculo.

Si fuera necesario, es posible modificar el tamaño del minigráfico simplemente cambiando las proporciones de la celda que lo contiene. Incluso podríamos combinar varias celdas.

Selecciona alguna celda con un minigráfico y observa cómo la cinta de opciones muestra una nueva categoría denominada Herramientas para minigráfico con una sola ficha: Diseño. De todos los comandos disponibles destacamos las posibilidades del grupo Mostrar que describimos a continuación:

- **Punto alto:** Resalta con un color diferente el dato de mayor valor.

- **Punto bajo:** Destaca con un color diferente el dato de menor valor.

- **Puntos negativos:** Los valores negativos quedarán resaltados con un color distinto, por defecto rojo.

- **Primer punto:** Cambia el color del primer punto de la serie.

- **Último punto:** Modifica el color del último punto de la serie.

- **Marcadores**: Esta opción solo está disponible para los minigráficos de línea y añade puntos de referencia para cada una de las series.

Por último, también en la ficha Diseño de la categoría Herramientas para minigráfico, haz clic sobre el comando Eje situado en el extremo derecho. Entre sus opciones hay que destacar las dos resaltadas en la figura 13.14. Con ellas se configuran los valores mínimo y máximo para el eje vertical del minigráfico.

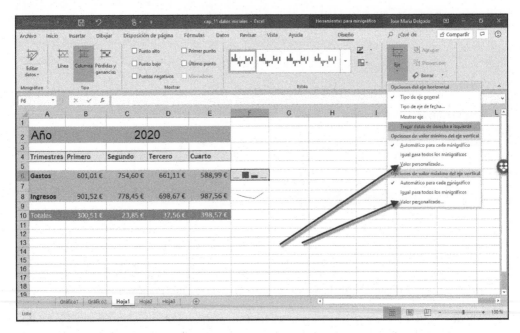

Figura 13.14. Configurar valores mínimo y máximo para el eje vertical de los minigráficos.

Resumen

Los gráficos representan visualmente la información contenida en la hoja de cálculo y, sin duda, son uno de los argumentos principales para usar una herramienta como Excel. La forma más rápida de crear un gráfico de datos es seleccionar la información que deseamos representar y hacer clic en la etiqueta inteligente. A partir de este momento, la creación del gráfico es cuestión de un par de clics de ratón.

La información representada por cualquier gráfico se amplía o se modifica, es decir, podemos añadir nuevas series de datos o cambiar cualquier valor de referencia.

Por último, los minigráficos son una versión reducida de los gráficos que ocupan una sola celda y sirven para mostrar la evolución de los datos de una serie.

14

Herramientas de análisis

- Utilizar las tablas de datos.
- Aprovechar las posibilidades del formato condicional.
- Usar la herramienta Buscar objetivo.
- Realizar análisis con múltiples escenarios.
- Crear hojas de resumen.
- Emplear la herramienta Solver.

Introducción

En mi pequeña economía doméstica, Excel me sirve como herramienta para tener perfectamente controlados todos mis gastos e ingresos. Mediante funciones sencillas puedo resolver ciertas dudas del tipo: ¿me puedo comprar un coche nuevo?, ¿Cuánto podría pagar todos los meses? Para hacerlo bastaría con incluir la cantidad en el apartado de gastos y comprobar si llego o no a fin de mes.

Es evidente que dentro de un ámbito como este puede ser suficiente con cambiar algunas cantidades para conocer el alcance de ciertas modificaciones. Pero si es necesario realizar análisis más serios y eficaces, será esencial recurrir a herramientas específicas. En este capítulo hablaremos de Buscar objetivo, el Administrador de escenarios y Solver. Con ellas, podrás desde averiguar los valores necesarios para llegar a un cierto resultado hasta resolver complicados problemas con múltiples variables y parámetros.

También trataremos dos herramientas útiles a la hora de realizar observaciones sobre la información contenida en la hoja de cálculo: las tablas de datos y el formato condicional.

Tablas de datos

Las tablas de datos en Excel son una poderosa herramienta para el tratamiento y análisis de grandes volúmenes de información en hojas de cálculo. Entre sus muchas ventajas destaca la capacidad de automatizar diferentes tareas y aplicar formatos específicos destinados a mejorar la comprensión.

Desde un punto de vista práctico, las tablas de datos son rangos de celdas que tienen información relacionada y que Excel permite manejar de modo independiente. Para crear una tabla de datos:

1. Selecciona el rango que contiene la información, es importante incluir los encabezados para que Excel trate de manera adecuada los datos.
2. En la cinta de opciones, busca la ficha Inicio.
3. En el grupo Estilos, haz clic sobre el icono Dar formato como tabla para ver las diferentes posibilidades de formato disponibles.
4. Elige uno de ellos y al instante aparecerá un cuadro de diálogo donde será necesario confirmar el rango e indicar si están definidos o no los encabezados. Como ya seleccionamos las celdas en el primer paso, aquí no será necesario hacer nada.
5. Da Aceptar para terminar.

Como se aprecia en la figura 14.1, Excel añade un pequeño botón de filtro a cada uno de los encabezados. Haz clic sobre él y tendrás acceso a una ventana donde es posible:

- Ordenar la tabla por el campo seleccionado según diferentes criterios.
- Mostrar únicamente las filas que cumplan una determinada condición mediante los comandos de filtrado.

- Utilizar el cuadro de búsqueda para localizar información.
- Ver, en la parte final todos los valores distintos junto a una casilla de verificación que muestra solo aquellos que seleccionemos.

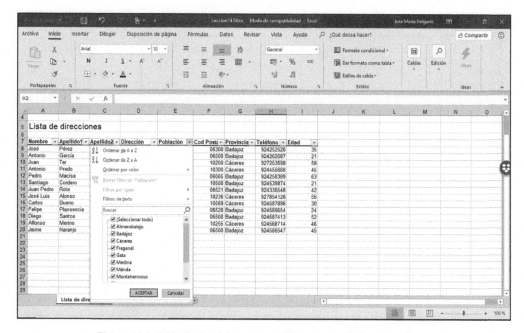

Figura 14.1. Tabla de datos y menú asociado a cada una de las columnas.

Puedes cambiar en cualquier momento el estilo de la tabla de datos con tan solo seleccionar alguna de las celdas y hacer clic sobre el icono Dar formato como tabla.

Después de hacer clic sobre algunas de las celdas que componen la tabla de datos, Excel muestra en la cinta de opciones la categoría específica Herramientas de tabla con una única ficha denominada Diseño (como en la figura 14.2). Entre todas las posibilidades que ofrece queremos destacar estas:

- **Nombre de la tabla:** Situado en el grupo Propiedades cambia la denominación predeterminada que utiliza Excel para la tabla de datos.

- **Cambiar tamaño de la tabla:** Amplía o modifica el rango de las celdas que forman la tabla de datos, añadiendo nuevas filas o eliminando las que no necesite. En el cuadro de diálogo que aparece debes seleccionar el nuevo rango, pero siempre manteniendo los encabezados y la posición del rango original.

- **Convertir en rango:** Elimina la tabla de datos, pero conserva toda la información. Simplemente la convierte en un rango de datos más de la hoja de cálculo.

- **Opciones de estilo de tabla:** Las diferentes casillas de verificación que muestra este grupo permiten ocultar, mostrar o destacar diferentes elementos de la tabla.
- **Estilos de tabla:** Cambia el aspecto de la tabla de datos.

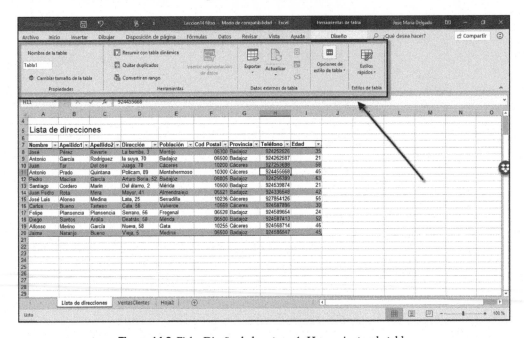

Figura 14.2. Ficha Diseño de la categoría Herramientas de tabla.

NOTA:

Las tablas de Excel también aparecen tanto en la lista de nombres de la barra de fórmulas como en el Administrador de nombres *que tratamos en el capítulo anterior.*

Añadir una fila de totales a una tabla de datos sería tan sencillo como marcar la casilla de verificación Fila de totales en el grupo Opciones de estilo de tabla de la ficha Diseño. Del mismo modo, si necesitas añadir una nueva columna haz lo siguiente:

1. Selecciona la celda de la tabla que contiene el último encabezado de la derecha.
2. Haz clic sobre el controlador de relleno y, sin soltar, arrastra hacia la derecha tantas columnas como desees añadir a la tabla.

NOTA:

Excel posibilita aislar la tabla de datos del resto de información de la hoja de cálculo a la hora de imprimir. Haz clic en la primera lista desplegable de la sección Configuración *y escoge la opción* Imprimir la tabla seleccionada *(como muestra la figura 14.3) para obtener una copia únicamente de los datos de la tabla.*

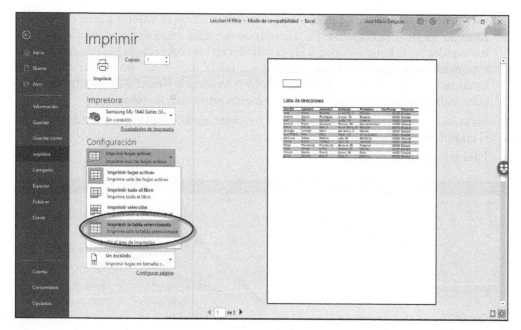

Figura 14.3. Imprimir tabla de datos.

Formato condicional

El Formato condicional es un método visual de análisis que resulta realmente efectivo. Mediante símbolos y diferentes recursos gráficos como color de la celda o iconos, es posible conocer la evolución de una serie de datos. Un ejemplo, podríamos cambiar de forma automática el color de todas aquellas celdas que contengan un valor negativo en un balance de pérdidas y ganancias. Esta información en informes sobre ventas o datos contables es de gran utilidad.

Para entender mejor las posibilidades del formato condicional utilizaremos como ejemplo un informe de ventas en el que junto al nombre de cada cliente aparece el total facturado durante el año. Llegado el período navideño, hemos pensado en tener un detalle con aquellos clientes que hayan superado los 2000 € de volumen de compras. La siguiente secuencia de pasos describe cómo resaltar en la hoja de cálculo automáticamente los clientes que cumplan esta condición:

1. Selecciona el rango que contiene los importes de facturación de cada cliente.

2. En la cinta de opciones, busca la ficha Inicio y dentro del grupo Estilos haz clic en el comando Formato condicional.

3. Elige la primera de las opciones denominada Reglas para resaltar celdas y a continuación marca Es mayor que. La figura 14.4 muestra la situación de estos elementos y el informe de ejemplo.

4. En el cuadro de diálogo que aparece, debes introducir el valor a partir del cual el formato condicional cambiará el aspecto de la celda, en nuestro caso es 2000. Una buena idea sería tener el valor de la condición en una celda de la hoja de cálculo, de este modo solo necesitaríamos cambiar esa celda para modificar la condición. En estos casos, debes emplear el pequeño botón situado a la derecha del cuadro de texto para indicar la celda de origen o directamente introducir su referencia.

5. En la lista desplegable situada a la derecha, determina el aspecto que tendrá la celda si cumple la condición indicada.

6. Para terminar, da Aceptar.

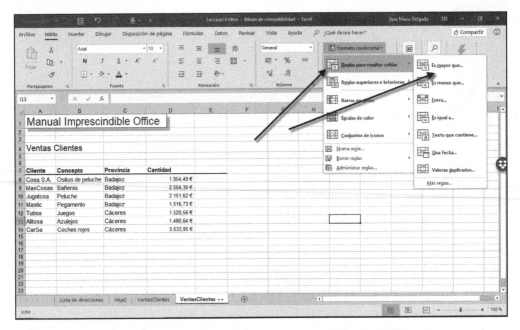

Figura 14.4. Elegir formato condicional junto al informe de ejemplo.

Hemos elegido la primera de las condiciones, pero existen otras posibilidades como comprobar si el dato se encuentra entre dos valores determinados, si contiene un texto concreto o si coincide con alguna fecha que indiquemos.

TRUCO:

Si con las opciones por defecto no fuera suficiente, emplea el comando Más reglas *situado al final la lista de condiciones. Tendrás acceso al cuadro de diálogo* Nueva regla de formato, *donde es posible personalizar el formato de las diferentes reglas disponibles.*

El formato condicional se basa en reglas que podemos configurar en función de datos fijos, referencias a celdas o fórmulas.

Otra aplicación podría ser destacar aquellas celdas que se encuentren por encima de la media del rango seleccionado. En este caso, no es necesario realizar ningún tipo de cálculo previo ya que sería el propio Excel el que determinaría el valor medio:

1. Selecciona el rango de celdas sobre el que aplicarás el formato condicional.
2. En la cinta de opciones, comprueba que se encuentra visible la ficha Inicio.
3. Haz clic sobre el icono Formato condicional.
4. A continuación, elije Reglas superiores e inferiores y seguidamente haz clic sobre la opción Por encima del promedio.
5. Para terminar, elije el aspecto de las celdas resaltadas y haz clic en el botón Aceptar.

NOTA:

Para eliminar el formato condicional de un rango de celdas, haz clic sobre el icono Formato condicional *y selecciona el comando* Borrar reglas. *A partir de aquí, determina si quieres hacerlo en toda la hoja o solo en las celdas seleccionadas.*

Las opciones Barras de datos, Escalas de color y Conjuntos de iconos ofrecen una manera mucho más vistosa de aplicar el formato condicional. Para entender mejor estas opciones veamos cómo configurar una regla utilizando los conjuntos de iconos para representar las variaciones de datos. El objetivo es conocer si nuestros clientes han comprado más o menos con respecto al año anterior y para ello hemos añadido a la hoja de ejemplo los datos de facturación del año anterior(ver figura 14.5).

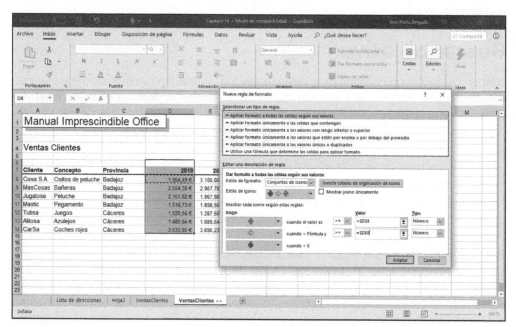

Figura 14.5. Datos de ejemplo a los que hemos añadido los datos de facturación del año anterior.

1. Selecciona en primer lugar el rango correspondiente a los datos de facturación del año 2020.

2. En la ficha Inicio, haz clic sobre el icono Formato condicional.

3. Entre las opciones disponibles escoge Conjuntos de iconos y en la ventana asociada, el comando situado al final denominado Más reglas. Excel mostrará el cuadro diálogo Nueva regla de formato.

4. Deja las primeras opciones por defecto y ve hasta la lista Estilo del icono. Aquí puedes elegir el que quieras. Para este ejemplo, escoge las tres flechas de color rojo, amarillo y verde.

5. En el primer cuadro de texto denominado Valor selecciona el icono situado a la derecha para añadir una referencia a la celda D8. Pulsa Intro para volver al cuadro de diálogo.

6. En la lista desplegable Tipo, marca Número.

7. En el segundo cuadro de texto, repite el paso anterior y vuelve a seleccionar la celda D8. También debes elegir Número en la lista desplegable Tipo. Una vez completados estos pasos, el aspecto del cuadro de diálogo Nueva regla de formato debe ser el mismo que el de la figura 14.6.

8. Da Aceptar para terminar la configuración de la regla.

Como se ilustra en la figura 14.7, el resultado de aplicar las reglas de formato condicional utilizando iconos es realmente atractivo. En este caso el ejemplo era muy simple y con pocos datos, pero en hojas con gran alto volumen de información este tipo de características son de gran ayuda.

Buscar objetivo

Buscar objetivo es una herramienta de análisis «Y si…» que evalúa situaciones en las que solo interviene un parámetro como variable. Es decir, conocemos el valor final del resultado y necesitamos averiguar las cantidades intermedias para llegar a este valor.

> **NOTA:**
>
> *Todos los sistemas de análisis usados en Excel se basan en modelos matemáticos más o menos complejos y en ellos fundamentan la fiabilidad de sus cálculos y previsiones. Más concretamente,* Buscar objetivo *es la representación gráfica de la función* nx = y, *donde* n *es un valor constante,* x *es la variable independiente e* y *es la variable dependiente.*

Para ilustrar el funcionamiento de Buscar objetivo utilizaremos una situación típica que se ajusta perfectamente al ámbito de acción de la herramienta. El enunciado sería el siguiente: Una joven pareja pretende comprarse un piso, pero como la mayoría de los jóvenes de hoy se encuentran con serias limitaciones económicas. En cualquier caso, han sido lo suficientemente tenaces como para ahorrar 12 000 €, aunque tienen claro que no pueden pagar más de 360 € al mes de hipoteca. El banco les concede un préstamo hipotecario al 4 % anual, durante 15 años, pagadero mensualmente. Con toda esta información, a ellos les gustaría conocer cuál es el mejor piso que se pueden comprar.

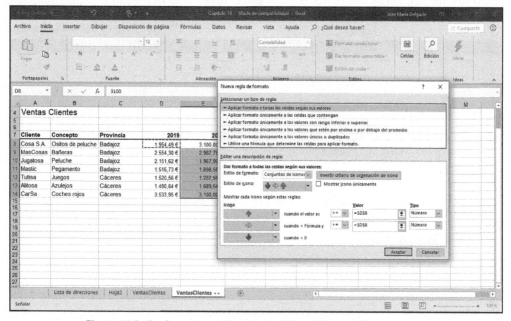

Figura 14.6. Configuración del cuadro de diálogo Nueva regla de formato.

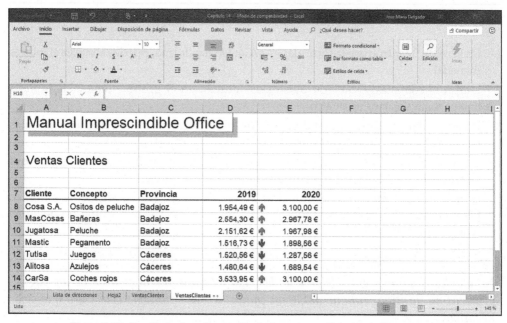

Figura 14.7. Resultado de aplicar reglas de formato condicional mediante iconos.

Pues bien, esta sería la situación de nuestra pareja. En primer lugar, debemos componer la situación con la función Pago según los datos disponibles y desarrollar la información como se aprecia en la figura 14.8. Crea esta estructura y realiza los pasos siguientes para definir los cálculos:

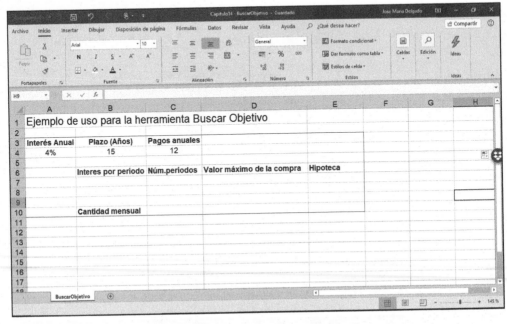

Figura 14.8. Datos iniciales de nuestro ejemplo.

1. En la celda B7 introduce la fórmula: =A4/C4. De esta forma, puedes conocer el interés mensual.

2. Utiliza el comando Disminuir decimales, situado en el grupo Número de la ficha Inicio, hasta dejarlos en cuatro.

3. Para calcular el número total de períodos, multiplica el número de pagos anuales por el número de años, en resumen: =B4*C4.

4. En la celda E7, la fórmula: =D7-12000 corresponde al montante de la hipoteca. Aquí ya restamos los 12 000 € que tiene ahorrados nuestra pareja.

5. En la cantidad mensual se utilizará la función Pago con la siguiente sintaxis: PAGO(B7;C7;-E7). Si has seguido el asistente para crear esta fórmula no deberías tener ningún problema.

ADVERTENCIA:

No olvides el signo menos delante de la celda E7 para que la cuantía de los pagos aparezca en positivo, aunque desde un punto de vista contable está claro que son negativos.

De esta manera, quedaría resuelta la parte de estructuración de la información disponible; ahora llega el momento de recurrir a la herramienta Buscar objetivo para conocer el valor máximo de la celda D7.

1. Haz clic en la celda C10 y, a continuación, busca el comando Análisis de hipótesis, que encontrarás en el grupo Previsión de la ficha Datos.

2. Elige el comando Buscar objetivo para mostrar el cuadro de diálogo del mismo nombre.

3. Completa el cuadro de diálogo Buscar objetivo con los datos de la figura 14.9. En cualquier caso, el significado de cada uno de sus campos es el siguiente. Definir la celda debe ser una referencia a la celda que contiene la fórmula que genera el dato que estamos buscando. En nuestro caso, se trata de la operación Pago. En Con el valor introduce el valor objetivo, es decir, la cantidad que planteamos como límite. Finalmente, Cambiando la celda hace referencia a la celda que refleja los cambios que generará la herramienta.

4. Nosotros pretendemos conocer cuánto se puede gastar en el piso nuestra pareja, por lo tanto, la celda es la D7.

5. Una vez introducidos los cambios, da Aceptar y, tras unos segundos, Excel mostrará un cuadro de diálogo donde informa del valor que estamos buscando y de la cantidad a la que ha conseguido llegar. Si todo es correcto, haz clic en Aceptar, pero, si no estás del todo conforme, cambia los datos necesarios y ejecuta de nuevo el comando Buscar objetivo.

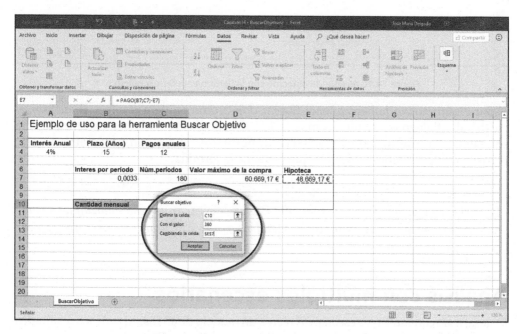

Figura 14.9. Cuadro de diálogo Buscar objetivo.

Después de todo, el resultado de nuestros cálculos ha sido poco alentador para nuestra pareja como se observa en la figura 14.10.

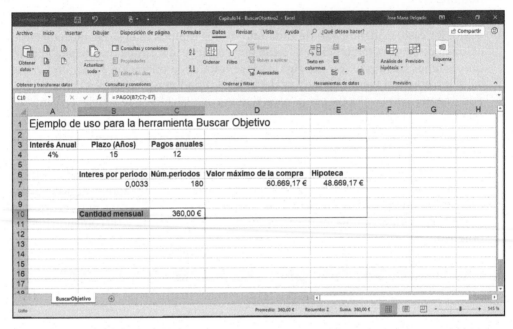

Figura 14.10. Resultado obtenido con la herramienta Buscar objetivo.

Si por algún motivo la herramienta Buscar objetivo no pudiera resolver el análisis, el cuadro de diálogo de resultado mostraría la frase «puede no haber encontrado una solución». En este tipo de situaciones, lo normal es que algún parámetro no esté correctamente definido en la celda que contiene la fórmula.

Análisis con múltiples escenarios

El desarrollo con múltiples escenarios recrea un modelo de análisis donde los resultados se proporcionan a partir de distintos valores de entrada. De esta forma, se crea un escenario para cada una de las situaciones, a partir de las cuales se dispondría de la información necesaria para elegir y tomar una decisión en función del análisis resultante.

Para ver cómo funciona esta herramienta, retomamos el ejemplo anterior, pero con algunos meses de antelación. Nuestra pareja todavía se encontraba en un mar de dudas y pensaron que lo primero que debían hacer era peregrinar por varias entidades bancarias para informarse de las distintas ofertas hipotecarias que ofrecían. Después de muchos dolores de cabeza tenían frente a ellos cuatro posibles propuestas: 45 000 € o 60 000 € a 15 o 20 años. En ambos casos, se aplica un interés del 5 % y los pagos serían mensuales, además se deben incluir 1800 € de gastos de apertura y gestión.

Una vez planteado el problema podríamos distribuir la información disponible como en la figura 14.11.

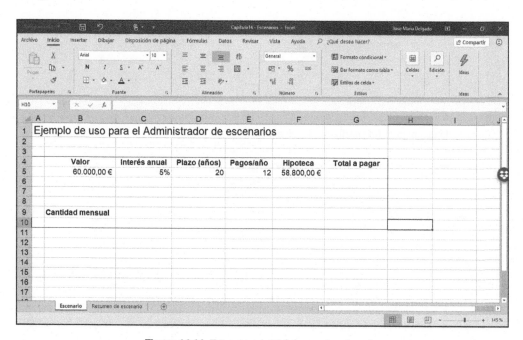

Figura 14.11. Estructura inicial de nuestro ejemplo.

Para completar los campos calculados sigue estos pasos:

1. La celda F5 deberá contener: =B5-1800. Es decir, el valor real menos los gastos y por lo tanto la cantidad final a hipotecar.

2. En la celda G5 introduce la fórmula =C9*D5*E5, correspondiente al montante de las cuotas por el número de años y por el número de pagos anuales.

3. Para el cálculo de la cuota mensual, se utilizará de nuevo la función Pago del siguiente modo =PAGO(C5/12;D5*12;-F5). Ya sabes que se multiplica por doce el número de años para conocer el número total de períodos necesarios para completar la fórmula.

Después de introducir el primer supuesto de nuestro ejemplo, estamos preparados para utilizar el Administrador de escenarios:

1. Busca el comando Administrador de escenarios situado entre las posibilidades del comando Análisis de hipótesis del grupo Previsión de la ficha Datos.

2. En el cuadro de diálogo Administrador de escenarios, haz clic en Agregar para introducir los datos del primero de los escenarios.

3. En primer lugar, escribe el nombre del escenario, por ejemplo: *Caso1 (45 000€, 15 años)*. A continuación, en el cuadro Celdas cambiantes debes seleccionar el rango B5:D5, ya que estos serán los valores variables en cada escenario.

4. Da Aceptar y aparecerá un nuevo cuadro de diálogo, donde introducirás los valores para cada uno de los escenarios que vayamos a crear. En nuestro ejemplo y para este primer caso, los valores están en la figura 14.12.

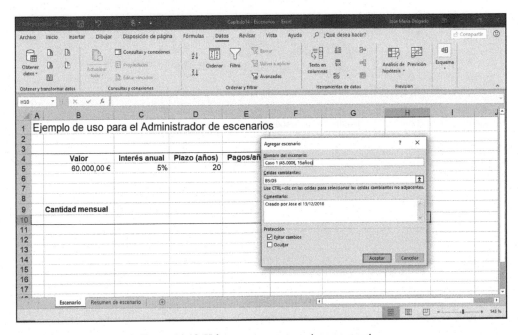

Figura 14.12. Valores para nuestro primer escenario.

5. Seguidamente, debes hacer clic en Aceptar para incluir el escenario creado en el administrador.

6. A partir de aquí, utiliza el botón Agregar para añadir los datos de los tres escenarios restantes.

Recuerda, los datos del ejemplo son 45 000 € a 20 años, 60 000 € a 15 y 60 000 € a 20. El aspecto final del administrador debería ser similar al que mostramos en la figura 14.13.

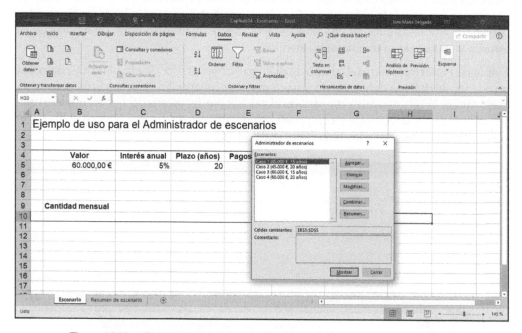

Figura 14.13. Administrador de escenarios, una vez agregados los cuatro supuestos.

Finalmente, para comprobar el resultado de cualquiera de los escenarios, solo tienes que seleccionarlo y hacer clic en el botón Mostrar, o hacer doble clic sobre él. En ese instante, las celdas definidas como cambiantes tomarán los valores asignados y podrás ver el resultado del supuesto en la hoja de cálculo. Sin duda, esta es una forma fácil de calcular cada variación y una buena ayuda para tomar decisiones.

Los escenarios creados quedan guardados junto con la hoja de cálculo, por lo tanto, si lo deseas es posible cerrar el cuadro de diálogo Administrador de escenarios *y volverlo a usar cuando sea necesario.*

Modificar los escenarios

Para modificar cualquiera de los escenarios creados, selecciónalo en la lista de escenarios y haz clic en el botón Modificar. A partir de ese momento, Excel muestra el cuadro de diálogo Modificar escenario, donde puedes cambiar el nombre y las celdas cambiantes en un primer término y el resto de los datos una vez des Aceptar.

Hojas de resumen

Hacer doble clic en cada uno de los escenarios para conocer el resultado de cada supuesto está bien si no tenemos demasiada información. En cualquier caso, el Administrador de escenarios dispone de la herramienta Resumen, que distribuye todos los casos planteados dentro del Administrador en una hoja independiente de nuestro libro, de modo que su estudio y análisis sean mucho más sencillos.

Emplea el botón Resumen del cuadro de diálogo Administrador de escenarios y aparecerá un cuadro de diálogo denominado Resumen del escenario. En él, debes indicar la celda que contiene la fórmula que proporciona el valor clave del escenario, que en nuestro caso sería C9. Haz clic en Aceptar y comprueba cómo aparece una nueva hoja en el libro con el nombre Resumen del escenario (ver figura 14.14).

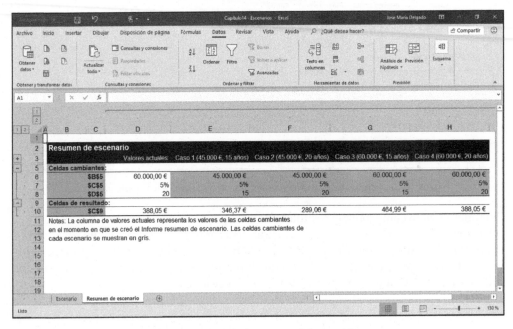

Figura 14.14. Hoja de resumen del escenario.

Excel crea más de un resumen de escenarios. En nuestro caso, podríamos tener otro donde el dato clave sea la celda G5, es decir, el total a pagar.

Herramienta Solver

La herramienta Solver sirve principalmente para dar solución a problemas en los que intervienen más de un parámetro y existen múltiples condiciones. Dadas las circunstancias restrictivas de esta herramienta, los problemas a resolver deben cumplir ciertas condiciones:

- El objetivo del problema debe ser único como llegar hasta un valor concreto y determinar máximos o mínimos.

- Los parámetros cambiantes deben afectar directamente a la celda que contiene el objetivo. Lógicamente, esta debe ser una fórmula o función.

- Los valores constantes también deben estar presentes para determinar los márgenes de la solución.

Modelos de problemas

Los problemas que Solver soluciona están englobados en tres categorías:

- **Lineales:** Son aquellos en los que los datos del problema se encuentran relacionados mediante fórmulas lineales del tipo: $y = ax + b$, típica ecuación básica donde a y b son valores fijos, mientras que tanto x como y son las variables de la ecuación.

- **No lineales:** Las funciones que determinan la relación entre variables no son todas lineales, interviniendo polinomios, exponenciales, etc.

- **Con enteros:** Las variables están limitadas a valores enteros.

Instalar Solver

Es posible que durante la instalación del programa no hayas seleccionado el complemento Solver. Si es así, antes de continuar, es necesario instalar esta herramienta:

1. Haz clic en el menú Archivo y busca Opciones. Escoge el apartado denominado Complementos.

2. A continuación, en la parte inferior haz clic sobre el botón Ir. Antes comprueba que en la lista desplegable situada a la derecha se encuentra seleccionada la opción Complementos de Excel.

3. Marca la casilla de verificación situada junto al complemento Solver y acepta los cambios.

4. Después de seguir estos pasos comprueba cómo Microsoft Excel muestra un nuevo grupo en la ficha Datos, denominado Análisis.

Ejemplo práctico

Del mismo modo que hemos hecho con las anteriores herramientas de análisis, vamos a emplear un ejemplo para comprender mejor el funcionamiento de Solver. El problema planteado entraría dentro de la categoría de lineales, ya que son los más comunes y para los que utilizarás esta herramienta con más frecuencia.

> **NOTA:**
>
> *Tanto si usas* Solver *como cualquier herramienta de análisis descrita en este capítulo, recomendamos que asignes nombres a las celdas para comprender mejor los cálculos.*

Imagina que tienes una tienda de deportes y decides abrir una sucursal en el otro extremo de la ciudad. Para dar a conocer la nueva tienda quieres hacer un mailing incluyendo bonos de regalo; los regalos son de diferentes categorías que permitirían estudiar mejor la respuesta de la promoción. En un principio, los datos iniciales del problema los tienes en la figura 14.15. Por el conocimiento del mercado que nos proporciona el tener ya una tienda de deportes, sabemos que la cantidad media que una persona se gasta en la tienda es de 20 €.

Para calcular las previsiones de ventas se recomienda la siguiente fórmula:

```
=(cantidad*respuesta*PromVentas)-(valor*cantidad*respuesta)
```

…donde el primer paréntesis calcula las ventas previstas, valor al que se le restan los costes de la promoción para esa venta. Como es lógico, para los mejores regalos las previsiones de ventas son mucho más optimistas, pero al mismo tiempo ganamos menos al ser más alto el valor del regalo.

La celda D12 contiene el total de cartas enviadas: Solver utilizará este valor como referencia para modificar los datos de las celdas cambiantes (D6:D10), de modo que puedes optimizar al máximo el montante total de las previsiones de venta (celda F12).

Por último, en la celda C15 se encuentra reflejado el coste total de la promoción. El resultado se obtiene de multiplicar el valor del regalo por la cantidad y por la respuesta, y la suma de este cálculo para cada uno de los regalos revela el coste total de la promoción.

Quizás en un principio pueda parecer poco importante esta celda, pero va a permitir decirle a Solver cuál es la cantidad máxima a gastar en la promoción.

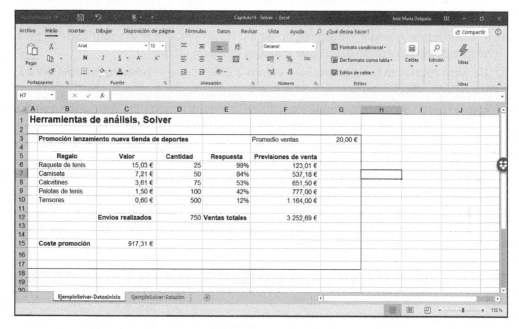

Figura 14.15. Distribución de los datos del problema en la hoja de cálculo.

Ya tenemos todos los datos y cálculos necesarios para comenzar el análisis con Solver. Recuerda que el objetivo es maximizar el valor de las ventas contenido en la celda F12:

1. Haz clic en la celda F12 para seleccionarla y, después, busca el comando Solver en el grupo Análisis de la ficha Datos. Aparecerá el cuadro de diálogo Parámetros de Solver con la referencia F12 en el cuadro Establecer objetivo.

2. En la opción Para deja activado el botón Máximo.

3. En el cuadro Cambiando las celdas de variables, introduce el rango de celdas cambiantes que utilizará Solver para conseguir el objetivo propuesto. En nuestro caso, será D6:D10.

4. A continuación, indicaremos a la herramienta Solver las restricciones que debe cumplir para calcular el objetivo. Haz clic en Agregar y aparecerá un nuevo cuadro de diálogo en el que debes indicar la celda, el operador y el valor de la restricción.

5. Selecciona la celda C15, el operador <= e introduce 1200 para limitar el coste de la promoción a esta cantidad. Después, da en Aceptar. Si lo deseas, emplea el botón Agregar para mantener abierto el cuadro de diálogo y continuar incluyendo las restricciones.

6. Pulsa el botón Agregar y, después, la celda D12, el operador = y la cantidad 750 para restringir el número de cartas que tenemos pensado enviar.

7. Para los regalos más caros también vamos a indicar que el número mínimo sea 25, 75 y 100, respectivamente.

8. Para el rango de valores cambiantes D6:D10 impondremos como restricción que sea mayor o igual a cero, evitando que aparezcan valores negativos.

9. Como última restricción, le diremos que utilice valores enteros de modo que no aparezca media raqueta o media camiseta. En la referencia de la celda, introduce el rango D6:D10; en la lista desplegable central selecciona int, y aparecerá automáticamente Integer en el cuadro de la derecha.

10. Una vez completada la tabla de parámetros y restricciones, debería tener el aspecto que muestra la figura 14.16. Haz clic en el botón Resolver para comprobar el resultado del análisis.

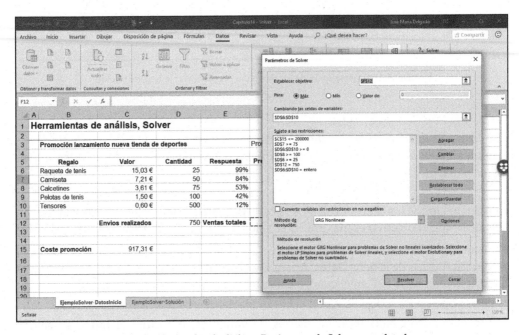

Figura 14.16. Cuadro de diálogo Parámetros de Solver completado.

Transcurridos unos segundos, pueden ocurrir tres posibles situaciones:

- **Se ha hallado una solución.** Este mensaje indica que los valores y restricciones han sido tomados en cuenta y que basado en ellos, Solver ha podido encontrar una solución favorable. En la hoja de cálculo aparecen los nuevos datos, modificados según el estudio realizado por la herramienta de análisis. Si el resultado no es el esperado, haz clic en Cancelar y modifica los parámetros del análisis.

- **Se ha cumplido el límite máximo de tiempo.** Por defecto, Solver dispone de cien intentos y el mismo número de segundos para encontrar una solución. Si el problema es demasiado complejo, puede ocurrir que no sea suficiente con estos valores; en tal caso debes hacer clic en el botón Continuar. También es posible detener el proceso y modificar algunos parámetros para disminuir la complejidad.

- **Solver no ha podido encontrar una solución válida.** Normalmente este error se debe a una mala definición de las restricciones que provoca la imposibilidad de delimitar el valor de la celda objetivo o algún error en la hoja del cálculo. Por ejemplo, si en nuestro caso limitamos a 200 el coste máximo de la promoción, lógicamente Solver no podrá encontrar una solución. Llegados a este punto, puedes utilizar la solución que ha encontrado, aunque no sea buena o restaurar los valores iniciales, aunque se recomienda en la mayoría de los casos esta última opción.

Cuando todo sea favorable y los resultados del análisis sean los esperados, da Aceptar para completar el proceso. Si lo deseas, con el botón Guardar escenario almacena la situación actual del análisis.

NOTA:

También podemos ejecutar de nuevo el comando Solver *para realizar cualquier cambio en el resultado. El cuadro de diálogo* Parámetros de Solver *aparecerá de nuevo con los últimos ajustes introducidos.*

Informes

En el margen derecho del cuadro de diálogo Resultados de Solver se encuentra la sección Informes. Con las opciones disponibles, podrás obtener información adicional sobre el análisis realizado. Para generar cualquiera de ellos, haz clic sobre su nombre, teniendo en cuenta que puedes seleccionar más de uno al mismo tiempo. Una vez realizado, y después de hacer clic en el botón Aceptar, los informes aparecerán en hojas independientes del libro de trabajo actual.

Para que entiendas mejor el significado de cada uno de los modelos de informes, a continuación, tienes una breve descripción:

- **Responder:** Muestra los datos originales y aquellos generados por Solver, tanto de las celdas objetivo como de las cambiantes. También aparecen las celdas de restricción.

- **Confidencialidad:** Aparecen las variaciones aplicadas sobre las celdas cambiantes y sobre las restricciones.

- **Límites:** Refleja los valores entre los que han oscilado las celdas objetivo y cambiantes, es decir, su margen de variación.

En este capítulo, aunque con ejemplos sencillos, hemos tratado tres potentes herramientas de análisis que sin duda serán de gran ayuda en los trabajos con Excel.

Resumen

Las herramientas de análisis conceden una potencia excepcional a Excel en aquellas situaciones en las que se desea optimizar los datos de partida y obtener diferentes resultados o hipótesis. Del mismo modo, las tablas de datos y el formato condicional facilitan las tareas de revisión y supervisión de tendencias de las series de datos.

15

PowerPoint

- Definir las líneas generales de una presentación.
- Conocer el entorno de PowerPoint.
- Crear una presentación sencilla.
- Cambiar el orden de las diapositivas.
- Ejecutar una presentación.
- Añadir anotaciones en tiempo de ejecución.
- Utilizar las presentaciones predefinidas de PowerPoint.

Qué es una presentación

Son frecuentes las situaciones en las que necesitamos presentar ideas o proyectos ante un grupo de personas. Cuando solo nos valemos de nuestros propios recursos, dependemos exclusivamente de nuestras cualidades como orador. Pero incluso en aquellos casos en los que dispongamos de estas virtudes, existen determinados conceptos que necesitan de un complemento visual para su total comprensión.

Una presentación es muy útil en esta labor de difusión y se convierte en un elemento de apoyo perfecto en este tipo de tareas. Una presentación, en su estado más básico, es una secuencia de diapositivas, en la que cada una de ellas muestra cierto contenido relacionado con la información que deseamos transmitir, pero con PowerPoint podemos llegar mucho más lejos.

Consejos para crear una buena presentación

Antes de comenzar el proceso de diseño y creación de una presentación, existen una serie de recomendaciones que deberías tener presente:

- No incluyas demasiado texto en cada diapositiva, es mejor tener muchas diapositivas a tener pocas con demasiada información.
- Tampoco abuses de los efectos y animaciones. Utiliza con prudencia recursos como el sonido y el vídeo.
- Siempre que sea posible emplea viñetas o numeraciones. Esta es la mejor forma de estructurar conceptos clave e ideas.
- El tamaño del texto no debería bajar de los 24 puntos, aunque este valor depende de algunos factores como el número de asistentes a la presentación o la distancia desde estos a la pantalla de proyección.
- Los gráficos mejoran en gran medida la comprensión de los datos. En este caso se podría aplicar el dicho: «Una imagen vale más que mil palabras». Eso sí, siempre usados con moderación.
- Cuida la combinación de colores. Unos tonos poco adecuados podrían echar por tierra una buena presentación.
- Si usas transiciones, haz que pasen rápido sin entorpecer el desarrollo de la presentación.
- Contempla la posibilidad de mostrar la diapositiva clave de la presentación sin tener que pasar por el resto. La diapositiva clave suele ser la pantalla de referencia donde se incluyen los contenidos pricipales que se desarrollarán a lo largo de la presentación.
- Piensa en el lugar en el que se realizará la presentación y en el número de asistentes. Debes tener en cuenta estos aspectos y analiza cuidadosamente las necesidades técnicas.

Entorno de PowerPoint

El entorno de PowerPoint es muy similar al de Word o Excel; aún así es necesario conocer aquellos elementos específicos de la aplicación. La vista Normal es la que usarás cuando trabajes en el diseño de presentaciones con PowerPoint. Las partes principales que componen esta vista son las siguientes:

- **Panel de tira de diapositivas:** Muestra una pequeña miniatura de todas las diapositivas incluidas en la presentación. Aquí puedes seleccionar diapositivas, aplicarles diferentes diseños, eliminarlas, cambiar su posición, etcétera.

- **Panel de diapositivas:** Ocupa la mayor parte del área de trabajo y es el espacio destinado a diseñar y trabajar con las diapositivas de la presentación.

- **Panel de notas:** Se encuentra por defecto en la parte inferior de la ventana y tiene como propósito añadir cualquier anotación que necesites para la presentación. Es posible ocultarlo o mostrarlo mediante el botón Notas situado en la barra inferior.

- **Barra de estado:** Aunque en principio no lo pueda parecer se trata de un elemento muy importante. Esta barra está situada en la parte inferior de la ventana y en ella se localizan tanto el número de diapositiva actual como hasta accesos directos a las distintas vistas o el valor de zoom.

- **Paneles de tareas:** Aparecen en el margen derecho de la ventana y muestran información en función del comando elegido.

La distribución del espacio dedicado a cada uno de estos componentes no es fija y puedes modificarla con tan solo situar el ratón sobre la línea que divide cada una de ellas y arrastrar. La figura 15.1 ilustra los principales elementos que componen el entorno de PowerPoint.

> **NOTA:**
>
> *El soporte principal de una presentación son las diapositivas. Existen diferentes modelos de diapositiva diseñadas para incluir texto, gráficos de datos, imágenes, vídeos, objetos SmartArt, entre otros.*

Una presentación sencilla

Una vez hecho el planteamiento de la presentación y definido el guion aproximado de la misma, solo queda abrir PowerPoint y seguir los pasos adecuados para crearla:

1. Abre Microsoft PowerPoint y elige Presentación en blanco entre las plantillas disponibles en la pantalla de Inicio. En este caso utilizaremos el modelo más básico como mejor opción para aprender a diseñar una presentación, pero lo habitual sería empezar con alguna plantilla más elaborada que se adapte a nuestras necesidades.

2. Haz clic sobre el primero de los recuadros donde se encuentra el texto Pulse dos veces para agregar un título y escribe: Manual Imprescindible de Office.

3. A continuación, haz clic en el recuadro que se encuentra debajo y escribe: Presentación de ejemplo. El resultado de estos primeros pasos aparece en la figura 15.2.

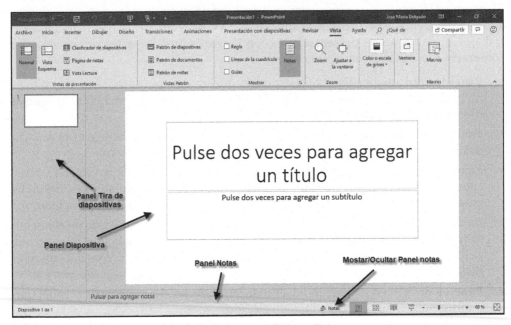

Figura 15.1. Entorno de PowerPoint.

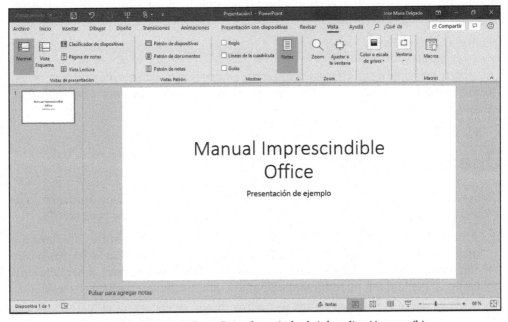

Figura 15.2. Aspecto de PowerPoint después de abrir la aplicación y escribir.

Con el comando Nuevo *situado entre las opciones del menú* Archivo *es posible crear una nueva presentación desde el entorno de PowerPoint.*

Añadir nuevas diapositivas

Una vez creada la presentación, el siguiente paso sería incluir tantas diapositivas como necesites hasta completarla. El botón Nueva diapositiva de la ficha Inicio se encuentra dividido en dos partes. La zona superior añade una dispositiva igual al último modelo utilizado. En cambio, si empleamos la zona inferior del botón, tendremos acceso a diferentes diseños de diapositivas como en la figura 15.3.

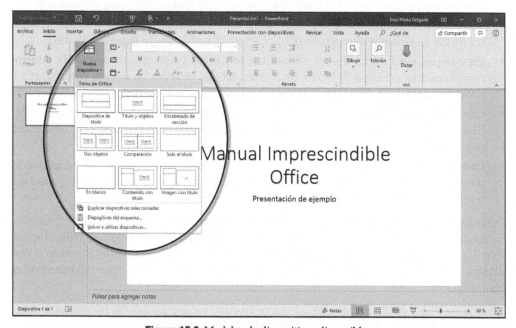

Figura 15.3. Modelos de diapositivas disponibles.

La forma más rápida de añadir una nueva diapositiva a la presentación es con la combinación de teclas Control-M *o con un clic derecho sobre el panel* Tira de diapositivas *para seleccionar el comando* Nueva diapositiva.

Cada modelo de diapositivas está diseñado para un fin concreto, aunque como podrás comprobar un poco más adelante todo se puede adaptar y configurar a nuestro gusto. Los diferentes diseños tienen propósitos específicos:

- **Diapositiva de título:** Incluye un campo de texto principal para títulos y espacio debajo para un subtítulo o cualquier otro texto.

- **Título y objetos:** Además del título en la parte superior, dispone de espacio para texto y un pequeño cuadro con varias opciones (ver figura 15.4). Sería suficiente con hacer clic sobre estos accesos directos para añadir a la diapositiva tablas, gráficos de datos, objetos SmartArt, imágenes o incluso vídeos.

- **Encabezado de sección:** Se trata de un típico diseño para diapositivas de cabecera donde necesitamos añadir títulos o encabezados.

- **Dos objetos:** Es un modelo útil a la hora de mostrar comparativas o si necesitas añadir dos objetos de diferente tipo en una misma diapositiva: por ejemplo, una tabla con información y un gráfico de datos.

- **Comparación:** Es prácticamente idéntico al diseño anterior, pero añade un pequeño encabezado para escribir un título o cualquier otro texto encima de cada objeto.

- **Solo el título:** Su nombre lo dice todo, únicamente dispone de un espacio para añadir un título. Es una buena opción como primera diapositiva de la presentación.

- **En blanco:** Cada uno de los elementos descritos hasta ahora se puede añadir manualmente: cuadros de texto, imágenes, tablas, etcétera. Si deseas configurar tu propio diseño de diapositiva este sería un buen punto de partida.

- **Contenido con título:** En este caso, la distribución del espacio se hace horizontalmente, dejando el margen derecho para texto y el izquierdo tanto para texto como para cualquier tabla, imagen o gráfico.

- **Imagen con título:** Similar al modelo anterior, pero en este caso pensado especialmente para aquellos casos en los que necesites mostrar una imagen con un título y algo de texto explicativo a la izquierda.

Después de crear la presentación, añadir nuevas diapositivas y de entender el sentido de los distintos modelos, aprovecha estos conocimientos para crear alguna presentación sencilla. Evidentemente aún queda mucho por descubrir, cómo dar formato a las diapositivas, ejecutar la presentación y muchos otros temas que trataremos a continuación.

TRUCO:

Cambia el modelo de cualquier diapositiva con tan solo hacer clic con el botón derecho sobre ella y elegir el comando Diseño. *Observa la figura 15.5.*

Desplazamiento entre las diapositivas de una presentación

Para desplazarnos por las diapositivas que componen la presentación selecciona cualquiera de ellas en el panel Tira de diapositivas y usa las teclas del cursor o la rueda del ratón. Además, desde cualquier pantalla puedes utilizar las teclas RePág, AvPág,

Inicio o Fin para retroceder, avanzar o ir hasta la primera o la última diapositiva de la presentación.

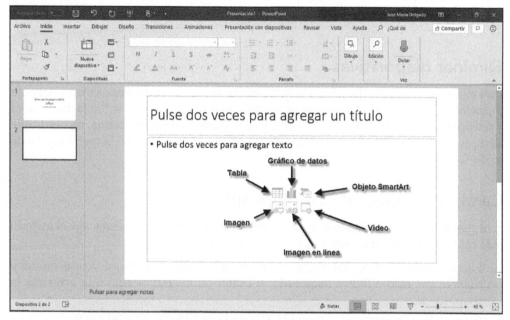

Figura 15.4. Objetos disponibles.

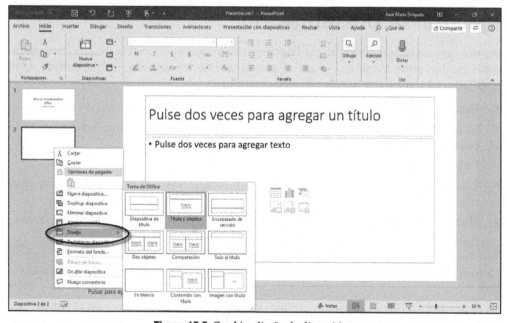

Figura 15.5. Cambiar diseño de diapositiva.

En el panel izquierdo, siempre que estemos en la vista Normal, *la diapositiva activa aparece rodeada por un rectángulo de color naranja.*

Eliminar diapositivas

Para eliminar una diapositiva, haz clic sobre ella en el panel Tira de diapositivas y después pulsa la tecla Supr. También puedes hacer clic con el botón derecho sobre la diapositiva y seleccionar el comando Eliminar diapositiva. Si hubiera algún problema, recuerda que siempre con el comando Deshacer de la barra de acceso rápido o con la combinación de teclas Control-Z se deshace la última acción.

Cambiar el orden de las diapositivas

Si necesitas modificar la posición de una diapositiva dentro de la presentación, el método más sencillo es emplear el panel Tira de diapositivas:

1. Haz clic sobre la vista preliminar que representa la diapositiva que deseas mover y mantén pulsado el botón izquierdo del ratón al mismo tiempo que arrastras la diapositiva.
2. Cuando te encuentres en la posición adecuada, suelta el botón del ratón.

Ejecutar la presentación

Seguro que estás deseando probar la presentación, aunque todavía no sea demasiado espectacular, pero, tranquilo, poco a poco la iremos mejorando. En definitiva, ve el resultado del trabajo con alguno de estos métodos:

- Busca el comando Desde el principio situado en la ficha Presentación con diapositivas.
- El comando Desde la diapositiva actual situado en la misma ficha ejecuta la presentación desde el punto en el que nos encontremos.
- Pulsa la tecla F5.
- Usa el comando Presentación desde el principio situado en la barra de acceso rápido.
- Haz clic sobre el botón Presentación con diapositivas situado en la barra de tareas.

No olvides utilizar alguno de los métodos que ya conoces para guardar la presentación.

En la figura 15.6 hemos señalado algunas de las opciones disponibles en el entorno de PowerPoint para iniciar la presentación. El aspecto de nuestra pantalla después de ejecutar la presentación será similar al de la figura 15.7. Con la tecla Esc vuelve al entorno de PowerPoint.

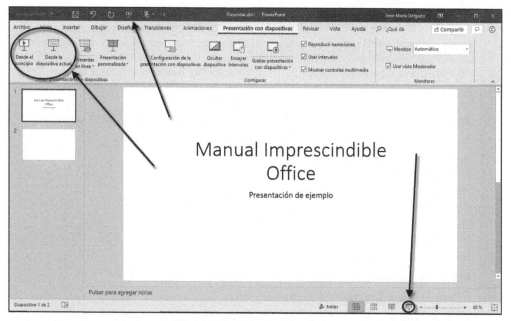

Figura 15.6. Iniciar la presentación.

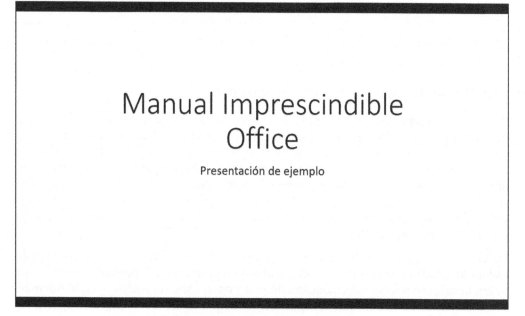

Figura 15.7. Presentación en ejecución.

Una vez en el modo de ejecución, es necesario conocer la forma de movernos a través de las diapositivas de la presentación. En la tabla 15.1 encontrarás una lista de los atajos de teclado más habituales.

Tabla 15.1. Controles utilizados durante la ejecución de la presentación.

Para	Utiliza
Avanzar a la siguiente diapositiva	Intro, AvPág, Barra espaciadora, flecha abajo, flecha derecha o clic en el botón izquierdo del ratón
Retroceder a la diapositiva anterior	RePág o flecha izquierda o flecha abajo
Ir a una diapositiva determinada	<número diapositiva>-Intro
Alternar entre una pantalla en negro y la presentación	Mayús-N o . (punto)
Alternar entre una pantalla en blanco y la presentación	Mayús-B o ; (punto y coma)
Detener o reiniciar una presentación con diapositivas automáticas	D o +
Borrar anotaciones de la pantalla	E
Regresar a la primera diapositiva	Inicio
Ir hasta la última diapositiva	Fin
Mostrar el puntero de anotaciones	Control-P
Mostrar el puntero	Control-L
Presentar el menú contextual	Mayús-F10 (o hacer clic con el botón derecho del ratón)
Finalizar la presentación	Tecla Esc, la combinación Control-Pausa o el «-»

Modificar la secuencia de ejecución

Por defecto, la secuencia de ejecución de la presentación vendrá definida por el orden de las diapositivas. Si lo necesitas, crea una presentación a medida ejecutando cada una de las diapositivas en un orden distinto al que originalmente ocupan. Haz clic sobre el comando Presentación personalizada de la ficha Presentación con diapositivas y elige la única opción disponible. En ese momento, PowerPoint mostrará un cuadro de diálogo con todas las presentaciones personalizadas. Inicialmente no debemos tener ninguna por lo que será necesario hacer clic en el botón Nueva para acceder al cuadro de diálogo que aparece en la figura 15.8.

En el margen izquierdo del cuadro de diálogo Definir presentación personalizada encontrarás todas y cada una de las diapositivas que componen la presentación. A partir de aquí, basta con seleccionar cualquiera de ellas y hacer clic en el botón Agregar. Además, con los botones Subir y Bajar puedes aplicar el orden que desees al conjunto de diapositivas seleccionadas.

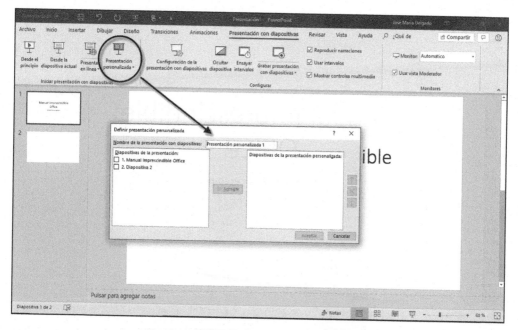

Figura 15.8. Definir presentación personalizada.

Anotaciones y ajustes en tiempo de ejecución

PowerPoint permite acceder a diferentes ajustes así como realizar anotaciones sobre las diapositivas de la presentación mientras se ejecuta. Veamos cómo realizar esta última acción:

1. Ejecuta la presentación. Recuerda que la forma más sencilla es utilizar la tecla de función F5.

2. En la esquina inferior izquierda aparecen varios iconos como se ilustra en la figura 15.9; elige el que está representado por un pequeño lápiz y selecciona el tipo de puntero que deseas utilizar.

3. Haz clic y arrastra para dibujar o hacer cualquier anotación sobre la presentación. Para dibujar líneas rectas horizontales o verticales, debes mantener pulsada la tecla Mayús.

Figura 15.9. Iconos disponibles en tiempo de ejecución.

Si lo deseas puedes cambiar el color del puntero. Con alguna de las herramientas del puntero activada, haz clic de nuevo sobre el icono de anotaciones en la esquina inferior derecha y elige alguno de los tonos disponibles.

Para salir del modo anotación lo más rápido es la combinación de teclas Control-E o simplemente la tecla Esc.

Además de las anotaciones en pantalla existen más funcionalidades disponibles desde los iconos que muestra PowerPoint en la esquina inferior izquierda de la ventana de ejecución:

- Los dos primeros iconos sirven para desplazarnos por las diferentes diapositivas de la presentación. Existen métodos más cómodos, como hemos descrito, pero siempre es conveniente tener diferentes alternativas.

- El cuarto de los iconos muestra todas las diapositivas de la presentación. De este modo, podrás desplazarte a cualquiera de ellas con un simple clic.

- Con la Lupa puedes ampliar un área de la diapositiva y focalizar la atención en ella.

- El último de los iconos agrupa varios comandos con los que podrás ir directamente hasta la última diapositiva de la presentación, elegir algún itinerario personalizado, mostrar una pantalla en negro o blanco para hacer una pausa, visualizar la vista Moderador o simplemente terminar la presentación.

Plantillas predefinidas

En PowerPoint las plantillas son imprescindibles. Es bastante frecuente emplear un documento u hoja de cálculo en blanco, pero en PowerPoint no es así. Nuestra recomendación es que emplees siempre algunas de las plantillas instaladas o recurras al buscador de plantillas en línea para comenzar cualquier proyecto.

> **TRUCO:**
>
> *Haz clic sobre cualquier modelo de plantilla para comprobar su aspecto y las diferentes combinaciones de colores disponibles, como en la figura 15.10.*

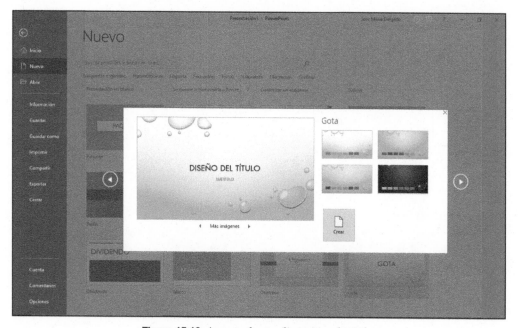

Figura 15.10. Aspecto de una diapositiva de título.

Las opciones de impresión de diapositivas no se diferencian demasiado de las descritas anteriormente para documentos de textos y hojas de cálculo. El comando Imprimir *situado en el menú* Archivo *despliega una vista preliminar de la presentación a la derecha y las posibles configuraciones a la izquierda.*

Vistas de la presentación

PowerPoint también dispone de varios modos de visualizar el contenido de la presentación. Todos estos comandos están situados en el grupo Vistas de presentación de la ficha Vista:

- **Normal:** Es la vista utilizada hasta ahora y, como ya sabes, se encuentra dividida en tres paneles principales: tira de diapositivas, diapositiva, notas. En ella, además, aparecerán paneles de tareas para complementar la función de algún comando.

- **Vista Esquema:** Visualiza el panel Tira de diapositivas en modo texto con toda la información que contiene cada una de las diapositivas de la presentación. Desde esta vista se añade o modifica el texto de cualquier diapositiva.

- **Clasificador de diapositivas:** Tras seleccionar esta vista aparece en pantalla una miniatura de todas las diapositivas que componen la presentación (observa la figura 15.11), de tal forma que es sumamente sencillo cambiar de posición cualquiera de ellas, eliminar o incluir nuevas diapositivas.

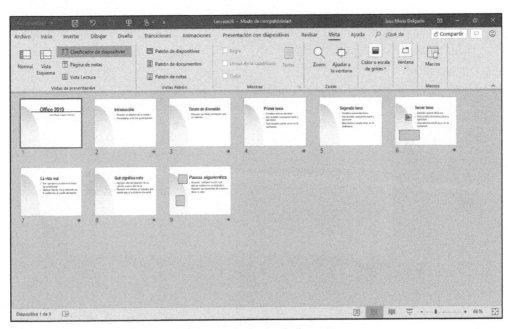

Figura 15.11. Clasificador de diapositivas.

- **Página de notas:** Muestra una página dividida en dos, con la diapositiva actual y un amplio espacio para incluir cualquier texto aclaratorio. Es la vista perfecta si tienes intención de imprimir la presentación y necesitas aclarar conceptos ampliando su descripción mediante un comentario más extenso (al que puedes hacer referencia durante la presentación).
- **Vista de lectura:** Sirve para revisar la presentación, corregir errores y comprobar su aspecto final; así como para presentar nuestra idea de forma cercana a otras personas.

Resumen

Una vez planificado el trabajo solo queda sentarnos delante de nuestro equipo y comenzar a crear la presentación en PowerPoint. Para diseñar cada una de las diapositivas deberás elegir entre los diferentes modelos disponibles donde se combinan: cuadros de textos, espacios para gráficos, hojas de datos, sonidos, vídeos, etcétera.

Además de los modelos de diapositivas, PowerPoint incluye un buen número de plantillas prediseñadas que te ahorrarán mucho tiempo y trabajo a la hora de llevar a cabo un nuevo proyecto.

16

Mejorar la presentación

- Utilizar las reglas, guías y cuadrícula.
- Añadir nuevos elementos a una diapositiva.
- Modificar el formato de la diapositiva.
- Trabajar con los patrones de diapositivas.
- Incluir imágenes y formas.
- Organizar objetos.
- Insertar audio y vídeo.
- Agregar notas del orador.
- Crear un álbum de fotos con PowerPoint.
- Realizar una presentación en línea.

Reglas, guías y cuadrícula

Antes de empezar con los distintos métodos para editar una diapositiva, es necesario conocer las reglas, las guías y la cuadrícula. Estos elementos son esenciales para situar de forma precisa cualquier objeto.

Para mostrar las reglas haz clic sobre el comando Regla situado en el grupo Mostrar de la ficha Vista. Las reglas se usan como ayuda para colocar elementos en un punto exacto de la diapositiva o para alinear varios objetos. Comprueba cómo en la regla vertical y en la horizontal aparece una línea punteada que representa la situación exacta del cursor.

Las guías y la cuadrícula alinean objetos tanto vertical como horizontalmente. Una de sus ventajas con respecto a las reglas es que bastará con acercar un objeto a la guía más cercana para que se fije a ella de forma automática.

Para mostrar las guías y la cuadrícula, haz clic en las casillas de verificación Líneas de cuadrícula y Guías situadas en el grupo Mostrar de la ficha Vista. También puedes hacer clic sobre el pequeño icono resaltado en la figura 16.1 para ver el cuadro de diálogo Cuadrículas y guías:

- La primera opción activa el ajuste automático de objetos a la cuadrícula.
- La segunda sección sirve para ocultar o mostrar la cuadrícula y configurar el espacio entre sus líneas.
- Por último, las opciones de la sección Configuración de las guías activan o desactivan las guías de dibujo y las inteligentes.

Añadir nuevas guías

Por defecto, al activar las guías aparecerá una línea vertical y otra horizontal, pero puedes añadir tantas como necesites:

1. Haz clic sobre la guía vertical u horizontal según la posición de la nueva guía que añadirás. Observa la pequeña etiqueta que aparece junto al cursor; estos valores corresponden a la posición de la guía.
2. Mantén pulsada la tecla Control y, sin soltar, arrastra el cursor. Comprueba cómo la guía seleccionada permanece y se crea una nueva. Ahora la etiqueta indicará la distancia de la nueva guía con respecto al punto cero de la regla.

Cambia la posición de cualquier guía colocando el cursor sobre ella, haciendo clic y arrastrando. Para eliminar una guía es suficiente con moverla fuera de la diapositiva.

ADVERTENCIA:

Para modificar su posición o añadir nuevas guías te recomendamos seleccionarlas fuera de los límites de la diapositiva para que no interfiera con otros elementos, como cuadros de texto o imágenes.

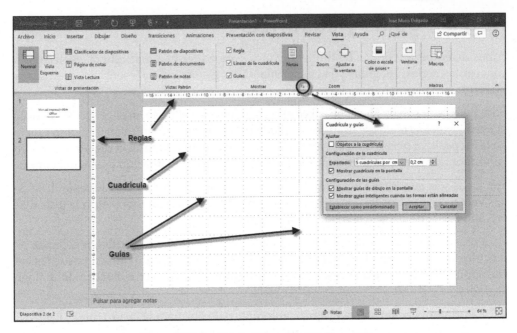

Figura 16.1. Cuadro de diálogo Cuadrículas y guías.

Cuadros de texto

En la mayoría de los casos utilizaremos algún modelo predefinido de diapositiva donde se combinen distintos tipos de cuadros de texto. A continuación, describimos los pasos que debes seguir para añadir un cuadro de texto:

1. En el panel izquierdo elige la diapositiva donde incluirás el cuadro de texto o emplea algunas de las combinaciones de teclado disponibles para llegar hasta ella.

2. Selecciona el comando Cuadro de texto situado entre las opciones del grupo Texto de la ficha Insertar. Comprueba cómo el cursor se convierte en una pequeña cruz invertida.

3. Haz clic en el punto donde quieres situar la esquina superior izquierda del cuadro de texto y arrastra para determinar el ancho, ya que el alto vendrá definido por el texto que escribas.

Una vez creado el cuadro de texto es posible modificar sus dimensiones usando los pequeños círculos situados alrededor. Para cambiar su posición, haz clic sobre el borde y, sin soltar, arrastra.

> **ADVERTENCIA:**
>
> *Si después de añadir el cuadro de texto no escribes ningún texto, desaparecerá al hacer clic en cualquier otro punto de la diapositiva.*

Insertar imágenes y formas

No hay nada especial a la hora de insertar en PowerPoint gráficos, imágenes procedentes de Internet o capturas de pantalla. Solo es necesario recurrir a los comandos disponibles en los grupos Imágenes e Ilustraciones de la ficha Insertar. Otra forma de añadir estos elementos es con alguno de los modelos de diapositivas diseñados para contener elementos multimedia y haciendo clic sobre los iconos señalados en la figura 16.2.

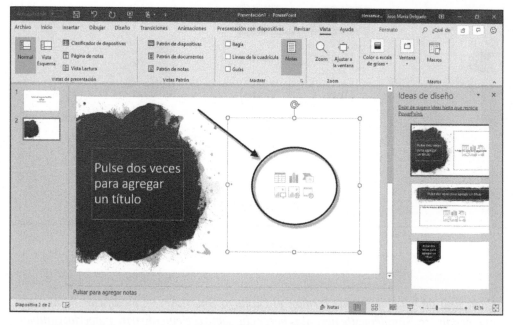

Figura 16.2. Iconos desde los que puedes añadir una imagen o ilustración a la diapositiva.

La forma de modificar el tamaño, la posición o la orientación de cualquier imagen o forma es la misma que ya tratamos en los capítulos dedicados a Word. PowerPoint también muestra la categoría Herramientas de imagen o Herramientas de dibujo cada vez que selecciones uno de estos elementos en alguna diapositiva.

SmartArt

Con SmartArt se añaden atractivos organigramas y esquemas gráficos (ver figura 16.3). La manera de insertar cualquiera de estos elementos es muy sencilla, haz clic en la ficha Insertar y en el grupo Ilustraciones selecciona el comando SmartArt. El cuadro de diálogo asociado muestra en el margen izquierdo las diferentes categorías disponibles. Haz clic sobre cualquiera de ellas para tener acceso a todas sus posibilidades.

Una de las grandes ventajas de SmartArt es que se trata de gráficos vectoriales, es decir, es posible alterar su tamaño sin que se vean afectadas su legibilidad o nitidez. Por otra parte, el tamaño de este tipo de archivo es mucho menor que los gráficos o imágenes tradicionales.

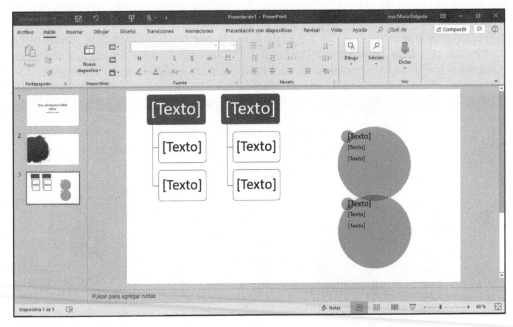

Figura 16.3. SmartArt.

Cada uno de los objetos que forman el catálogo SmartArt se modifican de manera independiente. Simplemente necesitas hacer clic sobre el elemento para moverlo, cambiar sus proporciones, borrarlo, girarlo, etcétera.

Formas

No existe ninguna diferencia entre las opciones del grupo Ilustraciones de la ficha Insertar de PowerPoint y las que conocemos de Word o Excel. La manera de añadir imágenes o formas y cambiar su aspecto tampoco es diferente.

Haz clic sobre el icono Formas, escoge el modelo que necesites y dibuja sobre la diapositiva hasta que tengas las dimensiones deseadas. Selecciona la forma para visualizar en la cinta de opciones la categoría Herramienta de dibujo donde encontrarás los comandos necesarios para trabajar con este tipo de gráficos. Otra posibilidad es hacer clic con el botón derecho sobre la forma y seleccionar el comando Formato de forma. En este caso, aparecerá en el margen derecho el panel del mismo nombre con varias categorías representadas en la parte superior por tres iconos (ver figura 16.4). Cada uno de ellos agrupa las diferentes opciones de formato vinculadas a este tipo de elementos.

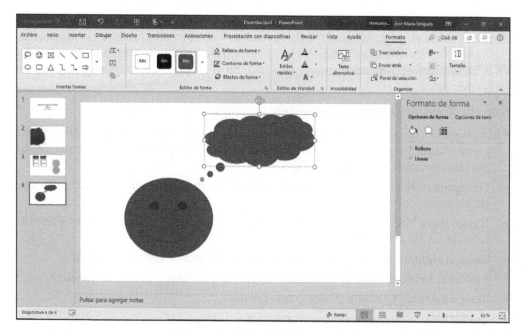

Figura 16.4. Panel Formato de forma.

PowerPoint trata el texto como objetos gráficos y permite aplicarle muchas de las posibilidades de formato disponibles para formas.

Con PowerPoint puedes convertir formas en contenedores de texto. Haz doble clic sobre la forma y al instante aparece el cursor en su interior para escribir el texto.

El catálogo de formas es amplio, pero si no encuentras el objeto que necesitas, siempre existe la posibilidad de cambiar el aspecto de alguno de los modelos disponibles:

1. Haz clic con el botón derecho sobre el objeto que cambiarás.
2. En el menú emergente busca el comando Modificar puntos.
3. Emplea los pequeños cuadrados que aparecen sobre el contorno de la forma para variar su apariencia. Solo es necesario hacer clic y, sin soltar el botón del ratón, arrastrar.

Organizar objetos

Una diapositiva es como un pequeño lienzo donde iremos colocando imágenes, textos, formas o cualquier otro objeto que consideremos útil para nuestra presentación. Con todo esto, seguro que en más de una ocasión surgirá la necesidad de alinear varios objetos, agruparlos para aplicarles efectos o tratarlos de forma conjunta, cambiar el orden de apilado, etcétera. Todas estas operaciones las puedes llevar a cabo mediante los comandos disponibles en el grupo Organizar de las fichas Formato asociadas a las categorías especiales Herramientas de dibujo y Herramientas de imagen (observa la figura 16.5). En la ficha Inicio, el comando Organizar vinculado al grupo Dibujo también dispone de estas opciones.

A continuación, describimos el significado de las más importantes:

- **Agrupar:** Acopla los objetos seleccionados en uno solo. A partir de ese momento, su comportamiento y sus propiedades quedan unidas. Para poder utilizar este comando los objetos deben ser del mismo tipo.

- **Desagrupar:** Realiza la operación contraria al comando anterior, liberando cada uno de los objetos.

- **Reagrupar:** Vuelve a agrupar un elemento desagrupado sin que sea necesario seleccionar los objetos de nuevo.

- **Traer al frente:** Mueve el objeto hasta situarlo delante de todos los demás.

- **Enviar al fondo:** Coloca el objeto detrás de todos los objetos de la diapositiva.

- **Traer adelante:** Adelanta el objeto una posición.

- **Enviar atrás:** Retrasa el objeto una posición.

- **Alinear:** Determina la alineación de los objetos según diferentes criterios.

- **Girar o Voltear:** Aplica valores de giro a los objetos o rota los elementos seleccionados horizontal o verticalmente.

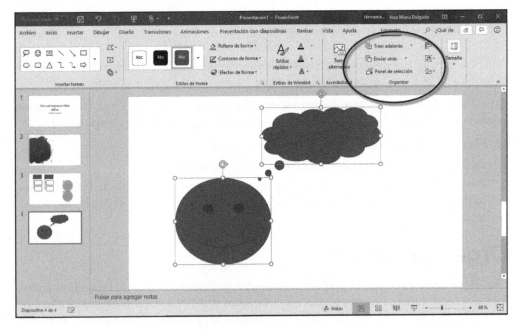

Figura 16.5. Grupo Organizar.

Algo evidente pero que no debes olvidar es seleccionar los objetos que deseas organizar antes de ejecutar cualquiera de los comandos referidos en los puntos anteriores. Recuerda que debes mantener pulsada la tecla Control al mismo tiempo que haces clic sobre los elementos que incluirás en la selección.

Otra forma de seleccionar los elementos incluidos en una diapositiva es con el panel Selección. Haz clic en el comando Panel de selección situado tanto en las fichas Formato como en el icono Seleccionar de la ficha Inicio. Como se observa en la figura 16.6, en el panel se ven todos los elementos incluidos en la diapositiva. Para seleccionar individualmente cualquiera de ellos solo haz clic sobre su nombre y, en el caso de requerir más de uno, mantén pulsada la tecla Control.

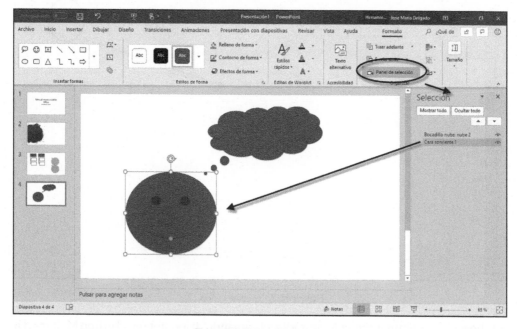

Figura 16.6. Panel Selección.

TRUCO:

El pequeño símbolo situado a la derecha del nombre de cada objeto en el panel Selección *sirve para ocultar o mostrar temporalmente cualquiera de ellos.*

Audio y vídeo

Puedes incluir en tus presentaciones de PowerPoint fragmentos de vídeo, audio e incluso grabaciones de pantalla. Existen dos formas de añadir estos elementos a una diapositiva. El primero de ellos es con los comandos situados en el grupo Multimedia de la ficha

Insertar. El segundo es recurrir de nuevo a uno de los modelos de diapositivas con espacio reservado para elementos especiales.

Selecciona el comando Vídeo y comprueba que ofrece dos posibilidades: Vídeo en Mi PC que no tiene demasiada explicación, simplemente permite elegir algún archivo de vídeo que tengamos en nuestro equipo y lo añade a la presentación. En cambio, Vídeo en línea muestra el cuadro de diálogo que aparecen en la figura 16.7 donde puedes recurrir a la fuente de vídeos más extensa del mundo, YouTube o si dispones de algún enlace, pegar el código en el cuadro de texto indicado.

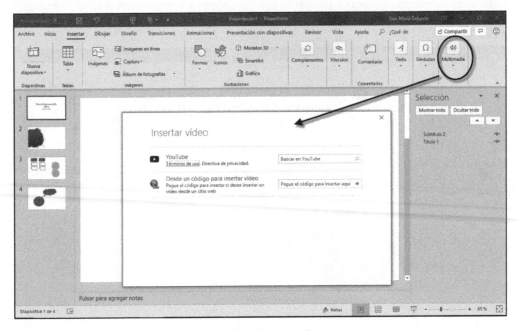

Figura 16.7. Insertar vídeo.

A la hora de añadir un fragmento de audio, el comando disponible en el grupo Multimedia permite seleccionarlo de nuestro propio equipo o realizar una grabación en ese instante si dispones del hardware adecuado. En este último caso, PowerPoint despliega el cuadro de diálogo Grabar sonido donde podrás asignar un nombre al archivo y utilizar los controles básicos de reproducción.

> **NOTA:**
>
> *Office adapta el contenido de la cinta de opciones a la resolución del dispositivo, modificando el aspecto de los iconos y elementos que componen cada grupo. Por este motivo, es posible que algunas capturas de pantalla del libro no coincidan exactamente.*

Por último, una interesante característica que puede resultar de gran utilidad si necesitamos crear sencillos tutoriales. Se trata de la herramienta Grabación en pantalla con la que grabarás todas las acciones realizadas en el ordenador y crearás un vídeo con ellas para la presentación:

1. Después de marcar el comando Grabación de pantalla en la ficha Insertar, nuestro escritorio debería tener un aspecto similar al de la figura 16.8.

2. El siguiente paso será seleccionar el área donde ocurrirán las acciones que grabarás. Puede ser la ventana de una aplicación o simplemente una parte del escritorio. Haz clic y arrastra para definir la zona de grabación.

3. A continuación, haz clic sobre el botón Grabar y reproduce todas las acciones que deseas mostrar en el vídeo. El mensaje inicial indica que con la combinación de teclas Windows-Mayús-Q detendrás la grabación.

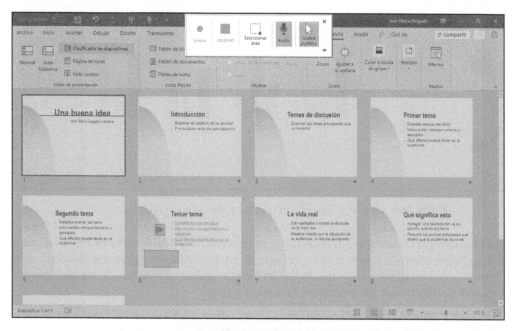

Figura 16.8. Grabación de pantalla.

Gráficos de datos

Ya conoces cómo funciona una hoja de cálculo y cómo se manejan los gráficos de datos. Si necesitas incluir un gráfico de datos en una diapositiva, utiliza alguno de los modelos de diapositivas que incluyen objetos y haz clic sobre el icono representado por un pequeño gráfico de barras. PowerPoint mostrará un gráfico de ejemplo y una pequeña hoja de datos para que introduzcas la información. En la figura 16.9 aparece un ejemplo.

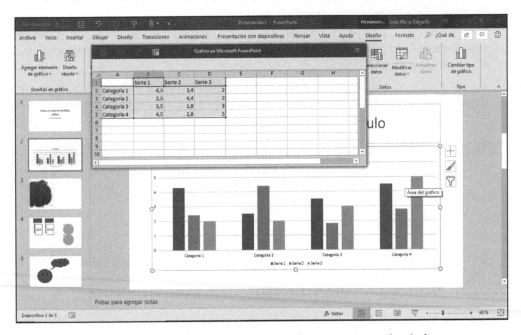

Figura 16.9. Aspecto de PowerPoint mientras trabajamos con un gráfico de datos.

Para terminar la creación del gráfico, cierra la ventana de datos. A partir de ese momento, PowerPoint mostrará una nueva categoría en la cinta de opciones denominada Herramientas de gráficos con dos fichas en las que aparecen muchas de las funciones y comandos tratados en los capítulos dedicados a Excel.

Otra forma de incluir un gráfico de datos en una diapositiva es con el comando Gráfico situado en el grupo Ilustraciones de la ficha Insertar.

> **NOTA:**
>
> *Modifica las dimensiones de cualquier objeto, incluidos los gráficos de datos, mediante los pequeños círculos que lo rodean.*

Editar gráficos de datos

Selecciona el gráfico de datos y en el margen superior derecho encontrarás los mismos iconos que ya describimos en los capítulos anteriores y que permiten:

- Mostrar u ocultar los diferentes elementos del gráfico.

- Cambiar el modelo de gráfico.
- Seleccionar las series y categorías que deseamos representar.

Para editar los datos asociados a un gráfico, haz clic para seleccionarlo y a continuación elige el comando Modificar datos en la ficha Diseño de la categoría Herramientas de gráficos. Cuando termines, cierra la ventana de datos.

TRUCO:

En la parte superior de la ventana de datos se encuentra el pequeño icono que hemos destacado en la figura 16.10. Haz clic sobre él y podrás editar la información directamente en Excel. También puedes utilizar el comando Editar datos en Excel *asociado al icono* Modificar datos *de la ficha* Diseño *de la categoría* Herramientas de gráficos.

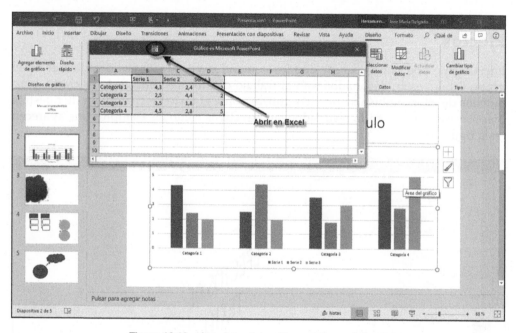

Figura 16.10. Abrir datos del gráfico en Microsoft Excel.

Además de los diferentes estilos disponibles para gráficos, el comando Diseño rápido posibilita elegir entre varias configuraciones, algunas de ellas bastante útiles y atractivas.

Formato y efectos de texto

La forma de aplicar formato al texto en PowerPoint es idéntica a la descrita en los capítulos dedicados a Word. El acceso a los comandos habituales de formato se encuentra en los grupos Fuente y Párrafo de la ficha Inicio. En este último se hallan algunas opciones específicas destinadas a PowerPoint:

- **Dirección del texto:** Coloca el texto en vertical, horizontal, apilado... Si con las opciones por defecto no es suficiente, emplea el comando Más opciones.
- **Alinear texto:** Establece el ajuste vertical del texto, arriba, abajo o centrado.
- **Convierte en un gráfico SmartArt:** Transforma el cuadro de texto en un objeto SmartArt, añadiendo vistosos gráficos de niveles o esquema.

NOTA:

Los métodos de selección de texto también son idénticos a los descritos para el procesador de textos. En realidad, estos pequeños detalles forman parte de las grandes ventajas de Office.

Efectos

Inicialmente podríamos pensar que los comandos y las opciones disponibles en el grupo Dibujo están destinados solo al trabajo con formas. Bien, esto es cierto, pero muchos de ellos también se pueden utilizar sobre el texto de cualquiera de nuestras diapositivas consiguiendo resultados tan atractivos como los ejemplos que aparecen en la figura 16.11.

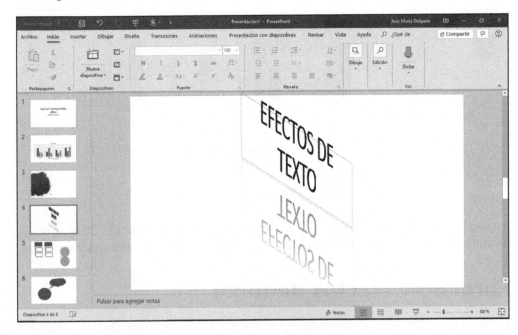

Figura 16.11. Algunos efectos de forma aplicados sobre cuadros de texto.

Selecciona un cuadro de texto y juega un poco con las posibilidades de los comandos Estilos rápidos y Efecto de forma. Recuerda que puedes aplicar de forma provisional el efecto si colocas el cursor sobre él.

Una forma muy cómoda de aplicar efectos al texto dentro de una diapositiva de PowerPoint es con el panel Formato de forma en su configuración destinada a las opciones de texto. Para mostrarlo, haz clic con el botón derecho del ratón sobre el texto que cambiarás y busca el comando Aplicar formato a los efectos de texto. Al instante aparecerá el panel en el margen izquierdo de la ventana. En la parte superior debes escoger Opciones de texto para tener acceso a las opciones relacionadas con este tipo de elementos. Además, las posibilidades del panel se encuentran divididas en tres grupos representados por tres iconos (ver figura 16.12).

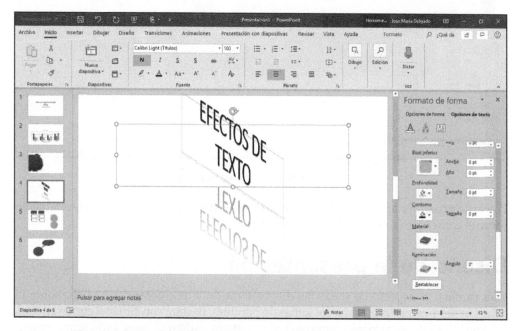

Figura 16.12. Panel Formato de forma en su configuración para opciones de texto.

Estilos de WordArt

Selecciona algún cuadro de texto y observa cómo la cinta de opciones muestra una nueva categoría denominada Herramientas de dibujo. Haz clic sobre la ficha Formato asociada a esta categoría y tendrás acceso a numerosas posibilidades relacionadas con el trabajo de formas. También el grupo Estilos de WordArt dispone de comandos que mejoran la apariencia de los textos. Sitúa el cursor sobre los diferentes estilos para comprobar su aspecto sobre el texto seleccionado.

También son interesantes las opciones Relleno de texto para cambiar el color de fondo de los caracteres, Contorno de texto para variar el tono del borde y Efectos de texto con la que será muy sencillo aplicar increíbles transformaciones (observa la figura 16.13).

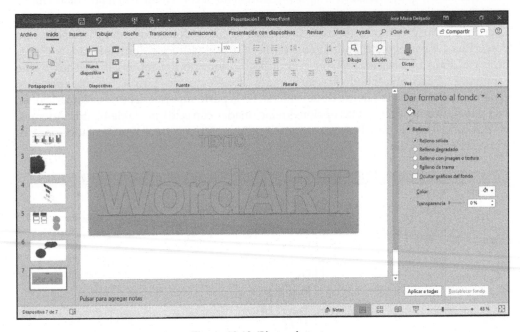

Figura 16.13. Efectos de texto.

PowerPoint permite aplicar los efectos WordArt sobre palabras o frases y no necesariamente sobre el contenido completo del cuadro de texto.

Diseño de la presentación

Para cambiar el aspecto de todas las diapositivas de la presentación, haz clic sobre la ficha Diseño y escoge alguno de los temas disponibles. Bastará con situar el cursor encima de cualquiera de ellos para comprobar el resultado. Además, para cada tema existen diferentes combinaciones de colores disponibles en el grupo Variantes.

NOTA:

Entre las posibilidades de la ficha Diseño, *selecciona la opción* Personalizar *para acceder al comando* Tamaño *de diapositiva. En la actualidad es más común encontrar equipos con pantallas panorámicas 16:9 que la estándar (4:3), esta opción permite elegir el formato más adecuado en cada caso.*

El comando Ideas de diseño analiza la presentación y ofrece diferentes propuestas para mejorar el resultado final del proyecto.

Fondo de diapositiva

A continuación, describimos los pasos necesarios para personalizar el fondo de una diapositiva:

1. Elige la diapositiva en el panel izquierdo.
2. En la cinta de opciones, comprueba que se encuentra seleccionada la ficha Diseño.
3. Entre las opciones del grupo Personalizar, haz clic sobre el comando Dar formato al fondo. Al instante, tendrás acceso al panel de la figura 16.14 donde aparecen las siguientes opciones:

   - **Relleno sólido:** Aplica un color uniforme a todo el fondo de la diapositiva. Utiliza el icono asociado a la opción Color para elegir el tono que desees.

   - **Relleno con degradado:** Selecciona alguno de los modelos de degradados preestablecidos y a continuación los configura con todas las opciones disponibles.

   - **Relleno con imagen o textura:** La primera parte permite elegir una imagen almacenada en el equipo (mediante el botón Archivo) o descargarla desde Internet (con el botón En línea). Para emplear una textura, haz clic sobre el botón destacado en la figura 16.15.

   - **Relleno de trama:** Una trama es un dibujo sencillo que sigue un determinado patrón. En la sección Trama elige alguno de los modelos disponibles y con el botón de relleno puedes aplicarle el tono que quieras.

   - **Ocultar gráficos del fondo:** Evita que la diapositiva muestre el motivo de fondo asociado al tema de la presentación, dando prioridad a la combinación elegida por nosotros en el panel Dar formato al fondo.

Una vez realizados los ajustes, los cambios quedarán fijados únicamente sobre la diapositiva actual, pero si deseas usarlos sobre toda la presentación haz clic en Aplicar a todas. Si necesitas devolver la diapositiva a su estado original emplea el botón Restablecer fondo.

> *TRUCO:*
>
> *Después de añadir una imagen como fondo o utilizar alguna de las texturas disponibles, prueba a desplazar el regulador* Transparencia *del panel* Dar formato al fondo *para cambiar el grado de opacidad del efecto.*

Patrón de diapositivas

El patrón de diapositivas es útil para aplicar propiedades de formato a todas las diapositivas de una misma presentación, ganando en homogeneidad, diseño y rapidez.

Por ejemplo, imagina que quieres incluir un logotipo en todas las diapositivas de la presentación.

Figura 16.14. Panel Dar formato al fondo.

Figura 16.15. Texturas disponibles.

En este caso tienes dos posibilidades, hacerlo una a una o utilizar el patrón de diapositivas insertando el logotipo una sola vez:

1. Abre la presentación y en en la cinta de opciones busca la ficha Vista.

2. Haz clic sobre el comando Patrón de diapositivas situado en el grupo Vistas Patrón. La ventana de PowerPoint cambia de aspecto y la cinta de opciones muestra la ficha Patrón de diapositivas en primer plano como en la figura 16.16.

3. En el margen izquierdo aparecen los patrones asociados a los modelos de diapositivas disponibles. Sitúa el ratón sobre cualquiera de ellos para visualizar tanto el título como el número de diapositivas de la presentación que utilizan ese diseño.

4. Emplea todo lo aprendido hasta ahora para añadir imágenes, formas, títulos o cualquier texto a los diferentes patrones. Puedes usar los elementos que necesites de la cinta de opciones y volver de nuevo a la ficha Patrón de diapositivas cuando termines.

5. Para finalizar, haz clic en el botón Cerrar vista Patrón situado en la ficha Patrón de diapositivas y comprueba cómo los cambios se aplican automáticamente sobre todas las diapositivas de la presentación.

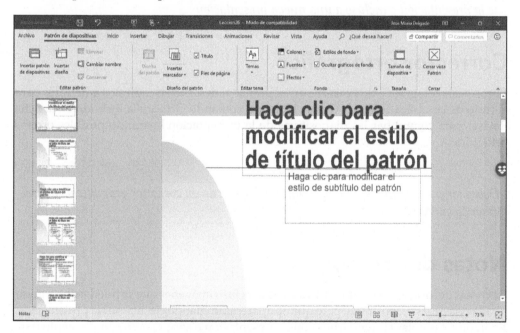

Figura 16.16. Vista Patrón de diapositivas.

Añadir vínculos y direcciones de Internet

PowerPoint ofrece la posibilidad de incluir enlaces a direcciones web o de correo electrónico dentro de tus presentaciones. La forma de hacerlo es la siguiente:

1. Selecciona la diapositiva donde incluirás el enlace.

2. Crea un nuevo cuadro de texto o selecciona uno ya existente.

3. En la cinta de opciones, haz clic sobre la ficha Insertar.

4. A continuación, ejecuta el comando Vínculos situado en el grupo del mismo nombre.

5. En el margen izquierdo del cuadro de diálogo escoge el tipo de vínculo. La primera opción corresponde a direcciones de Internet y la última a direcciones de correo electrónico.

6. El siguiente paso será escribir el texto del enlace. Hazlo directamente o selecciona la opción Páginas consultadas para elegir alguna de las últimas direcciones visitadas en tu navegador.

7. Para finalizar, da Aceptar.

NOTA:

Con los accesos directos situados en el margen izquierdo del cuadro de diálogo Insertar hipervínculos *se incluyen vínculos a los últimos archivos usados, a alguna diapositiva de la presentación o incluso a una nueva presentación.*

Corrector ortográfico

El corrector ortográfico de PowerPoint es similar al descrito en capítulos anteriores para el resto de las aplicaciones de Office. Utiliza el comando Ortografía incluido en la ficha Revisar para comprobar las diapositivas de la presentación buscando posibles errores ortográficos.

ADVERTENCIA:

Debes tener en cuenta que PowerPoint no dispone de un corrector gramatical como el descrito en Word.

Notas del orador

Las notas del orador son pequeños apuntes o incluso imágenes que se pueden incorporar a cada una de las diapositivas, pero que no aparecerán cuando ejecutamos la presentación. El fin de estas notas es ayudarnos con la presentación o servir como complemento para los asistentes. Si quieres aprovechar esta característica, sigue estos pasos:

1. Elige la diapositiva donde añadirás alguna nota.

2. Selecciona el icono resaltado en la figura 16.17 para visualizar el panel Notas. Este mismo icono también lo oculta.

3. Haz clic dentro del panel de notas y escribe el texto que desees.

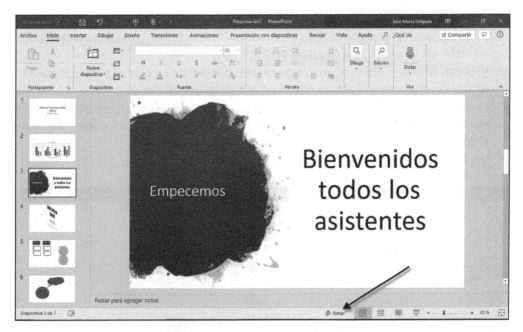

Figura 16.17. Panel Notas.

El comando Página de notas se encuentra en la ficha Vista y tiene como propósito exponer en una misma página tanto la diapositiva como la nota asociada. Usa esta vista para comprobar cómo quedaría el documento impreso si decides aprovechar esta característica.

NOTA:

Para modificar una nota, basta con hacer clic de nuevo en el panel Notas *y cambiar lo que necesites.*

Álbum de fotos

PowerPoint dispone de una interesante herramienta para crear de una forma rápida y sencilla nuestros propios álbumes de fotos con todas las ventajas de las presentaciones, es decir, mostrar imágenes automáticamente, añadir transiciones y efectos, títulos, etcétera.

1. Crea una nueva presentación en blanco. Recuerda que es posible hacerlo con el comando Nuevo del menú Archivo si tienes abierta la aplicación.

2. En la cinta de opciones busca la ficha Insertar.

3. Dentro del grupo Imágenes, haz clic sobre la parte superior del icono Álbum de fotografías y, al instante, aparecerá el cuadro de diálogo de la figura 16.18.

4. Utiliza el botón Archivo o disco si las imágenes se encuentran en alguna ubicación local. No hace falta incluirlas una a una, selecciónalas todas o tantas como quieras y añádelas de una sola vez.

5. El botón Nuevo cuadro de texto agrega una diapositiva en blanco para que puedas incluir un título para el álbum o cualquier otro texto que desees.

6. Los archivos seleccionados aparecerán en la lista Imágenes del álbum. Aquí puedes variar su posición, eliminarlos y visualizarlos en la ventana Vista previa. También existen controles para voltear y cambiar el brillo o el contraste.

7. Para terminar, haz clic en Crear.

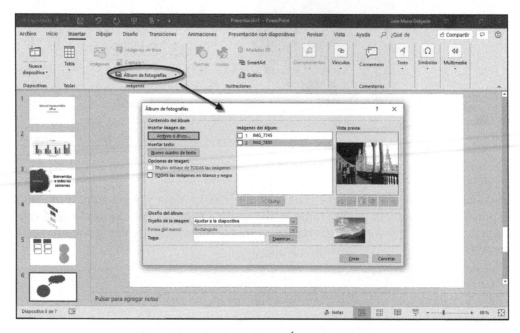

Figura 16.18. Cuadro de diálogo Álbum de fotografías.

NOTA:

Con los iconos situados bajo la lista Imágenes del álbum *varía la posición de cualquier imagen o elimínala. El apartado* Diseño del álbum *establece el aspecto de las imágenes en cada diapositiva, la forma del marco y permite elegir un tema de diseño.*

Presentar en línea

PowerPoint incluye entre sus características la posibilidad de presentar en línea nuestros proyectos ¿Los requisitos para llevar a cabo esta nueva forma de presentar ideas? Bueno, pues tampoco son demasiados:

- Necesitas utilizar una cuenta de usuario Microsoft para acceder al servicio gratuito de presentaciones en línea.
- Como es evidente, tanto nosotros como los destinatarios de la presentación debemos tener conexión a Internet.
- Para los usuarios el único requisito, además de la conexión, es disponer de un explorador compatible. El nuevo Microsoft Edge sería una buena opción teniendo en cuenta que se trata de una aplicación de la misma compañía, pero no tendrás problemas con navegadores como Firefox o Safari.

El procedimiento para llevar a cabo la presentación es sencillo. PowerPoint genera un vínculo que debes enviar a los asistentes por correo electrónico o por cualquier otro medio. Ellos deben hacer clic sobre el enlace y al instante tendrán acceso a la presentación.

ADVERTENCIA:

Si uno de los destinatarios de la presentación reenvía el enlace a otra persona, esta también podrá visualizarla. Piensa en esto si el archivo contiene información confidencial.

Durante la presentación en línea podrás detenerla, realizar cambios y volver a enviar el enlace a los asistentes. Tampoco existe ningún problema en trabajar con otras aplicaciones mientras realizas la presentación, los asistentes en ningún momento tienen acceso a nuestro escritorio y únicamente pueden ver la presentación.

NOTA:

Recomendamos controlar el tamaño de la presentación para mejorar la fluidez durante su ejecución en línea.

Una vez conocidos los detalles más importantes veamos cómo llevar a cabo el proceso que, insistimos, es sencillísimo:

1. Comprueba que te encuentras conectado y estás utilizando una cuenta de usuario Microsoft. En la esquina superior derecha de la cinta de opciones debe aparecer el nombre del usuario.
2. Abre el documento que quieres presentar en línea o crea uno nuevo.
3. En la cinta de opciones, busca Presentación con diapositivas.
4. Entre las opciones disponibles en el grupo Iniciar presentaciones con diapositivas, elige Presentar en línea. Una ventana describe las características más importantes del servicio y un breve recordatorio sobre los requisitos mínimos.
5. Activa la única casilla de verificación disponible si deseas autorizar a los destinatarios a descargar una copia del archivo.
6. Haz clic en el botón Conectar y, tras unos segundos, aparecerá una ventana como la figura 16.19 con el vínculo que debes enviar a los asistentes. Hay dos posibilidades: copiarlo al portapapeles o enviarlo por correo electrónico.

7. Comienza inmediatamente la presentación seleccionando el botón Iniciar presentación.

8. Después de esto, aparecerá la primera diapositiva. Si necesitas volver a la ventana anterior pulsa la tecla Esc.

Si deseas detener la presentación en línea para realizar algún cambio o para hacer un pequeño descanso, utiliza el botón Editar. Para continuar con la presentación selecciona los comandos Desde el principio o Desde la diapositiva actual. El comando Finalizar la presentación en línea cierra la ventana y desconecta a los usuarios vinculados.

Desde la misma ventana de presentación usa el comando Enviar invitaciones para compartir el vínculo con otras personas. Recuerda que también es posible enviarlo por correo electrónico.

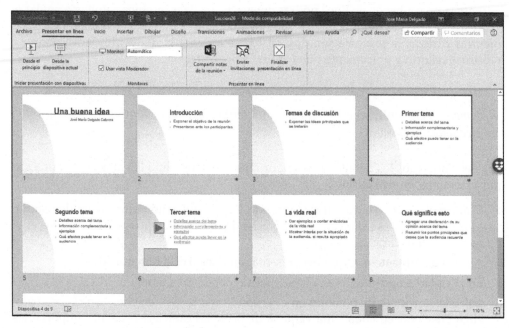

Figura 16.19. Ventana final del proceso de presentación en línea.

Resumen

Las reglas y la cuadrícula son elementos que resultan muy útiles para situar de forma precisa los elementos de la diapositiva.

Dentro de una diapositiva de PowerPoint puedes incluir imágenes, sonidos, vídeos, tablas e incluso gráficos de datos. La forma más sencilla de añadir cualquiera de estos elementos es emplear los modelos prediseñados de diapositivas.

PowerPoint ofrece multitud de posibilidades para modificar el aspecto del texto cambiando el tipo de fuente, añadiendo sombras, biseles o efectos tridimensionales.

17

Transiciones y efectos especiales

- Aplicar efectos especiales y transiciones.
- Añadir animaciones de texto.
- Utilizar viñetas gráficas.
- Crear botones de acción.
- Convertir en vídeo una presentación.

Introducción

En los apartados siguientes describiremos algunas técnicas atractivas para que nuestras presentaciones asombren y resulten mucho más convincentes.

Trataremos las transiciones como elemento fundamental a la hora de animar una presentación, pero también describiremos otras posibilidades interesantes como los efectos especiales para el texto. Este tipo de recursos son muy vistosos, pero debemos valernos de ellos con prudencia para no sobrecargar la presentación.

Transiciones

Las transiciones son un conjunto de animaciones diseñadas para intercalar diferentes efectos visuales entre diapositivas. Mejor veamos un ejemplo:

1. En el panel izquierdo, elige una diapositiva.
2. Busca en la cinta de opciones la ficha Transiciones.
3. Haz clic sobre alguno de los modelos de transición disponibles en el grupo Transición a esta diapositiva. PowerPoint muestra una vista previa del efecto al seleccionarlo.

En la figura 17.1 aprecia el aspecto de la ficha Transiciones y el pequeño símbolo que aparece junto al número de diapositiva. Este elemento indica que tiene asociada una transición.

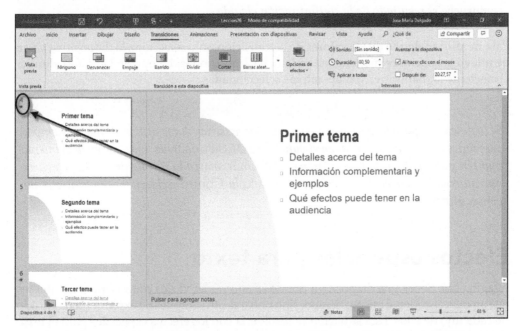

Figura 17.1. Aspecto de la ficha Transiciones y marca asociada a una diapositiva con transición.

El comando Opciones de efectos tiene varias posibilidades relacionadas con cada modelo de transición. Por ejemplo, si escoges Empuje podrás determinar la dirección desde donde aparecerá la siguiente diapositiva.

Además de la lista de transiciones, la ficha Transiciones incluye las siguientes opciones en el grupo Intervalos para configurar de manera precisa el comportamiento de la animación:

- **Sonido:** Asocia un sonido determinado a la transición. La lista de posibilidades es bastante amplia, pero el comando Otro sonido agrega nuestro propio archivo de sonido.
- **Duración:** Establece el intervalo de tiempo que tarda en completarse la animación. Recomendamos no emplear valores excesivamente largos para evitar que la presentación resulte pesada.
- **Aplicar a todo:** Si lo deseas, aplica tanto la transición elegida como los ajustes a todas las diapositivas de la presentación.
- **Al hacer clic con el mouse:** Activa esta casilla si quieres pasar a la siguiente diapositiva utilizando un clic de ratón.
- **Después de:** Establece el tiempo en segundos que transcurrirá antes de pasar a la siguiente diapositiva de forma automática.

NOTA:

Con el icono Vista previa *situado en el extremo izquierdo de la ficha* Transiciones *comprueba el resultado de la configuración elegida.*

Para modificar alguno de los valores de la transición, solo selecciona la diapositiva y usa de nuevo las opciones disponibles en la ficha Transiciones. La opción Ninguno elimina el efecto de la diapositiva o diapositivas seleccionadas.

TRUCO:

Si lo deseas, es posible aplicar transiciones sobre varias diapositivas al mismo tiempo, pero antes debes seleccionarlas en el panel Tira de diapositivas. *Haz clic en la primera, mantén pulsada la tecla* Mayús *y, para terminar, marca la última de las diapositivas que quieres incluir en la selección. Con la tecla* Control *selecciona diapositivas no consecutivas.*

Efectos especiales para texto

Imagina que tienes una diapositiva donde se enumeran varios puntos, pero no quieres que aparezcan todos al mismo tiempo, sino uno tras otro después de explicar el significado de cada uno de ellos. Esta situación se resolvería con los efectos especiales para el texto del siguiente modo:

1. Elige la diapositiva que contiene el texto que necesitas animar. Puedes aplicar efectos sobre cualquier tipo de textos, sin bien es cierto que los resultados más llamativos se consiguen sobre listas con viñetas o listas numeradas.

2. Selecciona el cuadro de texto que contiene la lista con viñetas donde añadiremos los efectos.

3. En la cinta de opciones, busca la ficha Animaciones.

4. Escoge el efecto que desees en el grupo Animación. Para mayor comodidad, haz clic en el botón destacado en la figura 17.2 y accederás a todas las posibilidades disponibles. Del mismo modo que ocurría con las transiciones, PowerPoint muestra una vista previa del efecto cada vez que selecciones alguno de ellos.

5. Ejecuta la presentación y comprueba el resultado.

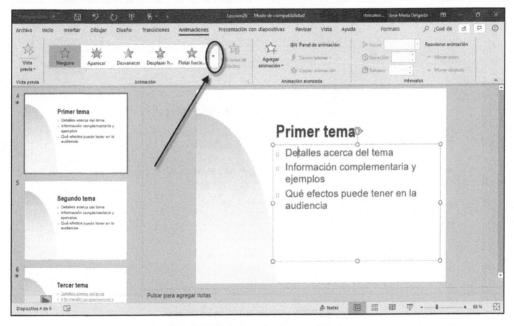

Figura 17.2. Animaciones para el texto.

PowerPoint clasifica las animaciones de texto en varias categorías diferentes:

- **Entrada:** El texto no aparece en la diapositiva y la animación de texto se reproduce en el momento de mostrar la viñeta o el texto animado.

- **Énfasis:** En este caso, el texto ya se encuentra en la diapositiva. El efecto se reproduce cuando haces clic o pulsas Intro para pasar de un punto a otro.

- **Salir:** Todo el texto aparece en el momento de presentar la diapositiva y desaparece después de cada animación.

- **Trayectorias de la animación:** El texto aparece en la presentación, realiza la trayectoria elegida y vuelve a su punto de partida.

Del mismo modo que tratamos para las transiciones, las animaciones se pueden configurar y el significado de sus parámetros son los mismos. En el grupo Intervalos de la ficha Animaciones es posible establecer el método para mostrar la siguiente viñeta (normalmente con un clic de ratón o pulsando la tecla Intro), el tiempo que durará la animación o si es necesario aplicar un determinado retraso.

En texto con viñetas o numeraciones, PowerPoint coloca a la derecha un valor que determina su orden de aparición en la diapositiva. Si lo deseas, cambia este comportamiento y establece el que prefieras. Haz clic sobre el pequeño cuadrado con el número y a continuación usa los comandos Mover antes o Mover después del grupo Intervalos. La figura 17.3 muestra estos comandos y los valores que aparecen junto a cada viñeta.

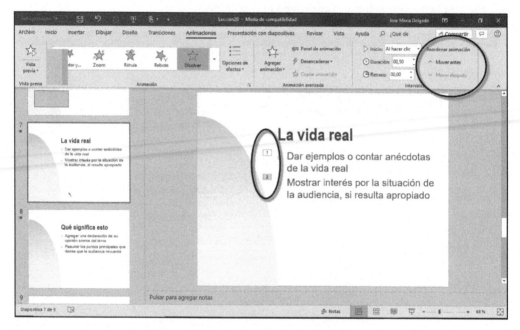

Figura 17.3. Cambiar orden de las viñetas.

Un elemento de gran ayuda a la hora de trabajar con animaciones es el panel del mismo nombre (ver figura 17.4). Visualízalo con el comando Panel de animación situado en el grupo Animación avanzada de la ficha Animaciones. Veamos algunas de sus posibilidades:

- Coloca el cursor en los extremos de la pequeña franja verde situada a la derecha del nombre de cada viñeta y arrastra para cambiar la duración de la animación.

- Con los botones situados en la esquina superior derecha cambia el orden de reproducción de cada elemento.

- Puedes reproducir toda la animación o solo una parte desde el elemento seleccionado.

- Haz doble clic sobre cualquiera de las entradas para configurar todos los detalles de la animación.

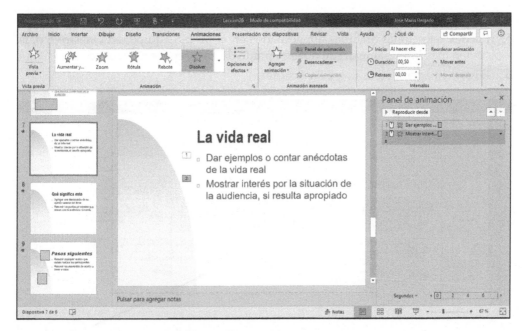

Figura 17.4. Panel de animación.

Para eliminar un efecto, presta atención al pequeño recuadro donde se incluye el número de orden de la animación. Haz clic sobre él y pulsa la tecla Supr.

Viñetas gráficas

Si no deseas emplear los típicos boliches o cuadraditos para tus listas con viñetas, no hay problema, PowerPoint dispone de herramientas para que estos elementos sean mucho más vistosos utilizando gráficos en lugar de los símbolos habituales. La manera de hacerlo es esta:

1. Haz clic con el botón derecho sobre alguna viñeta para modificarla individualmente o sobre el cuadro de texto para cambiarlas todas.

2. A continuación, utiliza el pequeño símbolo situado a la derecha del icono Viñetas incluido en el grupo Párrafo de la ficha Inicio.

3. Busca el comando Numeración y viñetas para abrir el cuadro de diálogo del mismo nombre.

4. Haz clic sobre el botón Imagen para acceder a la ventana que aparece en la figura 17.5.

5. Puedes seleccionar archivos almacenados en el propio equipo, en OneDrive o, la opción más interesante desde nuestro punto de vista, en Desde iconos.

6. Elige la imagen que usarás y da Aceptar.

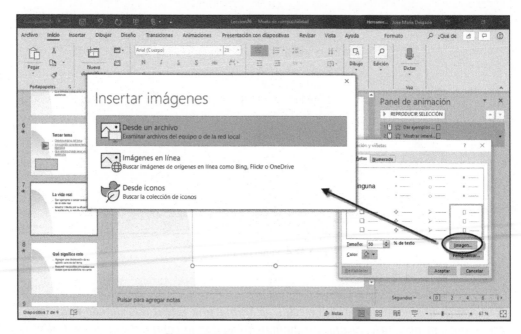

Figura 17.5. Buscar imágenes para viñetas.

Si únicamente deseas cambiar el color y el tamaño de la viñeta, hazlo con los comandos situados bajo la lista de modelos de viñetas.

TRUCO:

Para usar como viñeta algún carácter especial la mejor opción es el botón Personalizar *del cuadro de diálogo* Numeración y viñetas.

Botones de acción

Con estos botones lograrás un mayor grado de interactividad y control en las presentaciones, asignándoles distintas tareas como ir a una diapositiva o ejecutar una tarea determinada.

La forma de incluir y configurar uno de estos botones de acción dentro de una diapositiva es la siguiente:

1. Elige en el panel izquierdo la diapositiva donde incluirás el botón de acción.

2. Haz clic sobre la ficha Insertar y busca Formas en el grupo Ilustraciones.
3. La última de las categorías se denomina Botones de acción, escoge alguno de los diseños disponibles.
4. Haz clic en el lugar de la diapositiva donde colocarás el botón y arrastra para determinar su tamaño. Al soltar aparece el cuadro de diálogo Configuración de la acción.
5. A continuación, elige alguna de las opciones disponibles:
   - **Hipervínculo a:** Configura el botón de acción para acceder a otra diapositiva, presentación, dirección web, etcétera.
   - **Ejecutar programa:** Como su propio nombre indica, ejecuta el programa que seleccionemos desde el botón Examinar.
   - **Ejecutar macro:** Asigna como acción asociada al botón alguna macro que hayamos creado con antelación.
   - **Acción de objeto:** Ejecuta acciones relacionadas con el objeto elegido. Por ejemplo, si hemos seleccionado el comando Configuración de la acción después de hacer clic con el botón derecho sobre un archivo de sonido, la acción disponible será Reproducir.
   - **Reproducir sonido:** Activa esta casilla de verificación para escuchar un sonido cada vez que cliques sobre el botón de acción.
   - **Resaltar al hacer clic:** Modifica el aspecto del botón después de hacer clic sobre él mismo.
6. Para completar el ejemplo, elegiremos la opción Última diapositiva de la lista Hipervínculo a:.
7. Ejecuta la presentación y comprueba que el botón funciona correctamente.

En la pestaña Clic del mouse configuraremos comportamientos que se ejecutarán cuando pulsemos el botón. En cambio, las acciones definidas en la pestaña Pasar el mouse por encima se producen solo con situar el cursor encima del botón u objeto.

TRUCO:

Haz clic con el botón derecho del ratón sobre el botón y busca Formato de forma *para mostrar el panel del mismo nombre donde podrás configurar muchas opciones relacionadas con su aspecto.*

Asociar acciones a cualquier objeto de la diapositiva

Existen determinadas acciones que se pueden asociar a cualquier objeto de la presentación, incluso sobre cuadros de texto o imágenes. Haz clic con el botón derecho sobre el objeto y ejecuta el comando Vínculo. La categoría Lugar de este documento en el margen izquierdo sirve para ir hasta una diapositiva determinada como ilustra el ejemplo de la figura 17.6.

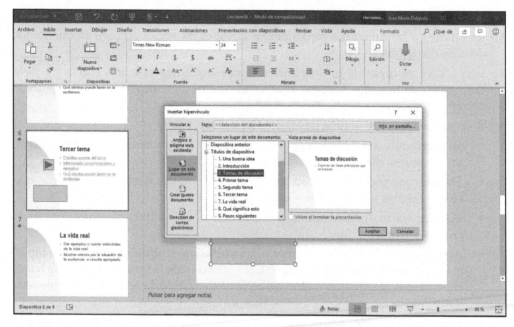

Figura 17.6. Insertar hipervínculo a otra diapositiva de la presentación.

Convertir una presentación en un vídeo

Transformar nuestras presentaciones en un vídeo parece una característica realmente interesante. Además, la forma de hacerlo es muy sencilla:

1. Haz clic en el menú Archivo y selecciona en el margen izquierdo Exportar.

2. A continuación, elige el comando Crear un vídeo para mostrar diferentes posibilidades de configuración. Comprueba en la figura 17.7 el aspecto de esta pantalla.

3. En la primera de las listas desplegables selecciona las dimensiones del vídeo. La calidad y el tamaño del archivo se adaptarán a la opción elegida.

4. La siguiente opción incluye o no las narraciones y los intervalos entre diapositivas.

5. Por último, haz clic sobre el botón Crear vídeo para completar el proceso.

Resumen

Las transiciones hacen mucho más vistoso el paso entre las diapositivas de la presentación. Si bien es cierto que se trata de un recurso que seduce, debemos tratarlo con elegancia y cautela para no aburrir y, sobre todo, para no desviar la atención de los contenidos que realmente deseamos transmitir. También es posible aplicar efectos especiales o animar la forma en que aparecen los elementos que componen una lista numerada o lista con viñetas.

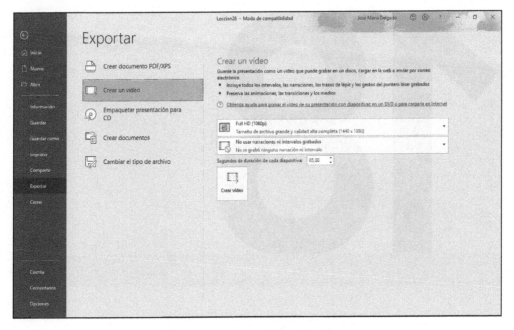

Figura 17.7. Opciones de Crear vídeo.

Los botones de acción añaden el toque de interactividad dentro de una presentación de PowerPoint permitiéndonos asociarles acciones como desplazamientos entre diapositivas, ejecución de macros, reproducción de objetos multimedia, entre otros. PowerPoint permite convertir cualquier elemento de la presentación en un botón de acción.

18

En este capítulo aprenderás a:

- Crear un bloc de notas.
- Compartir anotaciones.
- Añadir vistosas etiquetas.
- Insertar objetos.
- Proteger un bloc con contraseña.
- Realizar anotaciones manuscritas.

Introducción

Estamos en una reunión y necesitamos recopilar una serie de datos que más tarde debemos compartir con varios compañeros de trabajo. Este sería un sencillo ejemplo donde OneNote puede facilitarnos la vida.

OneNote está pensado para tomar apuntes y realizar anotaciones rápidas e incluir en ellas gráficos, imágenes, tablas... En resumen, un auténtico bloc de notas digital. Todo esto, unido a la completa integración con Office y a la posibilidad de acceder a nuestras anotaciones desde cualquier lugar o dispositivo, hacen que sea una aplicación útil e interesante.

Otro de los aspectos a destacar de OneNote son las herramientas de colaboración. La recopilación de cualquier tipo de datos puede ser compartida y alimentada por varias personas a la vez desde OneDrive, convirtiéndolo en el aliado perfecto.

> **NOTA:**
>
> *Recuerda que para aprovechar todas estas características es imprescindible disponer de una cuenta de usuario Microsoft. De este modo, podrás trasladar el contenido de OneNote a OneDrive y así estará disponible en cualquier dispositivo donde tengas instalada la aplicación y utilices la misma cuenta Microsoft.*

En el momento de escribir este libro, la versión de OneNote incluida de manera predeterminada en Windows 10 y la que podemos adquirir con Office es la misma. En versiones anteriores no ocurría así: existía una versión reducida para Windows y otra con más funciones para Office. La nueva versión de OneNote es prácticamente similiar tanto para Windows como para Office y hasta su versión online mantiene los mismos aspectos y características.

Interfaz de OneNote

La interfaz de OneNote es diferente a lo descrito hasta ahora en Word, Excel o PowerPoint. Se presenta mucho más sencilla y más en sintonía con el propósito multidispositivo de la aplicación. OneNote dispone en la parte superior de los siguientes menús:

- **Inicio:** Agrupa las opciones típicas de formato como negrita, cursiva, listas numeradas, sangrías, etcétera. Incluye también los estilos, el portapapeles y la posibilidad de añadir casillas de verificación que mejorarán las anotaciones.

- **Insertar:** Ofrece diferentes comandos para añadir a nuestras notas imágenes, tablas, archivos de diferentes tipos, audio, vídeo, direcciones de Internet... Resulta increíble la variedad de posibilidades que admite OneNote en este aspecto.

- **Dibujar:** Si necesitas escribir a mano, pintar o resaltar cualquier elemento en la nota, emplea las herramientas incluidas en esta ficha. Este menú está pensado sobre todo para dispositivos con pantallas táctiles.

- **Vista:** Además de los típicos botones de zoom y escalado, dispone de una opción atrayente denominada Renglones. Con ella se añaden a la página líneas horizontales y cuadrículas, simulando los típicos cuadernos en papel como puedes comprobar en la figura 18.1. Sin lugar a duda, es una característica a tener en cuenta cuando escribas notas a mano.

- **Bloc de notas de clase:** Este menú solo está disponible si dispones de una cuenta educativa. En este caso, podrías crear un bloc de clase, revisar trabajos de alumnos, gestionar profesores, etcétera.

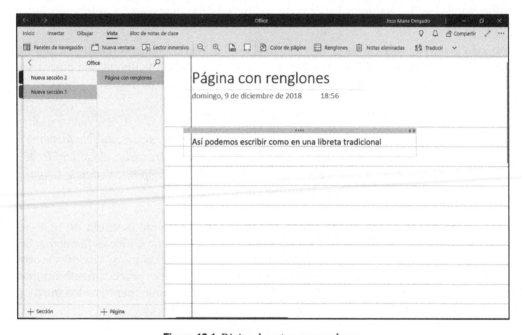

Figura 18.1. Página de notas con renglones.

Cuando el volumen de notas o páginas empiece a crecer será cada vez más complicado encontrar información entre todas las anotaciones. Para ayudarte en esta tarea recurre a la herramienta de búsqueda. Accede a ella desde el cuadro de texto situado justo encima del panel de páginas o con la combinación de teclas Control-B.

Por último, los dos iconos situados en la esquina superior izquierda de la aplicación y representados por una flecha apuntando hacia la derecha y otra hacia la izquierda permiten navegar entre las últimas páginas de notas abiertas.

TRUCO:

Con el comando Color de página *situado en el menú* Vista *cambia la tonalidad de fondo de la página de notas. Utiliza esta característica para dar un aspecto diferente a tus anotaciones.*

Nuestro primer bloc de notas

Imagina que te encuentras en una reunión y necesitas recopilar una serie de datos importantes que más tarde deberás compartir con varios compañeros de trabajo. ¿Cómo hacerlo? Si es la primera vez que trabajas con OneNote, será necesario crear un nuevo bloc de notas como indica la propia aplicación:

1. Haz clic en cualquier lugar de la ventana de la aplicación.
2. A continuación, escribe un nombre para el nuevo bloc.
3. Para terminar, haz clic en el botón Crear bloc de notas. El cursor se situará en la posición destinada al título de la primera página de notas, justo encima de la fecha, como en la figura 18.2.
4. Pulsa la tecla Intro cuando termines de introducir el título para trasladar el cursor al área de redacción.

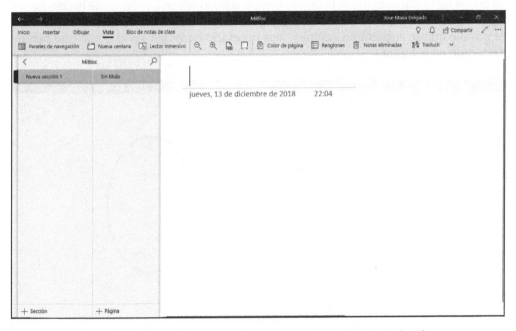

Figura 18.2. Nuevo bloc creado y primera nota lista para introducir el título.

TRUCO:

OneNote permite escribir en cualquier posición de la página de notas, basta con hacer clic con el ratón en el lugar que desees.

Si necesitas añadir nuevas páginas al bloc, hazlo con el botón +Página situado en la parte inferior de la lista de páginas.

Etiquetas

Cuando se trata de recopilar ideas, hacer listas de tareas o enumerar elementos pendientes, las etiquetas de OneNote son una buena opción. Por ejemplo, necesitas redactar la típica lista de cosas que llevas cuando sales de viaje y no quieres olvidar nada:

1. Abre alguna página de notas existente o crea una nueva y escribe el primer elemento de la lista.

2. En el menú superior selecciona Inicio.

3. Haz clic sobre el comando Etiquetar como tarea pendiente.

Una vez completados los pasos anteriores, a la izquierda del texto aparece la típica casilla de verificación. Haz clic sobre ella para mostrar u ocultar el símbolo de confirmación.

La casilla de verificación no es la única etiqueta disponible en OneNote, de hecho, tienes unas cuantas más como se ilustra en la figura 18.3. En función del tamaño de la pantalla, es posible que se encuentren ocultas y sea necesario hacer clic en el botón que hemos destacado en la figura.

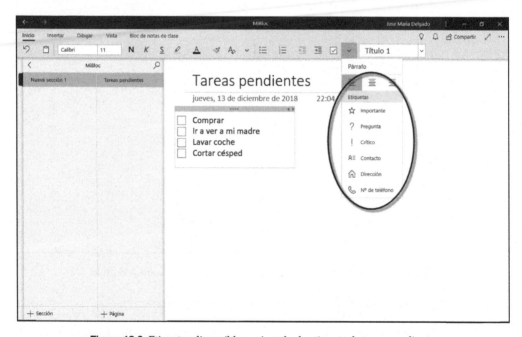

Figura 18.3. Etiquetas disponibles y ejemplo de etiqueta de tarea pendiente.

Las etiquetas se tratan en realidad como un elemento más del texto, para eliminarlas coloca el cursor junto a ella y da Supr o Retroceso. También puedes incluir tantas como consideres.

Insertar

Piensa en una página de notas como en un espacio lleno de opciones donde puedes añadir casi cualquier cosa que imagines. El menú Insertar da una idea de estas posibilidades e incluye elementos atractivos:

- **Tabla:** Describimos las tablas en los primeros capítulos dedicados a Word; en este caso su propósito y la forma de crearlas es idéntica.

- **Archivo:** Del mismo modo que hacemos habitualmente en mensajes de correo electrónico, también es posible adjuntar archivos en páginas de OneNote.

- **PDF:** Todos conocemos las ventajas del formato PDF, pues bien, OneNote permite incluir archivos PDF directamente en una página de notas.

- **Imágenes:** Dispones de tres opciones: añadir una imagen almacenada en el equipo, utilizar la cámara del dispositivo o buscar en Internet.

- **Vídeo en línea:** Para incluir un archivo de vídeo en OneNote copia la dirección completa del lugar donde está alojado, es decir, el contenido completo de la barra de direcciones del navegador. Después, tendrás que pegarla en el cuadro de texto que aparece al seleccionar esta opción. Haz clic en Ver vídeo compatible para acceder a una lista de webs donde hay contenidos admitidos por OneNote.

- **Vínculo:** Incluye enlaces a direcciones de Internet con esta opción. Un pequeño truco, haz clic con el botón derecho sobre cualquier enlace y utiliza el comando Copiar dirección de enlace, Copiar ruta del enlace, Copiar vínculo... según el navegador. Para editar el texto asociado a un enlace, haz clic con el botón derecho sobre él y selecciona el comando Vínculo>Editar vínculo.

- **Audio:** Siempre que dispongas del hardware adecuado en el equipo, puedes usar este comando para incluir fragmentos de audio en las páginas de notas. Después de hacerlo, OneNote añade una nueva entrada de menú, denominada Audio, con diferentes comandos relacionados con las grabaciones de audio (como en la figura 18.4).

- **Detalles de reunión:** Selecciona este comando y OneNote muestra el panel del mismo nombre donde podrás sincronizar el evento con Outlook y mantener un registro de todos los datos.

- **Símbolos:** Muestra una lista de los caracteres especiales más utilizados.

TRUCO:

Con los comandos Cortar *y* Pegar *agrega elementos como texto o imágenes en cualquier página de notas.*

Formularios

Incluida entre las opciones del menú Insertar se encuentra Forms. Haz clic sobre ella para mostrar en el margen derecho un panel donde el primer paso será iniciar sesión con una cuenta Microsoft. A continuación, tienes dos posibilidades: añadir un nuevo formulario para recoger información o realizar un cuestionario para conocer opiniones sobre un tema determinado. Haz clic en cualquiera de ellas para abrir la aplicación Microsoft Form en el navegador y diseñar el formulario.

Figura 18.4. Aspecto de la interfaz de OneNote después de incluir o seleccionar una grabación de audio en una página de notas.

Una vez completado el proceso, regresa a OneNote y el formulario aparecerá en el panel para que puedas incluirlo en la página de notas. El siguiente paso es sencillo:

1. Haz clic en la posición exacta de la página donde añadirás el formulario.

2. En el panel Forms para OneNote, coloca el cursor encima del formulario que deseas usar y selecciona el comando Insertar.

La figura 18.5 muestra el aspecto de una página de notas después de completar todos los pasos descritos.

La información recopilada en el formulario se almacenará directamente en nuestra cuenta de Microsoft Form, donde podremos consultar las respuestas y trabajar con ellas.

Dibujar

Si empleas OneNote en un dispositivo con pantalla táctil, busca el menú Dibujar para escribir o pintar directamente en la página de notas. El método es sencillo, pero antes de empezar debes tener claro el propósito de los dos comandos que hemos señalado en la figura 18.6.

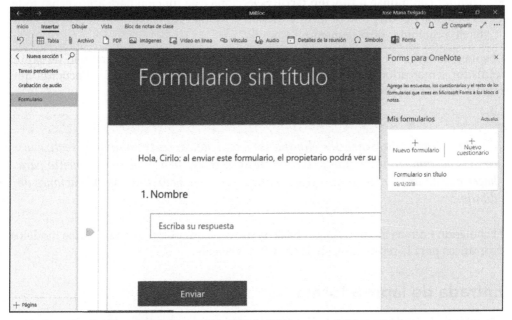

Figura 18.5. Nuevo formulario incluido en una página de notas.

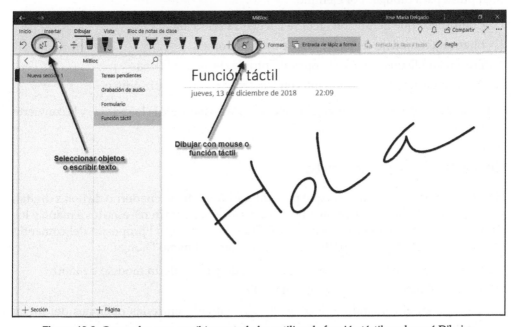

Figura 18.6. Comandos para escribir con teclado o utilizar la función táctil en el menú Dibujar.

- **Seleccionar objetos o escribir texto:** Corresponde con el modo donde el teclado y el ratón son los medios de entrada de datos o selección de objetos.
- **Dibujar con mouse o función táctil:** Selecciona esta función para aprovechar toda la potencia del dispositivo táctil y escribir o dibujar utilizando los dedos, un lápiz táctil o cualquier otro elemento.

Después de elegir el modo táctil, es imprescindible escoger algún modelo de lápiz, rotulador o marcador para dibujar o escribir sobre la página de notas. Recuerda que puedes utilizar tus propios dedos para marcar o dibujar.

TRUCO:

Con la herramienta Borrador *elimina las anotaciones, trazos o dibujos realizados con las herramientas de dibujo. Basta con tocar ligeramente sobre el elemento para hacer que desaparezca, no es necesario arrastrar como ocurre en las aplicaciones de dibujo.*

El comando Formas incluye objetos básicos entre los que se encuentran varios modelos de gráficos para la representación de funciones sencillas.

Entrada de lápiz a forma

El comando Entrada de lápiz a forma será de gran ayuda para todos los que no tenemos buen pulso para dibujar. Por ejemplo:

1. Comprueba que la función táctil se encuentra seleccionada.
2. Elige algún modelo de lápiz, pluma o marcador.
3. En el menú Dibujar, activa la opción Entrada de lápiz a forma.
4. A continuación, traza un círculo con los dedos o con el lápiz óptico.

Comprueba cómo OneNote corrige el aspecto de la forma, perfila los bordes y la convierte en un círculo perfecto.

Entrada de lápiz a texto

Hasta aquí más o menos todo lo que podíamos esperar de un cuaderno de notas digital, pero ¿qué te parecería si OneNote pudiera reconocer los caracteres escritos a mano y los convirtiera de forma automática en texto? Pues, justo ese es el propósito del comando Entrada de lápiz a texto incluido entre las opciones del menú Dibujar.

1. Comprueba que la función táctil está activada y elige algún modelo de lápiz.
2. Escribe el texto a mano o con el lápiz óptico.
3. Haz clic en el comando Selección de lazo situado entre las opciones del menú Dibujar.

4. Seguidamente, describe un área de selección que rodee por completo el texto que deseas convertir.

5. Finalmente, selecciona el comando Entrada de lápiz a texto.

Salvo que tengas una letra realmente ilegible los resultados son muy buenos en la mayoría de los casos.

Regla

¿Necesitas dibujar una línea recta con el dedo o el lápiz táctil? En primer lugar, haz clic en el comando Regla del menú Dibujar. Seguidamente, utiliza dos dedos a la vez para ajustar la regla tanto horizontal como verticalmente. Cuando se encuentre en la posición adecuada, desplaza el dedo o el lápiz táctil sobre el borde para pintar una línea recta perfecta.

Insertar o quitar espacio adicional

Con el comando Insertar o quitar espacio adicional, también incluido entre las opciones del menú Dibujar, haz hueco en la página para añadir algún objeto o más notas. Después de seleccionarlo, haz clic en la zona de la página donde deseas insertar el espacio en blanco y sin soltar arrastra para establecer sus proporciones.

Compartir

La figura 18.7 muestra la situación exacta del comando Compartir en la interfaz de OneNote y el panel que aparece en el margen derecho después de seleccionarlo. Su funcionamiento es el mismo que tratamos en los primeros capítulos. Escribe las direcciones de correo electrónico de aquellas personas con las que deseas compartir las notas y elige si podrán editar el documento o solo verlo.

En la parte inferior, la opción Enviar una copia permite adjuntar la página de notas a un mensaje de correo electrónico o enviarla como archivo por el sistema de mensajes de Skype.

Blocs, secciones y páginas

OneNote es una herramienta realmente útil, por este motivo es muy probable que la información almacenada en nuestras notas y apuntes se incremente día a día. Por todo ello, es fundamental aprovechar las posibilidades de organización que ofrece la aplicación.

Es importante saber que OneNote divide cada bloc en secciones y estas a su vez en páginas. Un bloc puede incluir varias secciones y cada una de ellas, tantas páginas de notas como necesites. En la figura 18.8 se ilustra el aspecto y la situación de estos tres elementos: blocs, secciones y páginas.

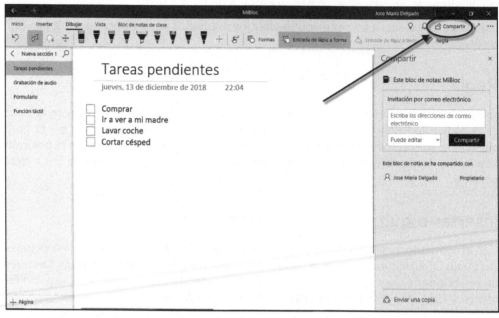

Figura 18.7. Comando Compartir y panel del mismo nombre.

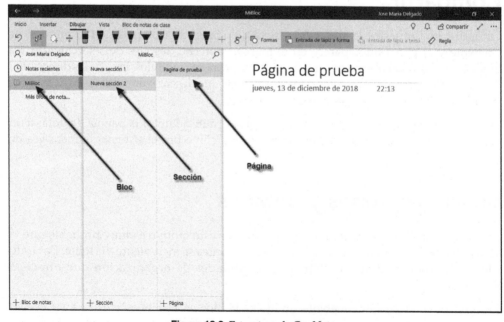

Figura 18.8. Estructura de OneNote.

Haz clic con el botón derecho sobre el nombre de una sección o una página y tendrás acceso a diferentes comandos en función del tipo de elemento:

- Cambiar el nombre de un bloc, sección o página.
- Eliminar cualquier elemento, pero no olvides que, en el caso de las secciones, también se borran todas las páginas incluidas en ella.
- Mover o copiar páginas a otras secciones o secciones a otros blocs.
- El comando Color de sección o Color de bloc cambia el color predeterminado de la sección o bloc.
- Anclar a inicio vincula el elemento elegido al icono OneNote en el menú Inicio de Windows. De este modo, al hacer clic sobre él se abrirá automáticamente el bloc, sección o página elegido.
- El comando Ver notas eliminadas solo aparecerá cuando hagas clic con el botón derecho sobre el nombre de un bloc.
- Protección con contraseña, solo disponible para secciones, ofrece un grado extra de seguridad si necesitas proteger la información almacenada.

Teniendo en cuenta su importancia, trataremos el comando Copiar vínculo de forma más detalla en los siguientes apartados.

Traductor

OneNote ofrece la posibilidad de traducir el contenido completo de una página de notas a otro idioma mediante el servicio Microsoft Translator. Haz clic con el botón derecho sobre la página y busca el comando Traducir página para mostrar el panel Traductor. Elige el idioma y da Aceptar para traducir la página.

La aplicación mantiene la página original sin modificar y crea una nueva con el resultado de la traducción.

Vista Notas recientes o Bloc de notas

OneNote contempla dos posibilidades o vistas relacionadas con la forma de mostrar y acceder a las diferentes páginas de notas:

- La primera de ellas son los blocs de notas que hemos visto hasta ahora. Puedes tener tantos como necesites y dentro de ellos agrupar las páginas de notas por secciones. Los blocs ofrecen una estructura limpia y ordenada para organizar nuestras anotaciones.

- El segundo método es el modo Notas recientes. En este caso se muestra una única lista con todas las páginas de notas ordenadas por fecha y hora de creación. Con esta vista podrás acceder rápidamente a las últimas anotaciones incluidas en la aplicación.

En la figura 18.9 se aprecia el icono que sirve para seleccionar el modo Notas recientes o Bloc de notas. Este mismo icono también es necesario para desplegar los paneles de sección u otro bloc de notas y cambiar de elemento.

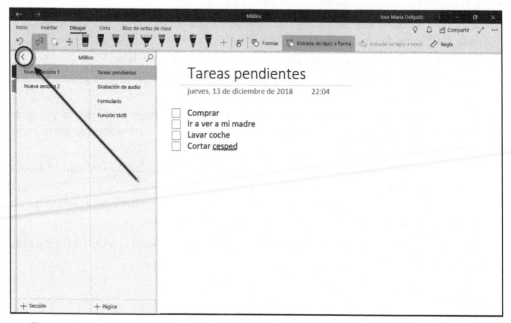

Figura 18.9. Acceder a Notas recientes, seleccionar un bloc de notas diferente o cambiar de sección.

> **TRUCO:**
>
> *Si por algún motivo necesitas mostrar una página de notas en una página independiente selecciona primero el menú* Vista *y, a continuación, escoge el comando* Nueva ventana.

Por defecto, las nuevas páginas se añaden ordenadas cronológicamente, pero si lo deseas cambia su posición. Haz clic sobre su nombre y, sin soltar, arrástrala hasta el lugar donde quieres situarla. Esta característica funciona en el modo Bloc de notas, pero no en la vista Notas recientes.

Con OneNote es posible crear secciones dentro de los blocs para agrupar las páginas de notas. Pero existe una opción más, se trata de los grupos de secciones. Para crear uno, haz clic con el botón derecho sobre algún espacio vacío del panel de secciones y elige el comando Nuevo grupo de secciones.

Vínculos entre páginas o secciones

Una característica atractiva de OneNote es la posibilidad de añadir vínculos entre páginas o secciones para hacer referencias de forma sencilla a datos incluidos en otros elementos:

1. Haz clic con el botón derecho del ratón sobre la página a la que deseas hacer referencia.
2. Busca el comando Copiar vínculo a la página.
3. A continuación, abre la nota donde quieres pegar el vínculo.
4. Utiliza la combinación de teclas Control-V o haz clic con el botón derecho y selecciona Pegar. En la figura 18.10 aprecia el aspecto del vínculo después de incluirlo en la página.

A partir de este momento, bastará con hacer clic sobre el enlace para abrir directamente la página referenciada.

> **NOTA:**
>
> *El comando* Copiar vínculo a la sección *(disponible después de hacer clic con el botón derecho sobre alguna etiqueta de sección) copia la dirección o vínculo a la sección elegida en el portapapeles para que solo con el comando* Pegar *o la combinación de teclas* Control-V *se inserte el enlace donde desees.*

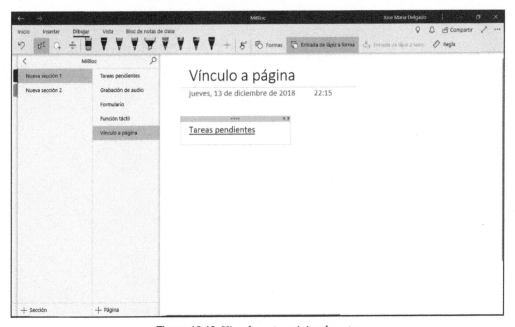

Figura 18.10. Vínculo a otra página de nota.

Resumen

OneNote es una gran herramienta por sí sola, pero además es el complemento perfecto para muchas de las aplicaciones de Office. En este capítulo hemos querido mostrar las funcionalidades más importantes, pero será en el día a día donde descubras las posibilidades del programa.

19

En este capítulo aprenderás a:

- Conocer los fundamentos de las bases de datos.
- Comenzar a trabajar con Access.
- Gestionar y planificar una base de datos.
- Crear tablas.
- Trabajar con registros.
- Ordenar y filtrar la información de las tablas.
- Diseñar y trabajar con formularios.

Introducción

Miremos a donde miremos estamos rodeados de información almacenada en bases de datos. Esta forma de guardar y mantener ordenada la información es fundamental, sobre todo teniendo en cuenta el volumen de datos que se manejan hoy en día.

Explicar en pocas palabras qué es una base de datos no es sencillo. Simplificando mucho, podemos decir que es un conjunto ordenado de datos según ciertas reglas y criterios. Si a esta definición le añadimos el concepto de «Gestor de bases de datos», estamos ante un sistema que permite almacenar de forma ordenada cualquier tipo de información, así como acceder a ella y recuperarla aplicando distintos filtros y criterios de selección.

Por ejemplo, imagina que tienes tantos discos de música que necesitas ordenarlos y clasificarlos de algún modo. La solución puede ser crear una base de datos con todos los títulos. En este caso, cada disco tendría un número o clave que lo identificaría y datos complementarios como el género musical al que pertenece, el intérprete, la discográfica, etcétera.

Una vez hecho el trabajo de campo, es decir, rellenar la base de datos con toda la información, es la hora de sacarle partido.

Llega un amigo a casa y quieres prestarle todos los discos de «El último de la fila» para una fiesta que tiene dentro de una hora. Pero, aun siendo consciente de la urgencia de la petición, invitas a tu amigo a un café. Este se pone algo nervioso e insiste, pero le comentas que todo está perfectamente organizado y que tardarás escasos segundos en localizar todos los títulos que ha pedido. Como nuestro amigo es algo incrédulo, se lo demuestras. Abres la base de datos y le pides que muestre el código de todos los discos que incluyen la cadena de caracteres «El último de la fila» en el apartado intérpretes y... en unos segundos tiene la lista de todos los discos que requieres.

Este es un ejemplo más o menos real de cómo podemos aprovechar las posibilidades que ofrecen las bases de datos. En el resto del capítulo iremos descubriendo como Access es imprescindible en tareas donde se maneja gran cantidad de información.

Entorno de Access

Después de iniciar la aplicación, aparecerá la pantalla de Inicio como en el resto de las aplicaciones de Office. Haz clic sobre la plantilla denominada Base de datos del escritorio en blanco para acceder al entorno de Access donde encontrarás elementos que ya conoces como la cinta de opciones, la barra de acceso rápido o el menú Archivo.

El panel Todos los objetos de Access (que se aprecia en la figura 19.1) es uno de los componentes del entorno más importantes de la aplicación junto con la ventana de diseño situada a la derecha. Este panel será el espacio donde se organizarán todos los objetos que incluyamos en la base de datos como tablas, consultas, informes...

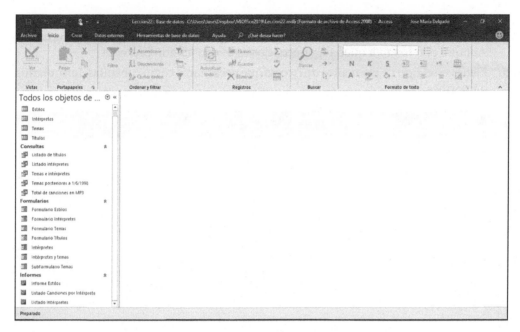

Figura 19.1. Aspecto del panel Todos los objetos de Access.

El pequeño botón del panel de objetos de Access, resaltado en la figura 19.2, despliega un menú donde podrás configurar tanto los objetos que aparecen en el panel como la organización de estos. Si necesitas más espacio, utiliza el icono también resaltado para ocultar el panel.

Análisis y planificación

Antes de empezar a trabajar en Access es imprescindible realizar determinadas tareas de planificación y análisis. Por este motivo, lo más conveniente es coger lápiz y papel para hacernos un pequeño esbozo de lo que será la estructura de nuestra base de datos.

1. Debemos tener clara la finalidad del trabajo, ya que será determinante para crear las tablas y la estructura básica de la base de datos.

2. Enumera las tablas que necesitas. Por ejemplo, si estás diseñando una base de datos para un pequeño negocio, probablemente necesitarás una tabla de clientes, otra de proveedores, otra de pedidos, etcétera.

3. Una vez tomada la decisión sobre las tablas, toca el turno a la información que almacenarás en cada una de ellas. Siguiendo con el ejemplo anterior, para la tabla de clientes necesitarás nombre, dirección, teléfono, persona de contacto, entre otros. Desde el principio es necesario tener claros todos estos datos para evitar modificar la estructura de la base de datos una vez creada.

4. Piensa en la relación que tendrán las tablas entre sí. Por ejemplo, está claro que la tabla de pedidos tiene que estar asociada de algún modo a la tabla de proveedores. Aunque esto todavía queda un poco lejos es bueno tenerlo presente.

5. Piensa en el tipo de elementos de Access que necesitarás como consultas, formularios o informes.

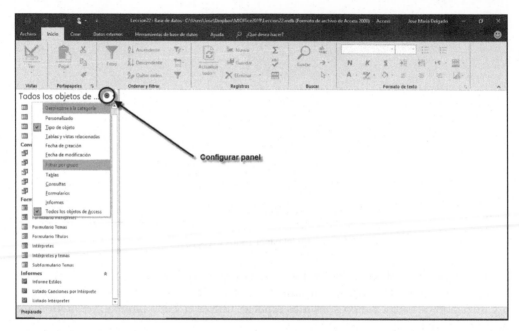

Figura 19.2. Configurar el aspecto del panel Todos los objetos de Access.

Revisados todos estos puntos, estudia la estructura propuesta para detectar posibles fallos. Insistimos en que una buena planificación hará mucho más fácil la tarea de creación y diseño de la base de datos. Además, evitará que tengamos que hacer cambios sobre la estructura.

Tablas

Las tablas son la columna vertebral de Access y, por lo general, de cualquier sistema gestor de bases de datos. Como ya sabemos, las tablas son los contenedores donde se incluirá la información para ordenar, organizar y almacenar en nuestras bases de datos.

El propósito en este y los capítulos siguientes será crear una base de datos para tener organizada nuestra biblioteca musical. Para comenzar con nuestro ejemplo lo primero que necesitas es crear una nueva base de datos:

1. Inicia la aplicación y haz clic sobre la plantilla Base de datos de escritorio blanco.

2. A continuación, escribe un nombre para la base de datos y determina una ubicación para guardarla.

3. Con el botón Crear completa el proceso y accede al entorno de Access.

Si ya estás en el entorno de Access, haz clic en el comando Nuevo del menú Archivo para crear una nueva base de datos. Una vez creada la base de datos, el siguiente paso es diseñar la estructura de tablas que soportará la información de esta. Vamos a suponer que ya hemos trabajado el tiempo suficiente sobre la planificación de la base de datos y finalmente decidimos usar cuatro tablas:

- Una tabla donde almacenaremos los intérpretes.
- Otra donde guardaremos información sobre los temas, es decir, las canciones incluidas en cada disco de música.
- Una más donde se encontrarán nuestros títulos o, lo que es lo mismo, los nombres de cada disco.
- Y una última de estilos musicales.

ADVERTENCIA:

Para no alargarnos demasiado en la creación del ejemplo, almacenaremos solo la información básica, pero si lo deseas puedes completarla. En cualquier caso, no añadas muchos datos ya que en el capítulo dedicado a las relaciones será necesario modificar la estructura y perderemos parte de la información almacenada.

Para la primera tabla utilizaremos la que aparece por defecto después de crear la base de datos. Los pasos a seguir son estos:

1. En el panel de objetos de la base de datos selecciona el único elemento disponible Tabla1.

2. En la cinta de opciones, haz clic sobre la ficha Campos asociada a la categoría Herramientas de tabla.

3. Selecciona la parte inferior del icono Ver, situado en el extremo izquierdo, y elige Vista Diseño.

4. Access muestra un cuadro de diálogo donde debes introducir un nombre para la tabla; escribe Intérpretes y acepta.

Después de estos sencillos pasos, ya tendremos la primera tabla de nuestra base de datos lista para añadir los campos necesarios, como puedes comprobar en el ejemplo de la figura 19.3.

NOTA:

Si necesitas cambiar el nombre de una tabla, haz clic con el botón derecho sobre ella en el panel de objetos de la base de datos y, a continuación, selecciona el comando Cambiar nombre.

Figura 19.3. Primera tabla en modo vista Diseño.

Campos

Un campo es la unidad de información mínima dentro del conjunto de la base de datos. Por ejemplo, para nuestra tabla de intérpretes podrían ser el nombre del intérprete, su nacionalidad, etcétera.

Retomamos la tabla en el punto donde la dejamos en el apartado anterior para crear los campos necesarios:

1. El cursor debe estar en la primera casilla por lo que aprovechamos para escribir el nombre del primer campo: ID_intérprete. Este valor servirá para identificar de manera única a cada intérprete.

2. Haz clic en la columna Tipo de datos y selecciona el pequeño botón situado a la derecha. En la lista desplegable que aparece, escoge el tipo Autonumérico. Con la tecla Tab desplaza el cursor a la columna siguiente.

3. En la columna Descripción escribe Código del intérprete.

4. Haz clic en la segunda fila de la columna Nombre del campo y escribe Nombre.

5. En la columna Tipo de datos puedes dejar la opción que aparece predeterminada, es decir, Texto corto.

6. En la columna Descripción escribe Nombre del intérprete o grupo.

7. De nuevo en la tercera fila de la primera columna escribe Nacionalidad y elige el tipo Texto corto en la columna de la derecha.

8. Para la descripción de este último campo escribe País de origen del intérprete o grupo.

9. Llegados a este punto, el aspecto de la tabla debería ser similar a la de la figura 19.4. Haz clic en el botón Guardar situado en la barra de acceso rápido para almacenar los cambios realizados.

Figura 19.4. Tabla Intérpretes con tres campos.

La explicación de lo que hemos hecho es sencilla: la primera de las columnas sirve para establecer el valor que identificará al campo o unidad de información. Después, el tipo de datos indica el carácter de la información que contendrá el campo: texto, número, fecha, moneda... Por último, la columna Descripción aporta algunos detalles más sobre el contenido del campo.

Tipos de datos

Para que no tengas ningún problema a la hora de seleccionar el tipo de dato más adecuado en cada caso, a continuación, describimos cada uno de ellos:

- **Texto corto:** Se trata de una cadena de caracteres de longitud variable (máximo 255 caracteres).
- **Texto largo:** Almacena grandes cantidades de texto.
- **Número:** Indica cantidades y valores numéricos.
- **Fecha/Hora:** Señala fechas y horas en diferentes formatos.
- **Moneda:** Determina valores numéricos con formato de moneda. Entre sus propiedades es importante determinar el número de cifras decimales.
- **Autonumeración:** Es un campo numérico cuyo valor se incrementa cada vez que se añade un nuevo registro.
- **Sí/No:** Son valores de tipo booleano (1 o 0).
- **Objeto OLE:** Sirve para incluir objetos de otras aplicaciones como imágenes, archivos de Word o de Excel...
- **Hipervínculo:** En realidad es un tipo de texto que aplica características especiales de enlace.
- **Datos adjuntos:** Este tipo puedes considerarlo como un cajón de sastre donde tienen cabida todos los tipos anteriores, así como documentos, archivos de diferentes aplicaciones, imágenes, entre otros.
- **Calculado:** Se trata de un tipo de datos realmente interesante, teniendo en cuenta que Access permite rellenarlo a partir de la información del resto de campos, funciones o constantes definidas por el usuario.
- **Asistente para búsqueda:** Esta última opción no es un tipo de dato realmente, es más una herramienta para asociar a un campo una lista de valores predeterminada, de modo que a la hora de su introducción sea obligatorio elegir un elemento de esta lista. Trataremos esta característica en el capítulo dedicado a las relaciones entre tablas.

Con todo lo comentado hasta ahora, la forma de crear una tabla pasa por introducir el nombre de cada campo, su tipo y algún comentario si fuera necesario, repitiendo este proceso para todos los campos que quieras incluir.

Propiedades de los campos

Asociadas a cada tipo de dato, en la parte inferior del cuadro de diálogo, aparecen una serie de propiedades.

Por ejemplo, la figura 19.5 ilustra las propiedades del tipo Texto corto. En este caso, cabe destacar la primera de las opciones, denominada Tamaño del campo, que contempla el tamaño máximo de la cadena de caracteres que admitiría el campo.

Figura 19.5. Propiedades del campo Texto.

La longitud máxima del tipo Texto corto *es de 255 caracteres. Si crees que los datos almacenados en este campo superarán este límite deberás utilizar el tipo* Texto largo.

En el espacio situado a la derecha de las propiedades, encontrarás una breve descripción. En cualquier caso, enumeramos las más importantes:

- **Tamaño del campo:** Define el número total de caracteres que admite el campo en los tipos de texto, así como el valor máximo que se puede representar en los tipos numéricos.

- **Formato:** Para algunos de los tipos como las fechas y horas, puedes elegir entre diferentes modelos de representación.

- **Lugares decimales:** Esta propiedad solo está disponible para los tipos numéricos y determina el número de posiciones decimales que se utilizarán tanto para almacenar como para representar el valor.

- **Máscara de entrada:** Introduce ciertas reglas para que el campo se ajuste a un formato determinado.

- **Título:** Determina el nombre del campo en los formularios e informes donde lo utilices.

- **Valor predeterminado:** Aquí puedes introducir el valor por omisión para el campo. Este aparecerá antes de introducir nada.

- **Regla de validación:** Determina las condiciones que debe cumplir la información para que sea admitida por el campo.
- **Texto de validación:** Cuando el valor que queremos introducir no cumpla la regla anterior, aparecerá el mensaje que escribamos en esta propiedad.
- **Requerido:** Hace obligatoria o no la introducción de un valor en el campo.
- **Permitir longitud cero:** Con esta propiedad activa es posible introducir cadenas de longitud cero en los campos de tipo Texto o Memo.
- **Nuevos valores:** Este campo solo está disponible para el tipo Autonumérico y permite elegir entre la generación secuencial de valores para el campo o hacerlo de forma aleatoria.

> **NOTA:**
>
> *Debes tener en cuenta que no todas las propiedades están disponibles para todos los tipos de datos posibles.*

Registros

Después de ver el concepto de campo debemos avanzar un paso más y hablar de los registros. Simplificando mucho, un registro es un conjunto de campos o, simplificando aún más, cada una de las filas de la tabla. Por lo tanto, si los campos eran la unidad mínima de información dentro de la base de datos, los registros son el siguiente peldaño dentro de esa escala y se pueden considerar como uno de los conceptos más importantes y utilizados cuando trabajamos con bases de datos. Por ejemplo, en el caso de la tabla de intérpretes un registro sería:

```
0001   Revólver     España
```

Como puedes comprobar esta sí es una estructura que proporciona suficiente información para empezar a considerarla útil.

Campos clave

Para identificar de manera única cada registro de una tabla es necesario definir un campo denominado Clave. La clave es única para cada tabla y puede estar compuesta por uno o varios campos. Este último caso se utiliza cuando ninguno de los campos de la tabla por sí solo puede identificar de forma exclusiva los registros de la tabla.

Para ilustrar todo lo mencionado con un ejemplo, imagina que tienes una base de datos de clientes. Es evidente que el primer apellido no puede ser una clave válida ya que podría existir más de un cliente con el mismo apellido, incluso tampoco valdría si usáramos los dos apellidos, dado que existe la posibilidad de tener hermanos entre nuestros clientes. En cambio, el CIF o el NIF sí son valores asociados de forma exclusiva a una persona y, por lo tanto, sirven como la clave idónea para nuestra tabla de clientes.

Access identifica de forma predeterminada el primer campo de la tabla como clave (observa la figura 19.6). Para nuestros propósitos es perfecto porque el campo ID_ intérprete cumple todas las condiciones para ser la clave de nuestra tabla. El hecho de ser de tipo autonumérico le proporciona la propiedad de identificador único, ya que será Access quien se encargue de dar un valor diferente a este campo cada vez que incluyamos un nuevo registro en la tabla.

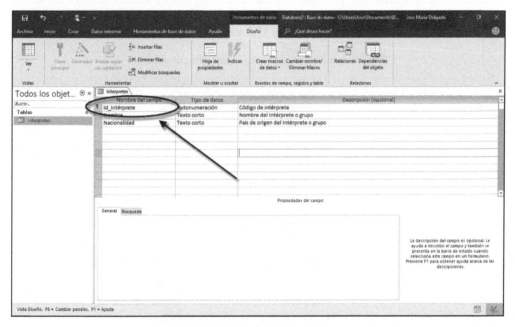

Figura 19.6. Campo clave principal.

Si decides cambiar la opción predeterminada y emplear como clave cualquier otro campo:

1. Haz clic con el botón derecho sobre el campo y en el menú emergente busca Clave principal. De esta forma, le indicamos al programa que ese campo ya no es clave de la tabla.

2. A continuación, vuelve a hacer clic con el botón derecho sobre el campo que utilizarás como clave y elige el mismo comando.

Con el comando Clave principal situado en la ficha Diseño también se asigna o elimina esta propiedad del campo seleccionado.

Es importante determinar bien el campo clave en la fase de diseño de la tabla ya que una vez empecemos a introducir datos será muy complicado modificar esta propiedad.

Antes de llenar la base de datos de información no existe ningún problema en modificar alguno de sus campos, pero cuando contiene registros es mejor no hacerlo a no ser que resulte estrictamente necesario.

Para cambiar el nombre de cualquier campo, solo haz clic sobre él y sigue los métodos de edición habituales. Del mismo modo, para cambiar el tipo, escoge en la lista el nuevo tipo de dato que desees emplear.

Para completar nuestra base de datos de música, necesitaremos tres tablas más además de la que ya tenemos de intérpretes. La primera de ellas, con información sobre los temas que componen la discografía; otra, con los datos de cada disco; y una última, sobre estilos musicales. Con la información de la tabla 19.1 y todo lo aprendido hasta ahora, créalas.

Tabla 19.1. Información para crear las tablas de ejemplo.

Nombre de la tabla	Campo	Tipo de dato
Temas	ID_Tema (CLAVE)	Autonumérico
	NombreTema	Texto
	FechaPublicación	Fecha/Hora
	Intérprete	Texto
Títulos	ID_Título (CLAVE)	Autonumérico
	Intérprete	Texto
	NombreTítulo	Texto
	NúmCanciones	Numérico
	FechaPublicación	Fecha/Hora
	Formato	Texto
Estilo	ID_Estilo	Autonumérico
	NombreEstilo	Texto

Una vez creadas las estructuras de las tablas, el siguiente paso es introducir información en ellas y, para esto, usa la vista Hoja de datos.

Vista Hoja de datos

Hasta ahora la única vista que conocemos para tablas es la que hemos utilizado para crear su estructura y se denomina vista Diseño. Además de esta, es imprescindible tener algún modo de introducir información en la tabla. A esta segunda vista se la conoce como Hoja de datos y se puede acceder a ella de varios modos:

- En la cinta de opciones, tanto las fichas Inicio como Diseño incluyen el comando Ver en el grupo Vistas. Haz clic sobre la mitad inferior del botón y selecciona Vista Hoja de datos.

- Haz doble clic sobre el nombre de la tabla en el panel de objetos y automáticamente se mostrará en la vista Hoja de datos.

- Emplea los iconos que hemos señalado en la figura 19.7 para acceder a la vista Diseño o a Hoja de datos.

Figura 19.7. Iconos para acceder a la vista Diseño o a la vista Hoja de datos.

Una vez abierta la tabla en la vista Hoja de datos introduce datos en ella del siguiente modo:

1. Haz clic en el primer campo; si este es del tipo Autonumérico déjalo como está y pasa al siguiente pulsando la tecla Tab. Access se encarga de asignarle un valor de forma automática.

2. Escribe la información que desees y con la tecla Tab pasa al siguiente campo.

3. Si estás en el último campo y quieres pasar al siguiente registro basta con pulsar la tecla Tab. También con el ratón se rellena cada campo.

ADVERTENCIA:

Cuando introduzcas información, no olvides usar con cierta frecuencia el botón Guardar *o la combinación de teclas* Control-G *para evitar perder información.*

Para modificar cualquier dato de un campo de la tabla solo haz clic en el campo y sigue los métodos de edición habituales.

Otra funcionalidad atractiva de la vista Hoja de datos es la posibilidad de añadir nuevos campos a la tabla. Basta con hacer clic sobre el último encabezado denominado Haga clic para agregar y en la lista de tipos escoger el modelo más adecuado. Para terminar, escribe el nombre del nuevo campo y pulsa Intro.

Eliminar registros

Para eliminar un registro muestra la tabla en la vista Hoja de datos. A continuación, haz clic con el botón derecho del ratón sobre el margen de color gris situado a la izquierda y busca el comando Eliminar registro en el menú emergente.

Si deseas seleccionar varios registros al mismo tiempo, haz clic en el margen de color gris situado a la izquierda y arrastra hacia arriba o abajo para añadir tantos registros como desees. Seguidamente, con la tecla Supr elimínalos.

Ordenar y filtrar

La vista Hoja de datos ofrece posibilidades interesantes a la hora de ordenar y filtrar los registros de la tabla. Concretamente, Access añade un pequeño botón de filtro a la derecha del nombre de cada campo (como se aprecia en la figura 19.8). Haz clic sobre cualquiera de ellos y tendrás acceso a una ventana donde podrás:

- Ordenar los registros de la tabla por el campo seleccionado según diferentes criterios.
- Mostrar solo los registros que cumplan una determinada condición mediante los comandos Filtros de texto o Filtros de números.
- Encontrar, en la parte final, todos los valores distintos de la tabla para ese campo junto a una casilla de verificación que muestra solo aquellos que selecciones.

Los comandos descritos en los puntos anteriores y algunas opciones más se encuentran disponibles en el grupo Ordenar y filtrar de la ficha Inicio.

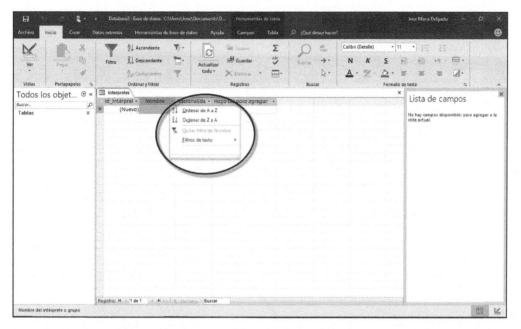

Figura 19.8. Menú asociado a cada campo de la tabla en la vista Hoja de datos.

TRUCO:

En la barra de estado asociada a la vista Hoja de datos *se encuentra el cuadro de búsqueda (observa la figura 19.9). Introduce en él cualquier valor que desees encontrar en la información almacenada en los registros de la tabla.*

Cambiar el orden de los campos

Tanto en la vista Diseño como en la vista Hoja de datos existe la posibilidad de cambiar el orden de los campos de la tabla:

1. Haz clic sobre el cuadro de selección del campo que moverás, nos referimos al cuadro gris situado a la izquierda del campo en el caso de la vista Diseño y del nombre de la columna para la vista Hoja de datos.

2. A continuación, haz clic de nuevo sobre el campo seleccionado, mantén pulsado el botón izquierdo del ratón y arrastra hasta la nueva ubicación en la que colocarás el campo. Una línea más gruesa de color negro indica la posición de destino.

Imprimir tablas

Access dispone de un objeto denominado Informes con el que se obtiene una copia impresa de la información contenida en la base de datos. Esto es lo ideal, pero en ciertas ocasiones simplemente necesitarás una copia de la información almacenada en alguna tabla; en estos casos, usa el comando Imprimir del menú Archivo.

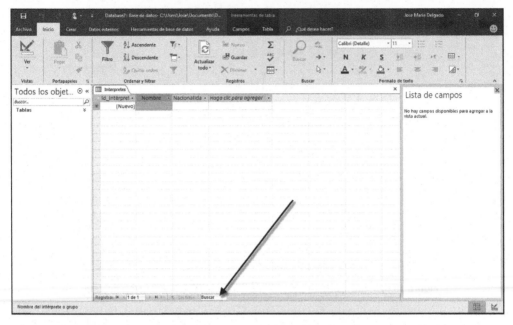

Figura 19.9. Cuadro de búsqueda asociado a la barra de estado en la vista Hoja de datos.

ADVERTENCIA:

A lo largo de los siguientes capítulos iremos añadiendo nuevos objetos a la base de datos. Esto provocará algunos cambios en su estructura, sobre todo durante el desarrollo del último capítulo. Por este motivo, aconsejamos no introducir demasiada información en las tablas de la base de datos hasta el final del último capítulo. A partir de ese momento, ya podrás modificarla e introducir todos los datos que desees.

Formularios en Access

La misión principal de este tipo de objetos es facilitarnos la introducción de información en la base de datos. Si has empezado a completar las tablas creadas en los apartados anteriores seguro que has resoplado más de una vez pensando si no existe otra forma mejor de hacer este trabajo. Para mejorar esta tarea, Access dispone de los formularios.

Para empezar, veremos los pasos necesarios para crear un formulario sencillo basado en los datos de una de las tablas de ejemplo, la de los intérpretes:

1. Abre la base de datos de ejemplo. Usa el acceso a los archivos recientes de la pantalla de inicio.

2. En el panel de objetos de la base de datos elige la tabla que estará asociada al formulario, en nuestro caso, Intérpretes.

3. En la cinta de opciones busca la ficha Crear.

4. Haz clic sobre el comando Formularios situado en el grupo del mismo nombre.

Una vez completados los pasos anteriores aparecerá una nueva pestaña en la base de datos y, en ella, tantos cuadros de texto para la introducción de datos como campos tuviera la tabla. Observa su aspecto en la figura 19.10 así como la nueva categoría que muestra la cinta de opciones denominada Herramientas de presentación de formulario.

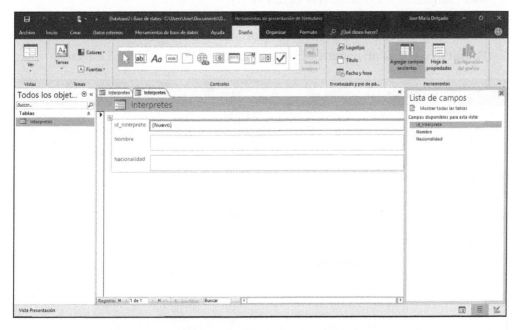

Figura 19.10. Nuevo formulario y categoría Herramientas de presentación de formulario.

Guarda el formulario y asígnale un nombre. Hazlo con el botón Guardar de la barra de acceso rápido o la combinación de teclas Control-G. Con esto, el panel de objetos de la base de datos mostrará el nuevo elemento y una nueva categoría denominada Formularios.

Este método que acabamos de describir permite crear sin demasiadas complicaciones un formulario de introducción de datos. Eso sí, la capacidad de control sobre el proceso es mínima. En cualquier caso, es un buen punto de partida para después eliminar campos innecesarios y aplicar diferentes estilos de diseño.

Asistente para formularios

Otra forma de añadir nuevos formularios a nuestra base de datos es emplear el asistente disponible en Access para este propósito:

1. Comprueba que se encuentra seleccionada la ficha Crear.

2. Busca el comando Asistente para formularios del grupo Formularios para mostrar el primer cuadro de diálogo de esta herramienta.

3. En primer lugar, en la lista Tablas/Consultas determina la tabla o la consulta que servirá como origen para los datos que vamos a manejar con el formulario.

4. Dentro de la lista Campos disponibles, haz doble clic sobre todos los campos que desees utilizar y, de ese modo, pásalos a la lista de campos seleccionados. Emplea el botón >> para usar todos los campos. Con los botones < y << elimina campos de la lista Campos seleccionados (ver figura 19.11).

5. Haz clic en el botón Siguiente para continuar con el asistente y elegir la distribución de los campos que más te guste para el formulario.

6. Por último, asigna un nombre al formulario y haz clic en el botón Finalizar.

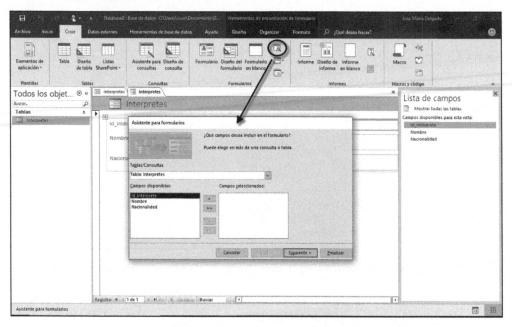

Figura 19.11. Asistente para formularios.

El Asistente para formularios ofrece algunas posibilidades interesantes como por ejemplo determinar los campos que deseamos incluir en el formulario o su distribución.

TRUCO:

El comando Más formulario *situado en la ficha* Crear *incluye una opción denominada* Formulario dividido. *Empléala para crear formularios que muestren en la misma ventana los campos del formulario y la tabla o consulta que sirve como origen de datos. En la figura 19.12 tienes un ejemplo.*

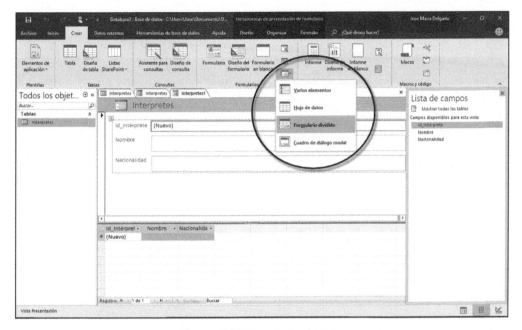

Figura 19.12. Formulario dividido.

Formulario en blanco

Crea un formulario completamente personalizado con el comando Formulario en blanco. Este método es mucho más laborioso que los descritos en los apartados anteriores y nuestra recomendación es que únicamente lo utilices para casos especiales.

Después de hacer clic sobre el comando Formulario en blanco, Access añade una nueva pestaña y muestra el panel Lista de campos en el margen derecho de la ventana, como en la figura 19.13. En el panel debes seleccionar tanto la tabla como los campos que usarás. Para incluir un campos basta con hacer doble clic sobre su nombre.

Este método de diseño también resulta útil para añadir campos a un formulario desde varias tablas. Pero antes, es imprescindible que las tablas de origen estén relacionadas como veremos en los próximos capítulos.

NOTA:

No olvides guardar el formulario y asignarle un nombre después de crearlo.

Ejecutar el formulario

Después de crear el formulario solo queda comprobar el resultado y comenzar a usarlo. En la ficha Diseño, haz clic en el botón Ver del grupo Vistas y selecciona Vista de formulario.

En la figura 19.14 se aprecia el aspecto del formulario una vez completados todos los pasos necesarios y listo para utilizarlo.

Figura 19.13. Formulario en blanco y lista de campos.

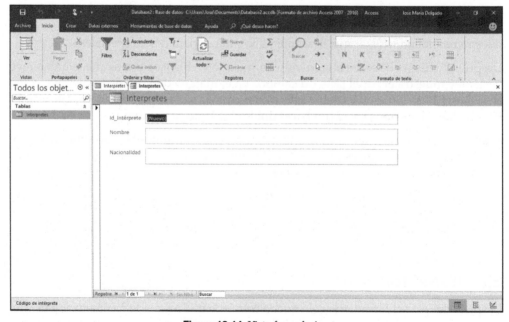

Figura 19.14. Vista formulario.

Introduce algo de información y comprueba que resulta mucho más cómodo que hacerlo directamente sobre la tabla. Con la tecla Tab muévete de un campo a otro. Al llegar al último, el formulario guardará todos los datos introducidos y pasará al siguiente registro.

En la parte inferior del formulario aparece el número de registro actual y el total de la tabla. Los botones situados en esta zona del formulario permiten desplazarnos entre los registros del formulario o incluso ir a uno concreto introduciendo su número en el campo de texto.

Vistas del formulario

Los formularios en Access tienen varios modos o vistas a los que se accede desde el botón Ver situado en el extremo izquierdo de la ficha Inicio. La descripción de cada una de ellas es la siguiente:

- **Vista Diseño:** Es el modo utilizado para crear el formulario y será al que debemos volver cada vez que necesitemos hacer algún cambio en su diseño o su estructura.
- **Vista Formulario:** Esta vista introduce, modifica o accede a la información almacenada en la base de datos y, en definitiva, es el modo real de trabajo con el formulario.
- **Vista Presentación:** Realiza cambios en el diseño del formulario, pero mostrando datos reales. De este modo podrás ajustar mucho mejor el tamaño de los campos y su posición dentro del formulario. Muestra en la parte inferior los botones de navegación para desplazarnos por los registros de la tabla.

Editar campos

Con respecto a los campos del formulario es posible cambiar su nombre, su tamaño, posición, modificar su color, cambiar el texto de la etiqueta y algunas propiedades más. Todas estas operaciones debes realizarlas en la vista Diseño.

Pero antes de continuar, un pequeño detalle: una vez creado el formulario es probable que todos los campos se encuentren agrupados y no sea posible tratarlos de forma independiente. Para solucionar este problema haz clic en el icono resaltado en la figura 19.15 y a continuación selecciona el icono Quitar diseño del grupo Tabla de la ficha Organizar.

Una vez desagrupados los campos del formulario, haz clic en cualquiera de ellos. Para empezar, debes saber que cada uno de los pequeños cuadros que rodean al campo tiene un propósito:

- Para modificar la posición del campo y la etiqueta, sitúa el cursor sobre cualquiera de los bordes del campo, no de la etiqueta ni tampoco sobre los cuadros; el cursor se transforma en una flecha cuádruple. En ese momento, haz clic y arrastra.
- Mueve solo el campo con el cuadrado de mayor tamaño situado en la esquina superior izquierda del campo.

- Para mover solo la etiqueta, sigue el mismo procedimiento descrito en el punto anterior, pero con el cuadrado mayor situado en la esquina superior izquierda de la etiqueta.

- Para cambiar tanto el tamaño de la etiqueta como del campo emplea los pequeños cuadros situados alrededor. Si no aparecen los selectores es que no se encuentra seleccionado el elemento, por lo que debes primero hacer clic en él.

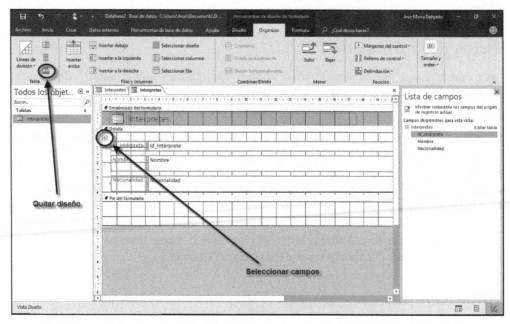

Figura 19.15. Seleccionar todos los campos del formulario para trabajar independientemente con cada uno de ellos.

TRUCO:

El tamaño de las etiquetas se adapta a su contenido, pero si por algún motivo esto no ocurriera haz doble clic en cualquiera de los selectores de tamaño.

Para cambiar el aspecto de los campos del formulario, haz clic con el botón derecho sobre el campo o la etiqueta a cambiar. En el menú asociado encontrarás varias opciones:

- **Color de fondo o de relleno:** Al situar el cursor sobre esta opción aparece la típica paleta de colores donde solo es necesario hacer clic sobre el tono que quieres emplear como fondo.

- **Color de fuente o de primer plano:** Funciona del mismo modo que el anterior, pero, en este caso, los cambios afectan al texto de la etiqueta o del campo.

- **Efecto especial:** Con esta propiedad se transforma el aspecto visual del campo o de la etiqueta, generando sombras o efectos tridimensionales.

- **Formato condicional:** Esta opción, solo disponible para campos y no para etiquetas, abre la potente herramienta de la figura 19.16. En ella podrás establecer determinadas condiciones bajo las cuales el formato del campo cambiaría automáticamente. Selecciona el botón Nueva regla y establece los parámetros necesarios para el formato condicional. El funcionamiento es similar al comando del mismo nombre que ya tratamos en Excel.

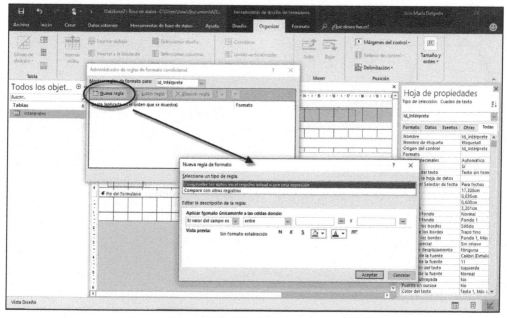

Figura 19.16. Formato condicional.

Puedes aplicar opciones de formato a más de un campo al mismo tiempo; basta con seleccionar todos los campos que desees modificar utilizando el método que detallamos a continuación.

Cambia el formato de carácter tanto de campos como de etiquetas con los comandos situados en los grupos Fuente y Número de la ficha Formato asociada a la categoría especial Herramientas de diseño de formularios.

El proceso para eliminar cualquier objeto del formulario (como campos, etiquetas, imágenes, etc.) es bien sencillo. Selecciona el elemento y, después, usa la tecla Supr.

En este caso, Access sí dispone de varios niveles de deshacer y rehacer por si necesitas alguna de estas opciones.

Selección de controles

Para seleccionar uno o más elementos de un formulario existen varios métodos. El primero de ellos serían los comandos situados en el grupo Selección de la ficha Formato. La lista desplegable de la figura 19.17 contiene todos los controles del formulario y el comando Seleccionar todo que no tiene demasiada explicación.

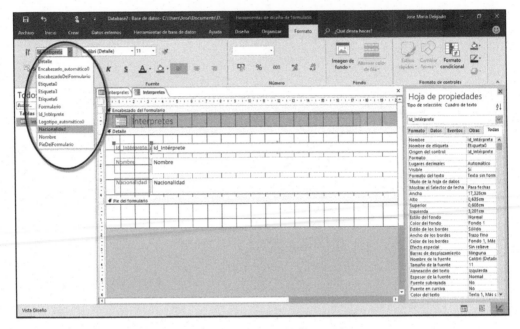

Figura 19.17. Listado de elementos del formulario disponibles para seleccionar.

Para seleccionar solo algunos componentes del formulario, sigue estos pasos:

1. Haz clic en el primer elemento a seleccionar.

2. Mantén pulsada la tecla Control y haz clic en el siguiente control para añadirlo a la selección. También puedes usar la tecla Mayús para elementos consecutivos.

3. Repite el paso anterior para seleccionar tantos elementos como desees.

Otra forma bastante rápida de seleccionar elementos del formulario consiste en hacer clic en alguna parte vacía del formulario, mantener pulsado el botón izquierdo del ratón y arrastrar. Aparecerá un tenue rectángulo que define el área de selección y todos los elementos que incluyas dentro del área quedarán seleccionados.

Orden de tabulación

En cualquier cuadro de diálogo de una aplicación de Windows es posible emplear la tecla Tab para desplazar el cursor a través de los diferentes elementos que incluye. Esto puedes hacerlo en un formulario de Access y, además, definir el orden de desplazamiento entre los campos. La forma de establecer este orden es la siguiente:

1. Abre el formulario que configurarás en la vista Diseño.

2. En la cinta de opciones selecciona la ficha Diseño de la categoría Herramientas de diseño de formularios.

3. Haz clic sobre el icono Orden de tabulación para mostrar el cuadro de diálogo de la figura 19.18.

4. La sección Orden personalizado funciona del mismo modo que una tabla. Por lo tanto, para cambiar el orden de tabulación de los campos, haz clic en el botón gris situado a la izquierda para seleccionar el campo.

5. A continuación, vuelve a hacer clic y arrastra para modificar la posición de cualquiera de los campos.

6. Una vez realizados los cambios, haz clic en Aceptar para completar el proceso y confirmar el orden de tabulación elegido.

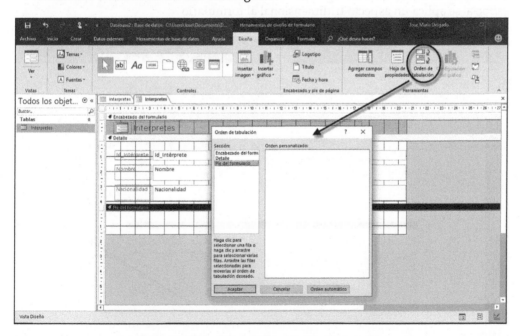

Figura 19.18. Cuadro de diálogo Orden de tabulación.

NOTA:

Si no quieres complicarte demasiado, el botón Orden automático *establece un orden de tabulación de izquierda a derecha y de arriba abajo cambiando la posición de los campos.*

Temas de formulario

En la ficha Diseño se encuentra el grupo Temas. El icono del mismo nombre aplica diferentes combinaciones de colores al formulario. También los comandos Colores y Fuentes permiten usar algunos de los tipos de letras o tonalidades disponibles para mejorar el aspecto del formulario.

Desde las opciones incluidas en el grupo Encabezado y pie de página también es posible añadir la fecha y la hora, el logo de nuestra empresa o cualquier otra imagen, o un título para el formulario.

Por último, haz clic con el botón derecho sobre cualquier espacio vacío del formulario y en el menú emergente escoge el comando Propiedades para mostrar el panel Hoja de propiedades que aparece en la figura 19.19, donde encontraremos todas las posibilidades de configuración del formulario. Activa la ficha Formato y tendrás acceso a diferentes parámetros para controlar el aspecto del formulario. Una de las más usadas es Color de fondo que cambia el triste tono gris por otro algo distinto. También con la opción Efecto especial se aplica un aspecto tridimensional al formulario.

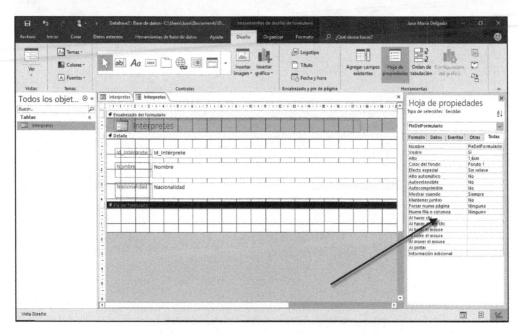

Figura 19.19. Propiedades del formulario.

NOTA:

Recuerda que los formularios son una herramienta para introducir información y por este motivo es conveniente no usar colores demasiado agresivos.

Hasta ahora, los únicos controles que conocemos son los cuadros de texto y las etiquetas. En el grupo Controles de la ficha Diseño encontrarás muchos más, desde botones, casillas de verificación, líneas, rectángulos...

Resumen

Access es un gestor de base de datos relacional, es decir, una herramienta que permite almacenar información de forma estructurada y recuperarla a partir de múltiples criterios de ordenación, selección y filtrado.

Una vez creada la base de datos, el siguiente paso debe ser el diseño de cada una de las tablas que almacenarán la información. A su vez, los campos determinarán la fisonomía de la información que contendrá cada tabla.

A medida que rellenamos las tablas de la base de datos, cada conjunto de campos se denomina registro. Por otra parte, hay que identificar estos registros de forma única mediante los campos clave.

El propósito de los formularios en Access es hacer mucho más intuitiva y sencilla la introducción de datos en las tablas de la base de datos.

20

Consultas e informes

- Crear consultas.
- Utilizar las vistas de consulta.
- Trabajar con el Asistente para consultas.
- Crear consultas de agrupación y totales.
- Diseñar informes.
- Usar el asistente para informes.

Introducción

Hasta ahora hemos visto cómo crear tablas, cómo emplear formularios para hacer mucho más sencilla e intuitiva la tarea de introducción de datos, pero aún no sabemos cómo recuperar la información de la base de datos de forma eficaz. Sí, eficaz porque podemos abrir la tabla en el modo Hoja de datos y buscarla o utilizar los formularios para ir registro por registro hasta llegar al que deseamos, pero no consideramos que ninguno de estos métodos sea eficaz. Solo las opciones de filtrado tratadas en el capítulo anterior se acercan un poco a lo que podrían ser búsquedas complejas.

En cualquier sistema gestor de bases de datos es imprescindible una buena herramienta de consultas. No tendría demasiado sentido tener toda nuestra información perfectamente estructurada en una base de datos si después no dispusiéramos de los mecanismos necesarios para recuperarla.

Otra de las cualidades de las consultas es la posibilidad de obtener valores calculados como, por ejemplo, crear una consulta que devuelva todos los discos editados por «El último de la fila», sumarlos y sumar también el número total de temas contenidos en todos los títulos. Este tipo de información se conoce dentro de Access como campos calculados.

Crear una consulta sencilla

Vamos a crear nuestra primera consulta. Diseñaremos una consulta para obtener todos aquellos temas que se editaron después de la fecha 1/6/1998. Imagina que tuvieras que hacer lo mismo sin una consulta, seguro que estarías entretenido un buen rato:

1. Abre la base de datos de ejemplo y busca la ficha Crear en la cinta de opciones.

2. Haz clic sobre el icono Diseño de consultas situado en el grupo Consulta.

3. En el cuadro de diálogo Mostrar tabla selecciona Temas y haz clic en el botón Agregar. Como no vamos a necesitar ninguna tabla más, da Cerrar.

4. El siguiente paso es colocar los campos que aparecerán en el resultado de la consulta. Para este ejemplo los usaremos todos.

5. Haz doble clic sobre el nombre de la tabla en la ventana de campos para seleccionarlos todos.

6. A continuación, haz clic sobre cualquiera de ellos, mantén pulsado el botón izquierdo del ratón y arrastra hasta la casilla Campo de la primera columna; una vez aquí, suelta el botón del ratón. La figura 20.1 refleja el aspecto de la ventana de consulta después de colocar los campos.

> **TRUCO:**
>
> *Si quieres colocar los campos uno a uno, haz clic sobre el que desees utilizar y arrastrarlo hasta la casilla Campo. Otra opción es hacer doble clic sobre el campo y este se colocará automáticamente en la siguiente columna libre de la ventana de consulta.*

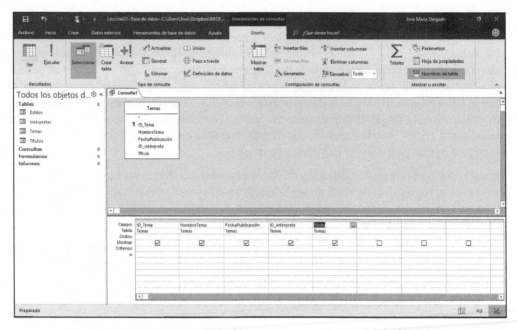

Figura 20.1. Ventana de consulta con todos los campos de la tabla Temas incluidos.

1. Si dejamos el diseño tal y como está, el resultado de la consulta serán todos los registros de la tabla, ya que aún no le hemos indicado ninguna condición que limite este resultado. Por lo tanto, haz clic en la casilla Criterios de la columna en la que se encuentra el campo FechaPublicación.

2. El criterio que vamos a seguir es que se haya publicado con posterioridad al 1/6/1998. Para conseguirlo deberás escribir en la casilla Criterios lo siguiente: >#1/6/1998#.

3. Para completar la consulta, haz clic en la casilla Orden de la columna donde se encuentra el nombre del tema. Despliega la lista asociada a esta opción y elige Ascendente para ordenar el resultado. En la figura 20.2 aprecia el aspecto de la ventana de consulta después del último cambio.

> **NOTA:**
>
> *El uso de los símbolos # es obligatorio en Access cuando hay fechas dentro de una expresión. De todos modos, es posible intentar no ponerlos y comprobar cómo Access corrige este error de forma automática.*

1. Después de completar los pasos anteriores, solo queda ejecutar la consulta para comprobar los resultados. En la ficha Diseño, el grupo Resultados incluye entre sus opciones el botón Ejecutar; haz clic sobre él para obtener los registros resultantes del criterio de búsqueda utilizado.

2. Si todo es correcto, da Guardar en la barra de acceso rápido.

3. En el cuadro de diálogo que aparece escribe Temas posteriores a 1/6/1998 y haz clic en Aceptar.

Si la base de datos no tiene información de temas que cumplan el criterio, es decir, que su fecha de publicación fuera posterior a 1/6/1998, al ejecutar la consulta no aparecerá ningún registro. En cualquier caso, modifica esta fecha en función de los datos que tengas almacenados en la tabla para comprobar si el ejemplo funciona.

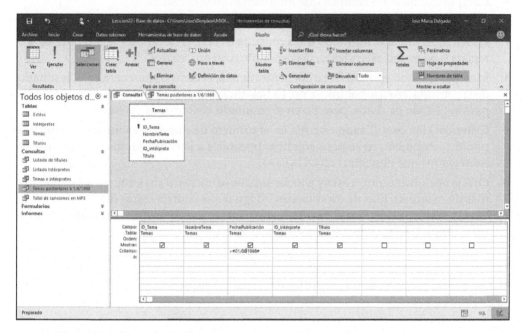

Figura 20.2. Criterio incluido en la ventana de consulta sobre el campo FechaPublicación.

Vistas de las consultas

Como ya es habitual entre todos los objetos que componen una base de datos de Access, las consultas también disponen de varias vistas.

Vista Diseño

Esta vista es con la que hemos estado trabajando hasta ahora. Estos son sus componentes:

- **Zona de datos:** Es la parte de la ventana de consulta donde se hallan las tablas seleccionadas junto con sus campos. En el caso de que existieran varias tablas, se representarían en este espacio las relaciones entre ellas. Trataremos las relaciones en el siguiente capítulo.

- **Barra de separación:** Es el elemento que divide la zona de datos y de la cuadrícula QBE. Puedes modificar este espacio situando el cursor encima de esta barra hasta que se transforme en una línea vertical con dos flechas opuestas. En ese momento haz clic y arrastra.

- **Cuadrícula QBE:** Ocupa la parte inferior de la ventana de consulta y contiene campos, criterios de búsqueda, expresiones, condiciones, entre otros.

A continuación, describimos el significado y la función de cada fila de la cuadrícula QBE:

- **Campo:** Contiene los campos que intervienen en la consulta.
- **Tabla:** Muestra la tabla a la que pertenece cada campo.
- **Orden:** Determina el resultado de la consulta en la hoja de datos. Puedes ordenar los registros de forma ascendente, descendente o no ordenarlos.
- **Mostrar:** Cuando esta casilla se encuentra activa, el campo aparecerá en el resultado de la consulta; en caso contrario, no. Es habitual usar campos que solo necesitaremos para el filtrado de datos, pero no en el resultado visible de la consulta.
- **Criterios:** Hemos utilizado esta fila en el primero de nuestros ejemplos y, como has podido comprobar, sirve para añadir expresiones a la consulta que mostrarán solo los registros que deseamos en cada caso.
- **O:** A la opción anterior, a esta y a todas las que se encuentran debajo se les denomina filas de criterios o filas de condiciones. Al igual que ocurría con la fila de criterios, la fila O también condiciona el resultado mediante expresiones, pero de manera mucho más compleja como veremos un poco más adelante.

NOTA:

La verdadera potencia de las consultas de Access se encuentra en las filas de criterios o de condiciones.

Vista Hoja de datos

Hacer clic y seleccionar la vista Hoja de datos es equivalente a emplear el botón Ejecutar de la barra de herramientas. Es la vista que muestra los resultados de la consulta.

Vista SQL

Existe un lenguaje estándar para realizar consultas en cualquier sistema gestor de bases de datos denominado SQL. En Access también es posible escribir consultas con la sintaxis de este lenguaje, aunque está indicado para personas con unos conocimientos bastante amplios sobre programación en bases de datos.

ADVERTENCIA:

La sintaxis de las sentencias SQL usada por Access no es totalmente compatible con el estándar SQL por lo que debes consultar la ayuda para conocer estas diferencias si quieres aprovechar este lenguaje para crear consultas complejas.

Asistente para consultas

Antes de seguir queremos hacer un pequeño paréntesis para explicar cómo funciona el asistente para consultas de Access. Con él, podrás diseñar consultas de una forma rápida y sencilla, aunque si después necesitas personalizar la fila de criterios tendrás que recurrir a la vista Diseño.

Para crear una consulta sencilla con el Asistente, realiza los siguientes pasos:

1. Antes de empezar, en la cinta de opciones comprueba que se encuentra seleccionada la ficha Crear.

2. Busca Asistente para consultas en el grupo Consultas y al instante aparecerá la ventana correspondiente al primer paso.

3. Elige la opción denominada Asistente para consultas sencillas.

4. En la lista Tablas/Consultas selecciona el objeto que usarás para la consulta. En este caso escogeremos Títulos (como en la figura 20.3).

5. Con la sección Campos disponibles incluye en la consulta aquellos campos que mostrarás en el resultado de esta. Para seleccionar un solo campo, haz clic sobre él y después en el botón >. Para nuestro ejemplo, incluiremos todos los campos, así que haz clic sobre el botón >>. Después, emplea el botón Siguiente.

6. El aspecto del paso anterior está condicionado por el hecho de que exista o no algún campo numérico entre los seleccionados para componer la consulta. Si es así, encontrarás dos opciones: si eliges la primera Access ofrece el resultado de la consulta sin más, mientras que la segunda permite ir un poco más lejos ya que si haces clic sobre el botón Opciones de resumen podrás incluir en el resultado de la consulta campos calculados (de esto último hablaremos un poco más adelante). Si no tenemos ningún campo numérico en la consulta, el Asistente obvia este paso y muestra directamente el siguiente.

7. En el último paso del Asistente hay que asignarle un nombre, por ejemplo, Listado de títulos.

8. Deja el resto de las opciones predeterminadas y con el botón Finalizar visualiza el resultado de la consulta.

NOTA:

En el primer paso del Asistente escoge tanto tablas como consultas. Esta posibilidad se debe a que Access permite emplear los resultados de otra consulta creada anteriormente para diseñar una nueva consulta. No olvides este aspecto ya que es muy provechoso cuando se trabaja con selecciones muy complejas.

El Asistente para consultas es útil para crear la estructura básica de la consulta. Después deberías utilizar la vista Diseño para incluir aquellas expresiones y criterios que permitan mostrar solo los registros que desees.

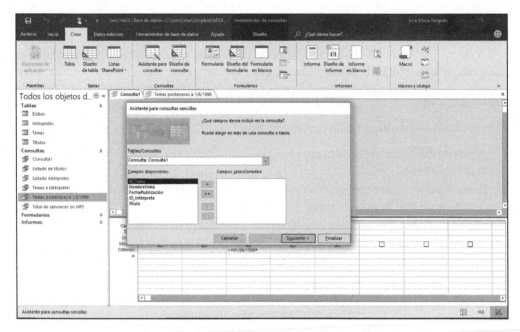

Figura 20.3. Primer paso del Asistente para consultas.

Modificar consultas

Una vez creada la consulta existe la posibilidad de modificarla o adaptarla para que el resultado sea el que deseamos. En el siguiente apartado describimos las tareas más comunes:

- **Eliminar una columna:** Sitúa el cursor en el selector de columna, es decir, la pequeña franja gris que hay encima de cada una de ellas y haz clic para seleccionar la columna. A continuación, con la tecla Supr elimínala. Para hacer lo mismo con más de una columna al mismo tiempo, haz clic en la primera y arrastra para seleccionar tantas columnas adyacentes como desees eliminar.

- **Cambiar de posición una columna:** Usa el selector de la columna que quieres cambiar de posición para seleccionarla. A continuación, haz de nuevo clic sobre el selector y, sin soltar, arrástrala hasta su nueva ubicación.

- **Añadir nuevos campos:** Para añadir nuevos campos solo tienes que seleccionarlos de la lista de campos y arrastrarlos hasta una columna libre de la cuadrícula QBE.

- **Ocultar campos:** Para conseguir que un campo no aparezca en el resultado de la consulta, desactiva la casilla Mostrar.

- **Cambiar el nombre de los campos:** Es posible que en alguna ocasión necesites que el nombre del campo que aparece en el resultado de la consulta sea distinto del de la tabla. Veamos un ejemplo: coloca el cursor en el campo NombreTema y escribe delante de este Canción:. El contenido de la celda quedaría así Canción: NombreTema (entre los dos puntos y el nombre del campo es necesario incluir un espacio), obsérvalo en la figura 20.4. Ejecuta la consulta y comprueba los cambios.

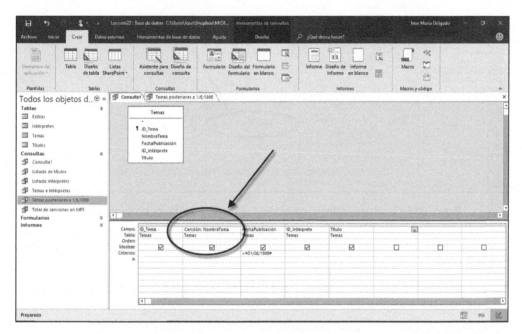

Figura 20.4. Cambio del nombre del campo.

Consultas más complejas (operadores Y y O)

En las consultas diseñadas en Access las condiciones pueden ser tan complejas como necesites y en muchos casos será imprescindible incluir varias condiciones dentro de la misma consulta para conseguir el resultado deseado.

Retomando el ejemplo usado al comienzo del capítulo, podríamos restringir más la búsqueda y pedir a la consulta que ofrezca los temas con fecha de publicación entre el 1/6/1998 y el 1/9/1998.

En este caso concreto, el aspecto de la consulta será el de la figura 20.5. Hemos empleado el operador Y de modo que sea obligatorio el cumplimiento de las dos condiciones para incluir el registro en el resultado de la consulta. Por el contrario, si hubiéramos aplicado el operador O solo tendría que cumplirse alguna de las dos partes de la condición para considerar válido el registro.

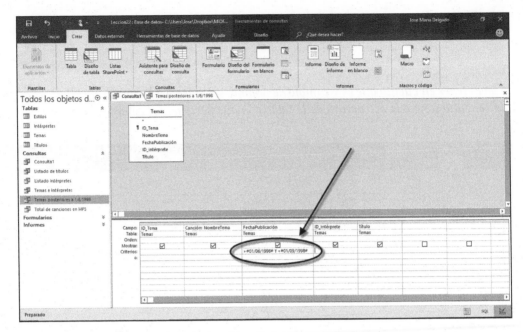

Figura 20.5. Condición múltiple utilizando el operador Y dentro de un mismo campo.

Una vez llegados a este punto es imprescindible distinguir entre dos tipos de condiciones:

- Las que afectan a un solo campo y, por lo tanto, se pueden incluir dentro del mismo campo o de la misma fila.

- El segundo caso es cuando las condiciones afectan a más de un campo y entonces tenemos que recurrir a las filas de criterios para limitar el comportamiento de los operadores Y y O.

Siguiendo con las condiciones, dentro de un mismo campo sería equivalente a incluir en la casilla del campo Intérprete: ="Los burros" O "El último de la fila" a colocar estos dos criterios dentro de la misma columna, pero en casillas separadas (observa el ejemplo de la figura 20.6).

> **NOTA:**
>
> *En aquellos casos donde haya que incluir valores de texto en las condiciones tendremos que usar comillas. Por ejemplo, ="Badajoz".*

Para aplicar el operador Y a un solo campo, tendrás que hacerlo componiendo la expresión dentro de una misma casilla, por ejemplo: >#01/12/2002# Y <#01/12/2003#. Otra forma de aplicar la funcionalidad del operador Y sobre una misma columna es incluir dos veces el campo en la consulta, desactivar la casilla Mostrar en uno de ellos y añadir cada parte del criterio en la casilla correspondiente de cada campo. En la figura 20.7 se ilustra el aspecto de la ventana de consulta en estos dos casos.

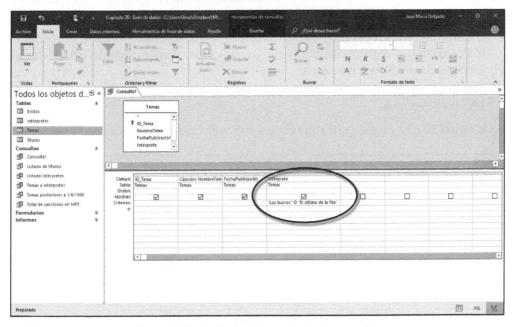

Figura 20.6. Condición O dentro de la misma casilla.

ID_Tema	Canción: NombreTem	FechaPublicación		Intérprete		
Temas	Temas	Temas		Temas		
☑	☑	☑		☑	☐	☐
		>#01/06/1998# Y <#01/09/1998#				

ID_Tema	Canción: NombreTem	FechaPublicación	FechaPublicación	Intérprete	
Temas	Temas	Temas	Temas	Temas	
☑	☑	☑	☑	☑	☐
		>#01/06/1998#	<#01/09/1998#		

Figura 20.7. Dos formas de utilizar el operador Y sobre un mismo campo.

Cuando intervienen varios campos

Siempre que sea necesario incluir más de un campo en la composición del criterio, el funcionamiento de las filas de criterios es este:

- Cuando las condiciones están dentro de la misma fila, equivale a emplear el operador Y. Por lo tanto, el registro cumplirá las dos condiciones al mismo tiempo para incluirlo en el resultado de la búsqueda.
- Si necesitas que se cumpla solo alguna de las dos condiciones, tendrás que colocarlas en filas diferentes.

En la figura 20.8 hay un ejemplo que representa cada uno de los casos anteriores.

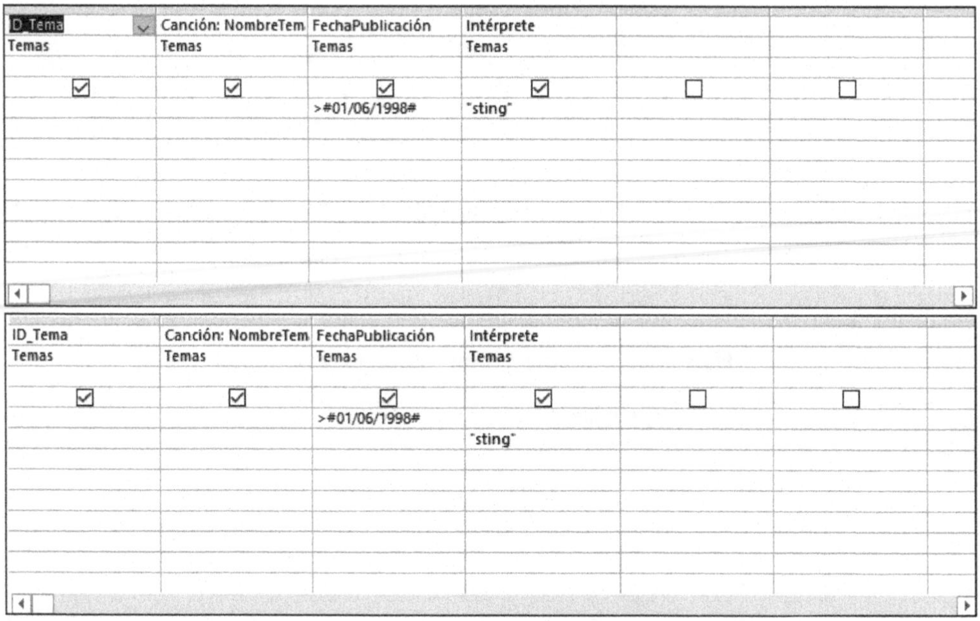

D_Tema ⌄	Canción: NombreTem	FechaPublicación	Intérprete		
Temas	Temas	Temas	Temas		
☑	☑	☑	☑	☐	☐
		>#01/06/1998#	"sting"		

ID_Tema	Canción: NombreTem	FechaPublicación	Intérprete		
Temas	Temas	Temas	Temas		
☑	☑	☑	☑	☐	☐
		>#01/06/1998#			
			"sting"		

Figura 20.8. En primer lugar, se tendrían que cumplir las dos condiciones para incluir el registro en el resultado, operador Y. En segundo término, solo tiene que cumplirse alguna de las dos condiciones, operador O.

ADVERTENCIA:

Estamos hablando de dos condiciones para que sea más sencillo entender el funcionamiento del sistema de criterios múltiples, pero, en realidad, es posible incluir tantas expresiones como campos tenga la consulta.

Conociendo todo esto ya puedes hacer combinaciones entre criterios que afecten a un campo, con otros que impliquen a varios, creando así consultas que devuelvan exactamente el resultado deseado.

Solicitar parámetros

Imaginemos que diseñamos una consulta para mostrar todos los datos de un intérprete. Pero ¿qué ocurre si cambias el nombre? Con lo que sabemos hasta ahora habría que editar la consulta en la vista Diseño y modificar el nombre del intérprete en el criterio correspondiente. Para solucionar este problema, Access permite activar una propiedad en la consulta para que solicites antes de ejecutarse uno o varios datos que se usarán para obtener los resultados correspondientes. Veamos un ejemplo de cómo hacerlo:

1. Selecciona la ficha Crear en la cinta de opciones.
2. En el grupo Consultas, haz clic en el icono Diseño de consulta y añade la tabla Intérpretes.
3. Incluye todos los campos en la cuadrícula QBE. Recuerda que debes hacer doble clic sobre el título de la lista de campos y arrastrar los campos hasta la primera columna.
4. A continuación, en la cinta de opciones busca la ficha Diseño asociada a la categoría Herramientas de consultas.
5. En el grupo Mostrar u ocultar selecciona el comando Parámetros para mostrar el cuadro de diálogo Parámetros de la consulta.
6. En el primer campo escribe Intérprete y como tipo de datos asígnale Texto corto, como en la figura 20.9. Da Aceptar para cerrar el cuadro de diálogo.
7. En la fila Criterios del campo Nombre escribe = "Intérprete".
8. Ejecuta la consulta y comprueba cómo aparece un pequeño cuadro de diálogo solicitando el nombre del intérprete. Introduce el valor y la consulta mostrará los resultados.

Consultas de agrupación y totales

Además de ofrecernos una lista de registros que cumplan con unos criterios determinados, también es posible diseñar consultas que realicen ciertos cálculos con los datos.

Para acceder a las opciones de agrupación y totales, activa la fila Total en la cuadrícula QBE. Haz clic en el icono Totales situado en el grupo Mostrar u ocultar de la ficha Diseño (ver figura 20.10).

Para comprobar el funcionamiento de esta característica vamos a calcular todas las canciones de los discos que tenemos en la tabla Títulos.

1. Busca la ficha Crear en la cinta de opciones.
2. En el grupo Consultas, haz clic en el icono Diseño de consulta y añade la tabla Intérpretes.
3. Selecciona la tabla Títulos, haz clic en Agregar y cierra la ventana de tablas.
4. A continuación, arrastra el campo Canciones hasta la primera columna de la cuadrícula.

5. Haz clic sobre el icono Totales de la ficha Diseño para mostrar la fila Total en la cuadrícula.

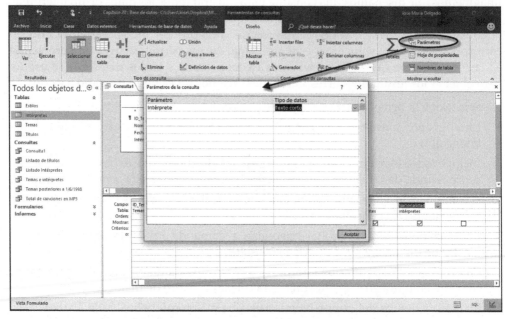

Figura 20.9. Aspecto del cuadro de diálogo Parámetros de la consulta.

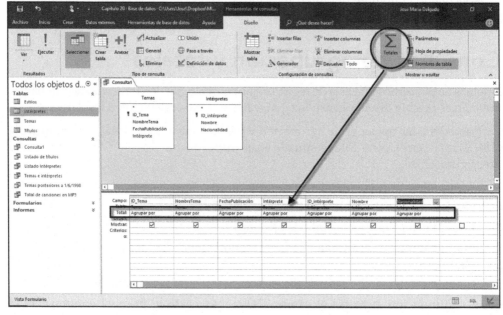

Figura 20.10. Icono Totales en la ficha Diseño.

6. Despliega la lista Total del campo Canciones y elige Suma. Aprecia el aspecto de la consulta después de estos pasos en la figura 20.11.

7. Ejecuta la consulta y comprueba cómo solo aparece una fila con el total de canciones incluidas en todos los discos.

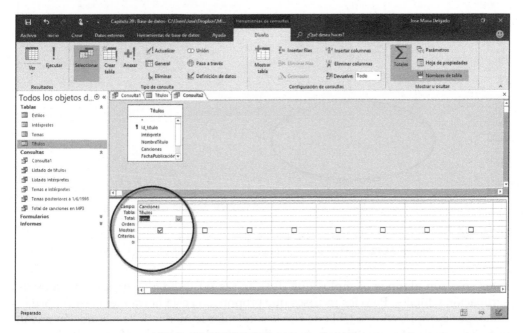

Figura 20.11. Ejemplo de consulta de totales.

> **NOTA:**
>
> *La lista desplegable* Total *dispone de una gran variedad de funciones para añadir campos calculados.*

Pero no solo es posible obtener totales y realizar ciertos cálculos, también podrías complementar estas operaciones aplicando determinados criterios de selección como, por ejemplo, sumar todas las canciones que tienes en formato MP3. Esta es la forma de hacerlo:

1. Vuelve a la vista Diseño de la consulta anterior.

2. Haz clic sobre el campo Formato y arrástralo hasta la siguiente columna en la cuadrícula QBE.

3. En la fila de Criterios del campo Formato escribe "MP3".

4. Desactiva la casilla Mostrar del campo Formato ya que esta información no la necesitamos en este caso. Observa el aspecto de la consulta en la figura 20.12.

5. Ejecuta la consulta y comprueba cómo el valor que muestra corresponde a la suma de todas las canciones en MP3.

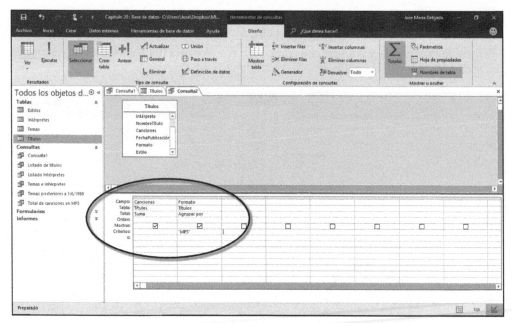

Figura 20.12. Suma de totales aplicada junto con un criterio de selección.

Estos solo son algunos ejemplos que ilustran las posibilidades de las consultas de agrupación y totales. Pero los recursos que proporciona esta herramienta son enormes como, por ejemplo, en una tabla de clientes: calcular la media de la facturación anual, mensual, por clientes, por clientes de una determinada zona geográfica, etcétera.

Informes

Es cierto que en Access se imprime la información contenida en las tablas o el resultado de una consulta, pero de forma algo rudimentaria y con pocas alternativas de configuración. Con los informes, existe la posibilidad de controlar y definir a nuestro gusto todos los parámetros de impresión de los registros de la base de datos.

Otra de las posibilidades que ofrecen es la de añadir información complementaria en forma de campos calculados pudiendo, de esta forma, incluir totales, subtotales y cualquier otra operación que cree valor añadido a nuestro informe.

Para crear un informe, Access dispone de un completo asistente que hace gran parte del trabajo. De cualquier modo, en este primer ejemplo lo haremos de forma manual para describir el proceso con más detalle:

1. Abre la base de datos de ejemplo y selecciona la tabla que contiene los datos que mostrarás en el informe.

2. Seguidamente, haz clic en el comando Informe situado en el grupo del mismo nombre de la ficha Crear.

3. Haz clic sobre la parte inferior del comando Ver situado a la izquierda de la ficha Diseño y busca el comando Vista diseño.

Después de estos pasos, aparece en la ventana de Access un informe como el de la figura 20.13, donde a primera vista observamos varias partes:

- **Encabezado del informe:** La información que aparece aquí se mostrará únicamente en la primera página del informe. Por lo tanto, sería interesante incluir datos como el nombre del informe o su fecha.

- **Encabezado de página:** Igual que el apartado anterior, pero, en este caso, sirve para colocar información como títulos, números de página, etcétera, que aparecerán en la parte superior de todas las páginas del informe.

- **Detalle:** Comprende la zona donde incluiremos los campos, controles o valores calculados del informe.

- **Pie de página y Pie del informe:** El significado y su contenido es el mismo que el definido anteriormente para los encabezados, pero relativo a la parte inferior de la página.

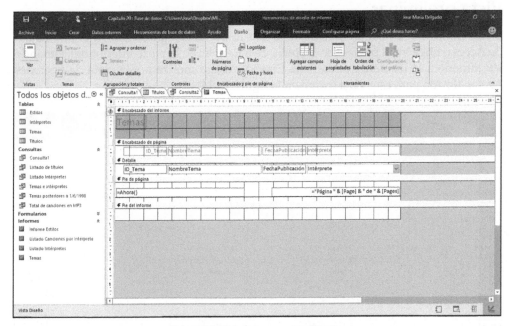

Figura 20.13. Informe en vista Diseño.

Añadir campos al informe

La forma de incluir campos en el informe es la misma que la de los formularios, es decir, en la categoría Herramientas de diseño de informe busca el comando Agregar campos existentes situado en la ficha Diseño para mostrar en el margen izquierdo el panel Lista de campos. Después, haz clic sobre el campo y, sin soltar, arrástralo hasta el informe.

Igual que ocurría en los formularios, cada campo viene acompañado de una etiqueta que lo identifica. La forma de moverlos, cambiar su tamaño y aplicarles formato es la misma descrita para los formularios.

TRUCO:

Con las teclas Mayús *o* Control *selecciona varios campos consecutivos o alternos en la lista de campos. De este modo podrás arrastrar más de un campo al mismo tiempo sobre el informe.*

Vista preliminar

En los informes, la vista preliminar toma más importancia que en cualquier otro objeto de Access. Elige Vista preliminar después de hacer clic en la parte inferior del comando Ver situado a la izquierda de la ficha Diseño. Access mostrará una cinta de opciones personalizada para esta vista (como en la figura 20.14).

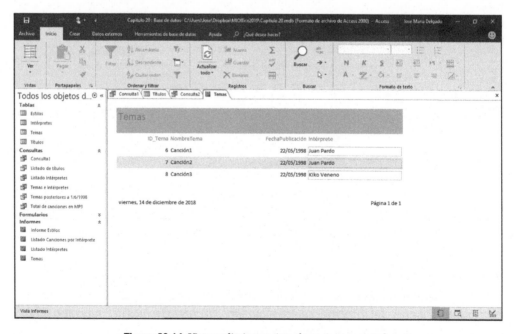

Figura 20.14. Vista preliminar y cinta de opciones asociada.

Con esta vista comprueba antes de imprimir si el aspecto que tiene el informe es el que deseas.

Una vez terminado el proceso de diseño y comprobado en la vista preliminar que todo es correcto, selecciona Imprimir en la cinta de opciones que muestra la propia vista preliminar o ve al menú Archivo.

Informes con totales

A continuación, crearemos un informe con el listado de todos nuestros títulos, agrupados por intérpretes, y como campo calculado añadiremos el total de canciones por intérprete. Además, en este ejemplo lo realizaremos con el Asistente para comprobar el funcionamiento de esta herramienta:

1. Busca la ficha Crear en la cinta de opciones.
2. Dentro del grupo Informes haz clic sobre el botón Asistente para informes.
3. En la primera ventana del asistente, escoge la tabla Títulos en la lista desplegable Tablas/Consultas.
4. A continuación, marca el botón >> para incluir todos los campos y después da Siguiente.
5. Para el nivel de agrupamiento, selecciona el campo Intérprete y haz clic en el botón >. El nivel de agrupamiento queda representado en la vista preliminar de la derecha. Con el botón Siguiente continúa con el asistente.
6. Como campo de ordenación lo más lógico es emplear la fecha de publicación. Por lo tanto, indica este campo como el primer campo de ordenación.
7. Haz clic en el botón Opciones de resumen y aparecerá el cuadro de diálogo del mismo nombre. En la lista de campos solo se encuentra disponible «Canciones», dado que es el único campo que contiene valores numéricos. Busca la función Suma del campo Canciones para mostrar en el informe la suma de todas las canciones de cada intérprete. Deja el resto de los campos predeterminados y con el botón Aceptar cierra esta ventana y continúa con el asistente.
8. Con respecto a la distribución de los campos y la orientación, deja todos los valores predeterminados y haz clic en Siguiente.
9. Escribe un título, por ejemplo, Total Canciones por Intérprete, y con el botón Finalizar completa el proceso.

Para realizar otro tipo de operación aritmética, en el cuadro de diálogo Opciones de resumen existen varias funciones que ejecutan diferentes cálculos con los campos del informe.

Las opciones de resumen solo están disponibles si elegimos algún nivel de agrupamiento para nuestro informe.

El icono Diseño de informe *situado en el grupo* Informes *de la ficha* Crear *muestra un informe completamente en blanco. De este modo, puedes personalizarlo tanto como necesites añadiendo los campos mediante el comando* Agregar campos existentes.

Resumen

Las consultas son el medio más eficaz del que dispone cualquier base de datos para recuperar la información contenida en sus tablas. Access usa la ventana de consulta para incluir las tablas y los campos que desees utilizar para recuperar la información. Esta operación a un nivel básico consistiría simplemente en obtener una lista de registros, pero si aprovechamos la potencia de las consultas de Access, podremos añadir filtros y expresiones para recuperar solo aquellos datos que nos interesen en cada caso.

Los informes permiten obtener una copia impresa de la información almacenada en la base de datos a partir de ciertos criterios de filtrado y ordenación.

21

Relacionar tablas

- Conocer los modelos de relaciones en Access.
- Utilizar la ventana Relaciones.
- Implicar más de una tabla en tus consultas.
- Crear subformularios y subinformes.
- Analizar bases de datos.

Access, una base de datos relacional

En la fase de diseño, una de las tareas más importantes es definir las relaciones entre las distintas tablas que compondrán la base de datos. En nuestro ejemplo «Discoteca», hemos dejado este trabajo un poco de lado y este hecho va a provocar que tengamos que hacer ciertos cambios para crear la nueva estructura relacional. El motivo de hacerlo así es doble: en primer lugar, demostrar que la fase de diseño es tan verdaderamente importante como hemos repetido en estos capítulos y, en segundo lugar, no creíamos conveniente hablar de relaciones cuando nuestros conocimientos sobre las bases de datos eran aún escasos.

Access es una base de datos relacional porque establece relaciones entre tablas. Esto está muy bien, pero… ¿cómo afecta al trabajo con la aplicación? Bueno, el principal objetivo de las relaciones es evitar la duplicación de información, y esta es la directriz básica sobre la que se sustentan los sistemas de bases de datos relacionales.

Para comprender mejor este concepto vamos a utilizar un ejemplo: imagina que tenemos una base de datos de clientes y dos de las tablas que la componen son Clientes y FacturasClientes; aprecia la estructura de cada una de estas tablas en la figura 21.1. Observa que en la tabla de FacturasClientes existe mucha de la información que ya aparece en la tabla Clientes. Esto provoca una duplicación de información y, por lo tanto, una reducción en el rendimiento del sistema.

	Id	NombreCliente	Dirección	NúmeroFactura	ConceptoFactu	CantidadFactur
	1	Pepe	SuCasa	1	Caramelos	1000
	2	Juan	La Bomba	2	Piruletas	2000
	3	Antonio	LaBurra	3	Chicles	500
▶				0		0

Figura 21.1. Tablas sin tener en cuenta la duplicación de información.

La forma de solucionarlo es utilizar relaciones y sustituir toda la información de clientes de la tabla FacturasClientes por la clave del cliente, tal y como muestra el ejemplo de la figura 21.2. De esta forma, cuando necesitemos la información, usaremos el campo clave del cliente para acceder a la tabla Clientes y obtener todos los datos.

Este es un ejemplo muy claro de cómo las relaciones hacen mucho más eficaz la gestión de información. Otra de las ventajas que aportan las bases de datos relacionales es la facilidad para actualizar y eliminar información. Siguiendo el mismo ejemplo, para borrar un cliente tendrías que recurrir a dos tablas, mientras que si empleas las posibilidades de las relaciones solo harás el trabajo una vez.

Modelos de relaciones en Access

Después del ejemplo anterior esperamos que haya quedado más claro el sentido de las relaciones en Access. Pero existe algo más, ya que además de definir la relación hay que elegir el modelo o tipo. Cada uno de ellos se basa en el comportamiento de los datos entre las tablas relacionadas.

	Id_Factura	Id_Cliente	NumeroFactura	ConceptoFactu	ImporteFactura
	30	1	1001	Caramelos	2500
	31	2	1002	Piruletas	500
🖉	32	2	1005	Chicles	1200
✳			0		0

	Id	NombreCliente	Dirección	Telefono
	1	Pepe	SuCasa	925 22 23 66
	2	Juan	La Bomba	925 23 25 26
🖉	3	Antonio	LaBurra	925 36 36 36
✳				

Figura 21.2. Estructura de las tablas utilizando relaciones.

En toda relación intervienen dos tablas. La primera de ellas incluye los datos completos y la denominaremos tabla principal (tabla Clientes en nuestro ejemplo). La segunda contiene un enlace a los datos de la tabla principal y la llamaremos tabla secundaria (FacturasClientes). La descripción de cada uno de estos tipos de relaciones es la siguiente:

- **Relación de uno a muchos:** Se trata del tipo de relación más común. Cada registro de la tabla principal puede tener más de una correspondencia en la tabla secundaria, pero cada elemento de esta última solo tiene una coincidencia en la tabla principal. Siguiendo con el ejemplo, cada cliente puede tener más de una factura, pero cada factura solo corresponde a un solo cliente; esto tiene sentido en la vida real.

- **Relación de muchos a uno:** Si la relación anterior era la más utilizada, esta es la menos y más extraña de las tres. En este caso, cada registro de la tabla principal solo tiene una coincidencia en la tabla secundaria y, en cambio, esta puede tener más de una correspondencia en la tabla principal.

- **Relación de muchos a muchos:** Tanto los registros de la tabla principal como aquellos que formen parte de la secundaria tienen más de una correspondencia. En el caso de una base de datos de deportes, cada deporte está compuesto por muchos atletas y cada atleta puede practicar más de un deporte. Siendo estrictos, no es recomendable mantener este tipo de relaciones en la base de datos ya que no determina exactamente la relación entre los registros de cada tabla. En este tipo de situaciones se suelen crear tablas intermedias en las que sí existen modelos de uno a muchos o de muchos a uno.

NOTA:

No dudes en dedicar el tiempo que sea necesario a definir el modelo de relación, este paso resulta fundamental en el desarrollo de la base de datos.

Integridad referencial

La integridad referencial es otro concepto que resulta algo extraño cuando trabajamos con bases de datos relacionales, pero que al mismo tiempo es imprescindible tener claro y aplicar.

La integridad referencial es un conjunto de reglas que deben cumplir las relaciones para garantizar la validez de las correspondencias entre registros y, al mismo tiempo, para evitar posibles modificaciones o eliminaciones accidentales. Para establecer la integridad referencial de una relación es necesario que se cumplan varias cosas:

- El campo utilizado como referencia para la relación en la tabla principal debe ser clave principal de esta.
- Los dos campos que intervienen en la relación deben ser del mismo tipo, aunque, por ejemplo, uno de tipo Autonumérico podría coexistir con uno de tipo Numérico.
- Las tablas deben estar dentro de la misma base de datos.

Una vez establecidas las bases necesarias para el uso de la integridad referencial, las reglas que la determinan serían:

- No es posible eliminar registros de la tabla principal que tengan registros asociados en una tabla secundaria. La forma de hacerlo es eliminar el registro principal junto con los registros relacionados o eliminar primero los registros secundarios y, posteriormente, el principal. Siguiendo con nuestro ejemplo, no sería posible eliminar aquellos clientes que tengan facturas asociadas ya que no sabríamos a quién pertenecen.
- Todos los registros de la tabla secundaria deben tener un coincidente en la tabla principal. No habrá facturas que no pertenezcan a ningún cliente.
- No es posible cambiar el campo clave de un registro de la tabla principal si este tiene coincidentes en la tabla secundaria.

Ventana Relaciones

Es posible que en los apartados anteriores te hayas visto abrumado con tanta teoría. Para arreglarlo veamos algunos ejemplos.

La ventana Relaciones es la herramienta que Access pone a nuestra disposición para definir, modificar, eliminar y, en definitiva, trabajar con las relaciones de la base de datos. Para acceder a ella, haz clic en el botón Relaciones situado en la ficha Herramientas de bases de datos.

Pero antes de crear las relaciones de nuestra base de datos musical, haz varios cambios en la definición de los campos de alguna de sus tablas:

- En la tabla Temas, modifica el tipo del campo Intérprete y selecciona Numérico en la lista Tipo de datos.

- También en la tabla Temas, añade un nuevo campo denominado Título y escoge el tipo de datos Numérico para él. Este cambio permitirá asociar cada tema al título que pertenece.

- En la tabla Títulos, cambia el tipo del campo Intérprete y busca Numérico en la lista Tipo de datos.

- En la tabla Títulos, añade un campo que se llame Estilo y aplícale un tipo de datos Numérico.

Después de estos cambios habrás perdido información, solo esperamos que hayas seguido nuestro consejo de los primeros capítulos y únicamente tuvieras en las tablas la información imprescindible para seguir los ejemplos.

Definir una relación

Después de hacer estos cambios, veamos los pasos a seguir para establecer una relación entre dos tablas:

1. Selecciona el botón Relaciones situado en la ficha Herramientas de bases de datos. Al instante aparecerá el cuadro de diálogo Mostrar tabla.

2. Haz doble clic sobre las tablas Intérpretes y Temas para añadirlas a la ventana Relaciones.

3. Por ahora no incluiremos más tablas en esta ventana, así que cierra el cuadro de diálogo Mostrar tabla.

4. Para definir la relación, haz clic en el campo Id_Intérprete de la tabla Intérpretes y arrástralo hasta el campo Intérpretes de la tabla Temas.

5. Ahora aparece el cuadro de diálogo de la figura 21.3 donde se aprecian los campos relacionados. Activa la casilla Exigir integridad referencial.

6. En la parte inferior del cuadro de diálogo, observa el tipo de relación que ha seleccionado Access por defecto, en este caso, Uno a varios. Esto se debe a que cada intérprete puede tener muchos temas, pero cada tema solo pertenece a un intérprete. Si quisiéramos cambiar el modelo de relación, tendrías que hacer clic en el botón Tipo de combinación y en el cuadro de diálogo de la figura 21.4 elegir la correspondencia adecuada.

7. Haz clic en el botón Crear del cuadro de diálogo Modificar relaciones para reflejar los cambios en la ventana Relaciones, tal y como puedes comprobar en el ejemplo de la figura 21.5.

8. Utiliza el botón Cerrar de la ventana Relaciones y cuando Access pregunte si deseas guardar los cambios, elige Sí.

NOTA:

No siempre es cierto que un tema solo pertenezca a un intérprete, aunque para este ejemplo vamos a creer que sí.

Después de crear todas las relaciones necesarias para la base de datos musical, el aspecto de la ventana Relaciones debería ser similar al de la figura 21.6.

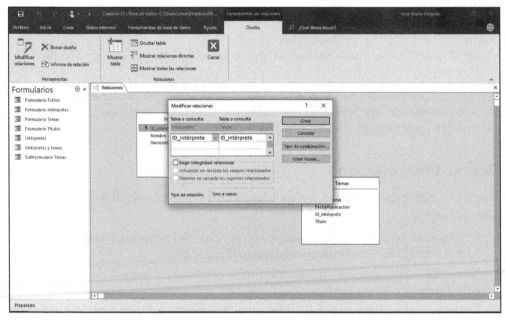

Figura 21.3. Cuadro de diálogo Modificar relaciones.

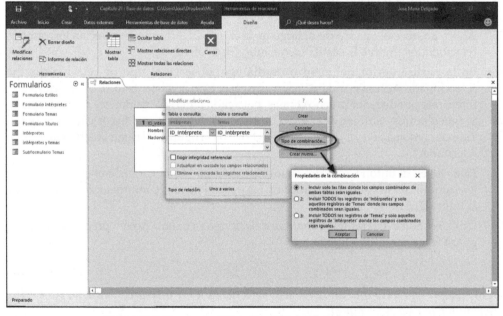

Figura 21.4. Cuadro de diálogo Propiedades de la combinación.

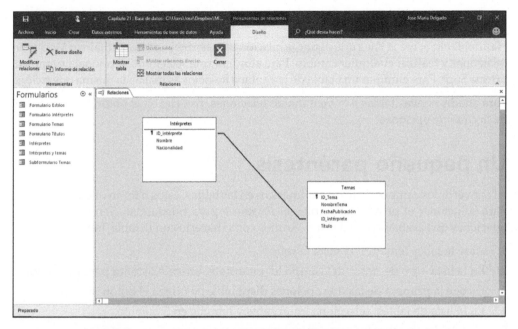

Figura 21.5. Aspecto de la ventana Relaciones después de completar el proceso para crear una nueva relación.

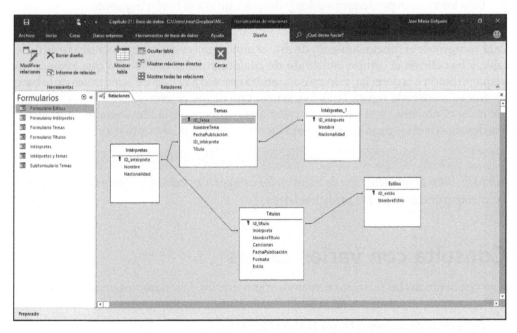

Figura 21.6. Esquema final de todas las relaciones definidas en nuestra base de datos de ejemplo.

Modificar relaciones

Haz doble clic sobre la línea que define la relación para abrir el cuadro de diálogo Modificar relaciones y realizar cualquier cambio. Para eliminar una relación, selecciónala y emplea la tecla Supr. Para eliminar una tabla de la ventana Relaciones realiza la misma operación.

Para añadir nuevas tablas a la ventana de relaciones, haz clic en el botón Mostrar tabla de la cinta de opciones.

Un pequeño paréntesis

Al convertir los campos de texto a numéricos en las tablas, estos habrán quedado vacíos. Para solucionar el problema, emplea el Asistente para búsquedas. Ten en cuenta las relaciones que acabamos de definir. Veamos cómo hacerlo con la tabla Temas:

1. Abre la tabla Temas en la vista Diseño.
2. En la lista Tipo de datos del campo Id_Intérprete, busca Asistente para búsquedas.
3. Escoge la primera de las dos opciones disponibles y utiliza el botón Siguiente.
4. En la lista de tablas, selecciona Intérpretes y haz clic en Siguiente.
5. Haz doble clic sobre los campos Id_Intérprete y Nombre. Estos serán los dos campos que aparecerán en la lista asociada de la tabla. Selecciona el botón Siguiente.
6. Deja los valores predeterminados y después utiliza el botón Siguiente.
7. Asigna un nombre a la lista y haz clic en Finalizar.

Para comprobar el funcionamiento de este cambio, vuelve a la vista Hoja de datos de la tabla y haz clic en el campo Intérprete de cualquier registro. Observa que aparece un pequeño botón a la derecha; si lo pulsas, tendrás acceso a la lista de intérpretes de la base de datos (como en la figura 21.7). Selecciona uno de los valores y observa que, aunque aparezca el nombre en el campo, el valor que realmente está almacenado es su clave. Puedes repetir estos pasos para el resto de campos en la misma situación.

TRUCO:

Para facilitar la introducción de datos en los campos asociados a las tablas, es suficiente con empezar a escribir las primeras letras.

Consulta con varias tablas

Una vez definidas las relaciones, veamos cómo usarlas. Diseñaremos una consulta en la que aparezcan las canciones de la tabla Temas junto a sus intérpretes.

1. En la cinta de opciones busca la ficha Crear.
2. Haz clic sobre el botón Diseño de consulta situado en el grupo Consultas.

3. En el cuadro de diálogo Mostrar tabla, haz doble clic sobre la tabla Temas y después sobre la tabla Intérpretes.

4. A continuación, utiliza el botón Cerrar.

5. Observa que aparece representada la relación en la consulta mediante una línea que une los campos que definen la relación.

6. Haz clic en el campo NombreTema de la tabla Temas y arrástralo hasta la primera columna de la consulta.

7. Selecciona el campo Nombre de la tabla Intérpretes y arrástralo hasta la segunda columna de la tabla.

8. Ejecuta la consulta y comprueba en la figura 21.8 cómo junto a cada tema aparece el nombre de su intérprete.

9. Guarda la consulta.

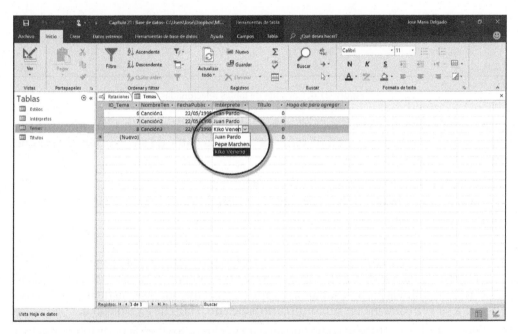

Figura 21.7. Lista de datos asociada al campo Intérprete.

En las consultas puedes hacer que intervengan tantas tablas relacionadas como necesites para obtener el resultado deseado.

Subformularios y subinformes

También es posible aprovechar las ventajas de Access como base de datos relacional en formularios e informes.

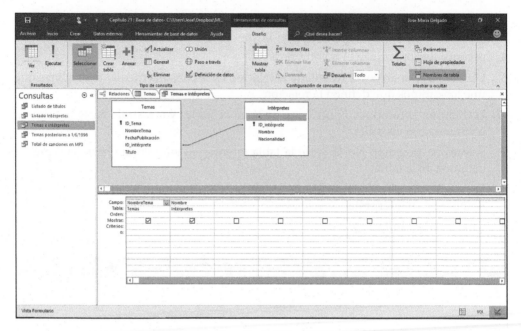

Figura 21.8. Consulta de tablas relacionadas.

Para comprobarlo crearemos un nuevo formulario en el que, además de introducir la información de intérpretes, completaremos todos los datos de sus canciones para que resulte mucho más útil:

1. En la cinta de opciones busca la ficha Crear.

2. En el grupo Formularios haz clic sobre el comando Asistente para formularios.

3. Elige la tabla Intérpretes en la lista Tablas/Consultas.

4. Haz clic en el botón >> para seleccionar todos los campos.

5. Despliega de nuevo la lista Tablas/Consultas, selecciona la tabla Temas y haz clic en el botón >> para incluir todos los campos en la ventana Campos seleccionados. Con estos dos últimos pasos estamos indicado al asistente que se trata de un formulario que a su vez contiene un subformulario asociado. Haz clic en Siguiente.

6. Selecciona Por intérpretes como opción para ver los datos y, en la parte inferior, activa la opción Formulario con subformularios. Haz clic en Siguiente.

7. En la ventana de distribución busca la opción Tabular y haz clic en Siguiente.

8. Introduce un nombre para el formulario y otro para el subformulario.

9. En la parte inferior de la ventana escoge entre cambiar el diseño del formulario o comenzar a trabajar con él.

10. Haz clic en Finalizar para completar el proceso. Access mostrará el aspecto de nuestro nuevo formulario junto con el subfomulario como puedes comprobar en la figura 21.9.

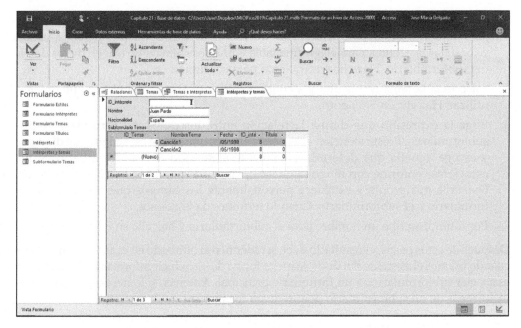

Figura 21.9. Formulario con subformulario creado desde el asistente.

El funcionamiento del formulario con el subformulario integrado es sencillo. Para cada intérprete debes introducir todos los temas que le correspondan: todo desde la misma ventana y gracias a las relaciones entre las tablas.

NOTA:

En la ventana Formularios *aparecerán el objeto formulario y el objeto subformulario lo que permite tratar cada uno de ellos de forma independiente si fuera necesario.*

Añadir un subformulario a un formulario ya existente

Si tienes el formulario principal y vas a añadirle un subformulario similar al que hemos creado en el ejemplo anterior, los pasos son estos:

1. En primer lugar, abre el formulario en la vista Diseño. Probablemente necesites ampliar el espacio disponible. Sitúa el cursor en la esquina inferior derecha del formulario y arrastra, pero no la esquina de la ventana del formulario, sino de la parte cuadriculada que define el espacio útil del formulario.

2. En la ficha Diseño asociada a la categoría Herramientas de diseño de formularios se encuentra el grupo denominado Controles. Entre los controles disponibles escoge Subformulario/Subinforme; el cursor se transforma en una cruz junto a un pequeño formulario.

3. Haz clic y arrastra para definir las dimensiones del subformulario.

4. A continuación, aparece el primer paso del asistente. Selecciona la opción Usar tablas y consultas existentes para elegir una tabla o una consulta como origen de los datos del subformulario. Haz clic en Siguiente para continuar.

5. Selecciona la tabla o consulta y a continuación los campos del objeto que quieres utilizar. Haz clic en Siguiente.

6. Elige la expresión que defina la relación entre los datos del formulario y del subformulario. Presta atención a las posibilidades que ofrece este cuadro de diálogo, y escoge aquella que determine realmente el sentido del subformulario. Si no estuvieras conforme con ninguna de las opciones disponibles, haz clic en el botón Definir la mía propia y establece personalmente los campos que relacionarán el formulario y el subformulario. Cuando termines da Siguiente.

7. Por último, escribe un nombre para el subformulario y haz clic en Finalizar.

Después de estos pasos, el resultado debe ser idéntico al obtenido en el anterior apartado cuando usamos el asistente. Sin duda, la mejor forma de introducir información relacionada es asociar subformularios a un formulario principal. Además, si lo necesitas, es posible incluir más de un subformulario dentro de un formulario.

Analizador de bases de datos

Antes de terminar con el tema de las relaciones en Access y aunque no tenga mucho que ver con este, queremos comentar las funcionalidades de los comandos situados en el grupo Analizar de la ficha Herramientas de base de datos:

- **Analizar tabla:** El principal objetivo de esta herramienta es localizar información redundante o repetida en las tablas de nuestra base de datos. Como hemos comentado, es un problema grave sobre todo cuando trabajamos con volúmenes de información importantes. El asistente que aparece después de elegir esta opción revisará a conciencia la base de datos.

- **Analizar rendimiento:** Optimiza todos los objetos que componen la base de datos. Sugiere ciertos cambios o modificaciones de tipo para mejorar el comportamiento de la base de datos.

- **Documentador de base de datos:** La gran pesadilla de todo programador es la documentación de sus aplicaciones. Si hablamos de bases de datos, siempre resulta conveniente tener una descripción de las tablas, campos, relaciones, etcétera. Pues bien, parte de este trabajo lo puede hacer el documentador de Access.

Resumen

Como ya comentamos en los primeros capítulos, Access es un gestor de bases de datos relacional, esto significa que la información se encuentra enlazada para optimizar su rendimiento y hacer más eficaz el acceso a los datos.

Las tablas se relacionan mediante la vinculación de sus campos y la ventana Relaciones es fundamental para representar gráficamente estos vínculos.

Los subformularios y subinformes aprovechan las ventajas de las relaciones entre tablas para hacernos mucho más sencilla la introducción de datos.

22

En este capítulo aprenderás a:

- Conocer las posibilidades de las cartas modelo para el envío masivo de información.
- Crear cartas modelo.
- Utilizar el asistente para combinar correspondencia.
- Definir el documento principal y el de datos.
- Insertar los campos de la combinación.
- Usar la ficha Correspondencia.
- Combinar sobres y etiquetas.
- Realizar consultas avanzadas sobre la hoja de datos.

Cartas modelo

La combinación de correspondencia o cartas modelo es una característica incluida desde hace algunos años en los procesadores de textos como herramienta indispensable, se les conoce también como cartas personalizadas, circulares o mailing. En Word, todas las posibilidades relacionadas con esta interesante y útil herramienta se recogen en la ficha Correspondencia.

NOTA:

Es evidente que la combinación automática de correspondencia es un tema relacionado con el procesador de textos Word, pero teniendo en cuenta que requiere elementos como hojas de cálculo, bases de datos y algunos conceptos sobre consultas, hemos decidido incluirlo al final del libro.

Qué es una carta modelo

Seguramente habrás recibido alguna vez cartas de este tipo. En ellas aparecen nuestro nombre, dirección y, después, un montón de frases elegidas con precisión para convencernos de la compra de un determinado producto. Las entidades bancarias o cualquier tipo de empresas envían a menudo este tipo de misiva para comunicar información a sus clientes. La estructura de ellas siempre es la misma: una parte común en la que se incluyen texto, gráficos, datos estadísticos... y, por otro lado, los datos correspondientes a los destinatarios.

Las herramientas destinadas a crear cartas modelo tienen como objetivo ahorrarnos el tiempo que costaría escribir la misma carta para cada persona. En su lugar, tendremos por un lado el texto y por otro la lista de personas. Con esta información el programa se encargará de generar automáticamente la combinación de datos y direcciones.

Asistente para combinar correspondencia

La forma de crear una carta modelo es siempre la misma: escribimos la carta como cualquier otro documento de Word, se crea un fichero con los datos de los destinatarios (en forma de tabla), se incluyen los campos de combinación en el documento principal y, finalmente, se combinan ambos ficheros para crear la carta modelo. En los próximos apartados vamos a ver cómo llevar a cabo estos pasos.

Con el fin de simplificar el proceso de creación de estas cartas, Word dispone de un asistente que nos guiará por los pasos indicados antes. Para acceder a dicho asistente, busca Iniciar combinación de correspondencia en la ficha Correspondencia. Entre las posibilidades que aparecen vinculadas a este comando, elige la última de ellas denominada Paso a paso por el asistente para combinar correspondencia. Al instante, Word mostrará un panel a la derecha con el primer paso del asistente.

Como veremos a lo largo del capítulo, la única forma de obtener los datos de las personas destinatarias del mailing no tiene que ser un documento con una lista de nombres y direcciones, es posible usar bases de datos de Access, hojas de cálculo de Excel, documentos HTML o incluso los datos de contactos de Outlook.

El documento principal

Veamos todo el proceso. Busca en el menú Archivo el comando Nuevo para abrir un documento en blanco. En la ficha Correspondencia, haz clic sobre el comando Iniciar combinación de correspondencia y después selecciona la última de las opciones, el asistente.

En el primer paso del asistente elige en primer lugar el tipo de documento. Para nuestro ejemplo, utilizaremos la primera opción denominada Cartas. Después, haz clic en el enlace situado en la parte inferior denominado Siguiente: Inicie el documento.

En el segundo paso del asistente se ofrecen tres posibilidades diferentes para definir el documento principal:

- Utilizar el documento en el que estás trabajando en esos momentos y que debe estar abierto.
- Usar alguna de las plantillas predefinidas en Word; para ello, después de marcar el botón de opción Utilizar una plantilla, haz clic sobre el enlace Seleccionar plantilla y aparecerá el cuadro de diálogo del mismo nombre. En la pestaña Cartas (observa la figura 22.1), existen diferentes modelos de cartas y documentos para realizar esta tarea.
- Por último, emplear como fichero principal algún documento creado con anterioridad, seleccionándolo de la lista que aparece o hacer clic en el botón Abrir.

Si eliges la primera opción, puedes terminar de escribir o modificar el documento actual antes de continuar con el siguiente paso del asistente.

El documento de datos

En una combinación de correspondencia, el documento de datos hace referencia a un conjunto de información almacenada en forma de tabla. En estas tablas, las columnas representan los campos o categorías, mientras que las filas muestran los datos de cada destinatario. Contiene la información real como nombres, direcciones, población, etcétera, que aparecerán en los campos de combinación. Si ya existe el documento de datos, solo tendrás que seleccionarlo, pero si no existe, será necesario crearlo.

En el panel Combinar correspondencia, haz clic en el enlace Siguiente: seleccionar los destinatarios y de nuevo encontraremos tres posibilidades.

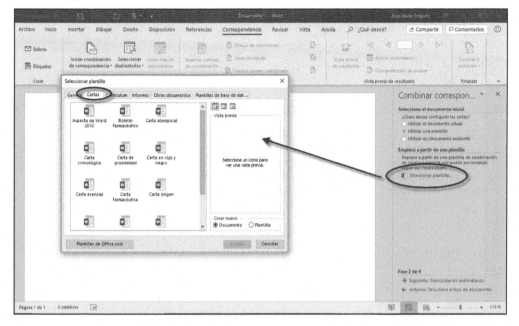

Figura 22.1. Pestaña Cartas del cuadro de diálogo Seleccionar plantilla.

Utilizar una lista existente

Esta primera opción será útil siempre que ya tengamos creada una lista con los datos de la combinación. Por ejemplo, imagina que ya tienes una base de datos de clientes o una hoja de cálculo con todos los datos de las personas a las que quieres enviar el mailing o un documento de Word, etc. En realidad, Word acepta casi todos los formatos, siempre que tengan estructurada la información en filas y columnas.

En la figura 22.2 se aprecia un documento de Excel con todos los datos necesarios para realizar la combinación de correspondencia. Sin duda, esta suele ser la opción más cómoda. Haz clic en el botón Examinar y en el cuadro de diálogo que aparece, busca el documento, selecciónalo y da Abrir. Al instante aparece el cuadro de diálogo Destinatarios de combinar correspondencia como se ilustra en la figura 22.3. Con él es posible aplicar algunos filtros simples para utilizar solo la información que necesitas:

* A la derecha de cada registro, aparece una casilla de verificación que activa o desactiva cada fila. Por otra parte, la casilla de verificación situada en la barra de títulos activa o desactiva todas las filas visibles.

* En la parte superior, junto al encabezado de cada columna, se encuentra un pequeño botón. Haz clic en él y comprobarás que aparece un listado con todas las entradas de esa fila. Emplea esta propiedad para filtrar la información. Por ejemplo, si solo necesitas los contactos de Córdoba, selecciónalos en el menú asociado a la columna Provincia.

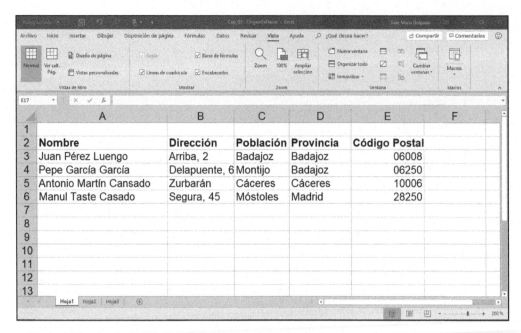

Figura 22.2. Ejemplo de documento de datos creado en Excel y lista para ser utilizada en el proceso de combinación de correspondencia.

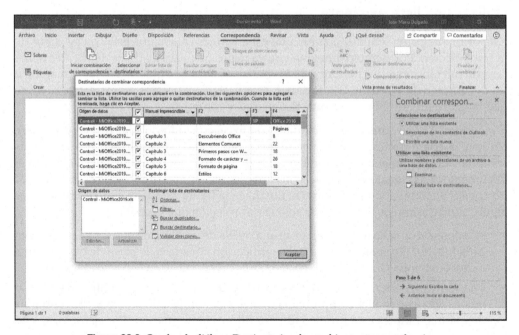

Figura 22.3. Cuadro de diálogo Destinatarios de combinar correspondencia.

- Si necesitas modificar algún dato, selecciona el origen de datos en la ventana inferior izquierda del cuadro de diálogo y haz clic en el botón Edición.
- Con la opción Buscar destinatario se localiza un elemento de forma rápida dentro de la lista de datos.

Para utilizar funciones de filtrado más complejas, recurre a la opción Avanzado que aparece en último lugar dentro del menú asociado al encabezado de cada columna del cuadro de diálogo Destinatarios de combinar correspondencia. La forma de sacarle todo el partido a las opciones de este cuadro de diálogo la encontrarás al final de este capítulo. Una vez realizadas las operaciones necesarias en el cuadro de diálogo Destinatarios de combinar correspondencia da Aceptar. Comprueba que las opciones del tercer paso del asistente han cambiado, ahora aparecen:

- **Seleccionar una lista diferente** (que cambia el documento de datos).
- **Editar la lista de destinatarios** (que muestra de nuevo el cuadro de diálogo Destinatarios de combinar correspondencia).

Seleccionar de los contactos de Outlook

Otra posibilidad para elegir los destinatarios de nuestras cartas personalizadas es sacarlos de nuestra lista de contactos de Outlook. Si trabajas con regularidad con esta herramienta, sabrás que integra una libreta de direcciones compatible con el resto de las aplicaciones de Office.

Los pasos siguientes detallan la forma de emplear esta característica:

1. Activa el botón de la opción Seleccionar de los contactos de Outlook.
2. Si tienes más de un perfil o identidad definida lo normal es que aparezca un cuadro de diálogo para escoger alguno de ellos.
3. En el siguiente cuadro de diálogo, busca la carpeta que contiene la información que utilizarás como origen de datos para la combinación. Lo normal es que solo haya una llamada Contactos; haz clic sobre ella y da Aceptar.
4. Después, Word muestra el cuadro de diálogo Destinatarios de combinar correspondencia.

El proceso a partir de ahí sería el mismo que acabamos de describir en el apartado anterior, es decir, con las opciones de filtrado y selección de registro de este cuadro de diálogo indicarás de forma precisa los datos a usar.

Escribir una lista nueva

La última de las opciones para determinar los destinatarios de nuestra carta modelo es introducir uno a uno los datos de cada uno de ellos. Como es lógico, no recomendamos este método si tienes un gran número de personas a las que deseas enviar información. En estos casos, lo mejor es valerse de una base de datos de Access o incluso de la libreta de direcciones de Outlook.

En cualquier caso, si escoges esta opción, haz clic en el enlace Crear. Word mostrará el cuadro de diálogo Nueva lista de direcciones. Por defecto, aparecen una serie de campos que puedes quitar, modificar o añadir a partir de las opciones del botón Personalizar columnas.

Insertar los campos de combinación

Ya tenemos el documento principal y hemos seleccionado la fuente de datos. Solo faltan dos pasos más: insertar los campos de combinación de correspondencia en el documento principal y realizar la combinación en sí.

Los campos de combinación contienen la información que tenemos que sustituir en cada caso por los elementos incluidos en la lista de datos. Por ejemplo, la carta empieza: « Estimado Sr. López»; este nombre debe ser un campo de combinación que varíe para cada destinatario.

> **NOTA:**
>
> *No olvides los comandos y opciones de la ficha* Correspondencia *que muestra la figura 22.4, aunque en principio seguiremos usando las posibilidades del asistente.*

Existen diferentes opciones para incluir los campos de combinación. Vamos a comentar en los apartados siguientes las que están disponibles en el cuarto paso del asistente: Bloque de direcciones, Línea de saludo, Franqueo electrónico y Más elementos.

Bloque de direcciones

Elige esta opción y el asistente desplegará un cuadro de diálogo como el de la figura 22.5. Lo habitual es utilizar algún tipo de formato estándar a la hora de incluir los datos del destinatario de la carta. Las posibilidades del cuadro de diálogo Insertar bloque de direcciones facilitan este trabajo.

La información susceptible de ser introducida se encuentra dividida en tres bloques con sus correspondientes casillas de verificación. Activa la primera casilla para insertar en la dirección el nombre del destinatario; en este caso, hay una amplia variedad de formatos a tu disposición.

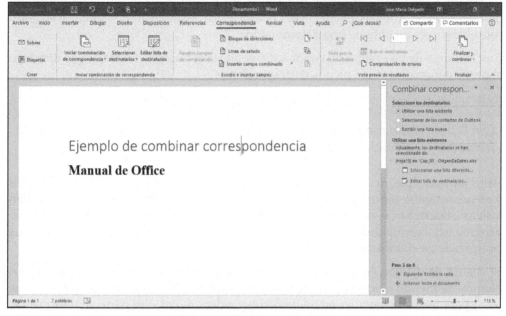

Figura 22.4. Ficha Correspondencia.

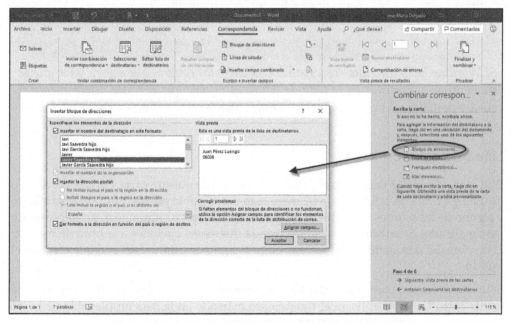

Figura 22.5. Cuadro de diálogo Insertar bloque de direcciones.

La segunda casilla de verificación es bastante sencilla, actívala para que bajo el nombre del destinatario aparezca la organización o empresa a la que pertenece.

La tercera casilla de verificación permite elegir entre incluir la dirección postal del destinatario o no. Además, puedes evitar que aparezca el país, incluirlo siempre o añadirlo solo cuando sea distinto de uno determinado.

Con la última de las casillas de verificación se ajusta el formato del bloque de dirección al país o región de destino para la correspondencia.

Word entiende que, para este tipo de trabajos, siempre recurrirás una información más o menos estándar como nombre, dirección, empresa, provincia... Si los datos se ajustan a estas características no tendrás problemas, pero, si no es así, con el botón Asignar campos haz corresponder la información que Word utiliza con los campos que has recuperado en el documento de datos.

El cuadro de diálogo Asignar campos (ver figura 22.6), divide la información en dos bloques: requerido u opcional. El primero corresponde a los datos básicos que se deben tener para realizar cualquier envío de correspondencia. Por otra parte, la información opcional recoge campos que sin ser imprescindibles puede resultar interesantes conocer. La idea de esta función es que haga corresponder manualmente los campos que Word espera para combinar correspondencia con la información de la lista de campos.

Línea de saludo

Esta segunda opción configura el formato de saludo de nuestra carta. Observa el cuadro de diálogo Línea de saludo, en la primera lista desplegable puedes elegir el tratamiento y alguno de los saludos incluidos por defecto, no seleccionar ninguno o escribir un texto personalizado. A continuación, la lista brinda diferentes opciones a la hora de mostrar el nombre del destinatario. Por último, elige el signo de puntuación con que cerrarás el saludo.

Si los datos no son correctos o resultan insuficientes para mostrar el saludo elegido de forma correcta, Word aplicará el tratamiento marcado en la lista desplegable Línea de saludo para nombres de destinatarios no válidos.

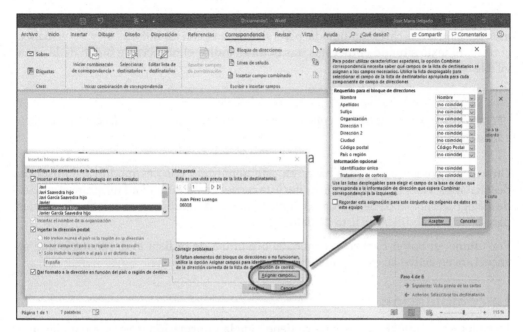

Figura 22.6. Cuadro de diálogo Asignar campos.

Franqueo electrónico

Antes de poder utilizar esta característica es indispensable conocer si nuestro servicio postal ofrece esta posibilidad. Si es así, bastará con instalar los elementos proporcionados para realizar envíos masivos de forma automática.

Más elementos

Si prefieres realizar la inserción de campos de forma manual elige esta opción. Al hacer clic sobre ella, aparece el cuadro de diálogo Insertar campo de combinación con dos botones en la parte superior:

- **Campos de dirección:** Muestra todos los campos de dirección definidos en Word de forma predeterminada para combinar correspondencia.
- **Campos de la base de datos:** Aparecerán solo los que componen la lista de datos.

Una vez escogido el tipo de campo que emplearás, debes seleccionarlo y hacer clic en el botón Insertar para incluirlo en el documento principal.

Vista previa

Antes de completar el proceso de combinación, Word permite visualizar el resultado mediante una vista previa en pantalla.

Observa el aspecto del Panel de tareas que aparece durante la vista previa. Por defecto muestra la primera carta combinada, pero, si lo deseas, con los botones << y >> visualiza el resto. El texto situado entre estos dos botones indica el número de orden de la carta visible en cada momento.

Si tienes demasiados registros, con la opción Buscar un destinatario *localiza los datos de la carta que desees.*

Otra de las cosas que puedes hacer en este penúltimo paso es modificar la lista de destinatarios. Haz clic en la opción Editar lista de destinatarios y Word mostrará el cuadro de diálogo Destinatarios de combinar correspondencia donde dispones de las herramientas para buscar y modificar la lista de datos.

Por último, el botón Excluir al destinatario elimina de la lista al destinatario que se encuentra en activo en ese momento en la vista previa.

La combinación

Llegados a este punto, el asistente ya tiene toda la información necesaria para llevar a cabo el proceso de combinación. En este último paso solo aparecen dos opciones. La primera, Imprimir, ejecuta la combinación y genera las cartas modelo. Es decir, hace el trabajo que realmente estamos esperando. La segunda, Editar cartas individuales, genera un documento único con el resultado de la combinación, de modo que se puedan editar una a una cada carta. En cualquier caso, antes de crear el documento, aparece un cuadro de diálogo en el que es posible escoger entre combinar todos los registros, el registro actual o aquellos que se determinen dentro de un rango.

Para realizar cambios genéricos, o sea, que afecten a todas las cartas, solo modifica el documento principal.

De esta forma terminaría el proceso de creación de una carta modelo o mailing. Es posible que inicialmente resulte algo complicado, pero después de repetirlo varias veces es muy lógico y sencillo.

Modificar el documento principal o el secundario

En cualquier momento puedes modificar la apariencia tanto del documento principal como del secundario o de datos. Para cambiar el documento principal, ábrelo y varía lo que desees.

Para modificar la lista de destinatarios, selecciona Editar lista de destinatario en el segundo grupo de la ficha Correspondencia.

Ficha Correspondencia

Word también ofrece la posibilidad de prescindir del asistente y completar el proceso de combinación con los comandos de la ficha Correspondencia. Para que no tengas ningún problema si quieres seguir este método, a continuación, describimos el significado de los elementos más importantes.

- Con el primer grupo, Crear, se imprimen sobres y etiquetas rápidamente, con diferentes tipos de formatos y con otras posibilidades de configuración.

- Dentro del segundo grupo denominado Iniciar combinación de correspondencia tenemos tres posibilidades. La primera de ellas abre el asistente utilizado en el apartado anterior. Con la segunda, Seleccionar destinatarios, escoge la fuente de datos que te servirá para completar la combinación. Con la última opción modifica la lista de destinatarios.

- En el grupo Escribir e insertar campos, encontramos opciones para mostrar en gris oscuro los campos de la combinación, insertar bloques de direcciones, líneas de saludo, elementos todos ellos cuyo significado ya conocemos, pero también otras opciones menos evidentes como:

  - Asignar campos para visualizar el cuadro de diálogo del mismo nombre y desde el que es posible asociar los campos predeterminados en Word con los disponibles en la lista de datos.

  - Reglas si quieres aplicar diferentes criterios para elegir los destinatarios de los documentos combinados.

  - Actualizar etiquetas para repartir la información de la lista de datos entre todas las etiquetas que componen el documento principal. Sin duda, un botón que te ayudará a ahorrar algo de tiempo.

- Para usar las opciones del grupo Vista previa de los resultados, lo primero que debes hacer es ir al icono Vista previa de resultado. A partir de aquí, con los botones de este grupo navega por los destinatarios de la combinación. También con la opción Buscar destinatario se localiza a una persona concreta. Por último, la comprobación automática de errores permite indicar cómo deseas que Word realice la corrección de posibles errores en la combinación.

- La última opción incluida en el último grupo sirve para ejecutar la combinación y completar el proceso.

Combinar correo electrónico

La combinación de correspondencia a través de correo electrónico mantiene todos los pasos que acabamos de ver, salvo que en el último paso, en lugar de imprimir una copia de cada carta, genera un correo electrónico para cada una de ellas.

Si eliges Mensaje de correo electrónico como medio para enviar tu mailing comprobarás que en el último paso del asistente la única opción disponible es Correo electrónico.

Selecciónala y al instante Word mostrará un sencillo cuadro de diálogo en el que debes completar los pasos siguientes:

1. En la lista Para busca el campo que contiene la dirección de correo electrónico de los destinatarios.

2. A continuación, escribe el asunto del mensaje y el formato (recomendamos HTML).

3. Por último, elige si quieres enviar todos los registros combinados, el registro actual o un rango determinado.

Combinar sobres y etiquetas

Tan habitual como crear cartas modelo puede ser utilizar las funcionalidades de combinación de correspondencia de Word para ahorrar el tedioso trabajo de escribir direcciones en decenas o cientos de cartas o etiquetas.

Tanto para sobres como para etiquetas la diferencia con respecto a las cartas modelo se encuentra en el segundo paso, en el que es necesario indicar las características del sobre o etiqueta que emplearás. Según la opción elegida, Word mostrará el enlace Opciones de sobre u Opciones de etiqueta.

Existen multitud de modelos de sobres y etiquetas perfectamente catalogados según sus características. Lo normal es que el modelo de sobre o de etiqueta que utilicemos usemos se halle entre la amplia lista de referencias incluidas en el programa. Si no es así, con el botón Nueva etiqueta especifica las características exactas del modelo que deseas.

Lista de direcciones

Esta última opción disponible en el primer paso del asistente crea un único documento con toda la información de la lista de datos, según la composición del documento principal. Por ejemplo, utiliza esta opción cuando necesites un listado previo de datos y direcciones, para comprobarlos antes de realizar la combinación.

Opciones avanzadas de consulta

No siempre necesitaremos combinar todos los datos de los documentos de datos. Como ya sabemos dentro del cuadro de diálogo Destinatarios de combinar correspondencia se activan o desactivan los registros que deseamos usar al combinar. Esta tarea es útil si tenemos pocos datos, sin embargo, cuando la información es más numerosa debemos seguir métodos más potentes para solucionar el problema. Por ejemplo, podríamos indicarle a Word que solo queremos combinar los registros que cumplan ciertas condiciones como:

- Clientes que vivan en Córdoba.
- Que tengan teléfono.

- Que se llamen José.
- Que vivan en la provincia de Córdoba, que se llamen José y que no vivan en Córdoba capital.

Estas condiciones puedes complicarlas todo lo que necesites y constituyen lo que se llama consultas de datos. Por tanto, siempre que desees combinar una parte de los registros basándote en su contenido, usa una consulta. Los siguientes pasos muestran cómo especificar condiciones de consulta al combinar correspondencia:

1. En el cuadro de diálogo Destinatarios de combinar correspondencia, haz clic en el pequeño botón situado en el encabezado de cualquiera de las columnas y busca la opción Avanzado. También puedes recurrir a la opción Filtrar de este mismo cuadro de diálogo.

2. En el cuadro de diálogo Filtrar y ordenar debes seleccionar la pestaña Filtrar registros.

3. Usa las distintas filas de esta ficha para añadir las condiciones que desees. En la primera columna, indica el campo de la comparación; en la columna Comparación, emplea uno de los operadores de comparación; finalmente, escribe el valor de referencia en la columna Comparar con.

En la figura 22.7, se aprecia un ejemplo con varias condiciones en este cuadro de diálogo.

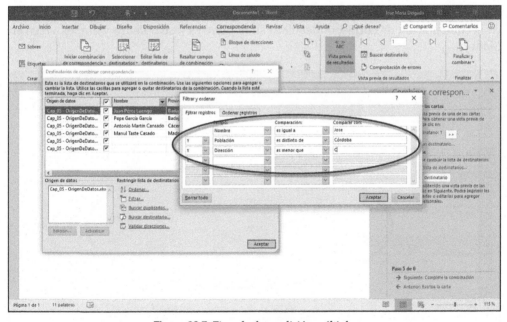

Figura 22.7. Ejemplo de condición múltiple.

- Un registro cumplirá la primera condición si el valor de su campo Nombre es José.
- Un registro cumplirá la segunda condición si el valor de su campo Población no es Córdoba.

- Un registro cumplirá la tercera condición si el valor de su campo Dirección es menor que C. Esto significa que empieza por A o B.

Los operadores Y y O

Observa que en la parte izquierda del cuadro de diálogo Opciones de consulta aparecen cinco listas desplegables con los valores Y y O. Con ellas es posible indicar condiciones múltiples:

- Emplea el operador Y cuando el registro deba cumplir las dos condiciones para que aparezca en la combinación.

- Utiliza el operador O para que el registro aparezca en la combinación siempre que cumpla cualquiera de las dos condiciones vinculadas por el operador o, si fuera necesario, las dos.

Por tanto, la condición de la figura 22.8 tiene el siguiente significado: un registro aparecerá en la combinación de correspondencia si su nombre es José o Pedro y ambos viven en Madrid.

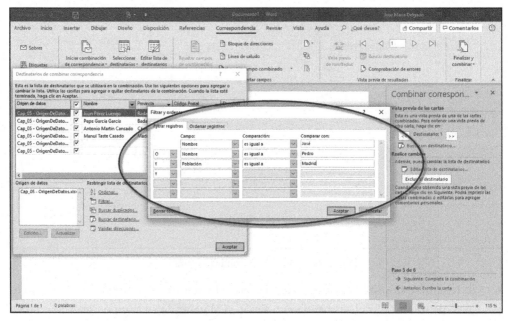

Figura 22.8. Ejemplo de condición con operadores Y y O.

Ordenar registros

Entre las opciones de consultas también existe la posibilidad de ordenar los datos por uno o varios campos. Hazlo con la pestaña Ordenar registros del cuadro de diálogo Filtrar y ordenar que ya comentamos en el apartado anterior. Selecciona el primer campo por el que quieres ordenar la salida de la combinación en el cuadro Ordenar por y elige entre mostrar el resultado de manera ascendente o descendente. Si lo deseas, indica otros dos campos en los cuadros Luego por. Eso sí, estos campos solo tendrán efecto si en el primer campo hay valores repetidos.

Reglas

El comando Reglas situado entre las opciones del grupo Escribir e insertar campos sirve para personalizar aún más nuestros documentos combinados. A continuación, describimos las alternativas más interesantes:

- **Preguntar:** Ayuda con datos que se repitan más de una vez en el documento pero que necesitamos incluir cada vez que se realice la combinación. Por ejemplo, el nombre del mes, un lugar de encuentro (hotel, restaurante…), etcétera.

- **Rellenar:** Incluye este dato en los documentos de la combinación, pero solo una vez. Puede ser, por ejemplo, una posdata del estilo «Feliz Navidad» o «Buenas vacaciones», según el momento en que realicemos la combinación.

- **Si…entonces…sino:** Agrega determinada información en la combinación según los destinatarios cumplan o no ciertos criterios. Por ejemplo, en una convocatoria de reunión, podríamos enviar a cada persona a un determinado salón de reuniones según el departamento al que pertenezcan.

- **Saltar registro:** Excluye del resultado de la combinación aquellos registros que cumplan una determinada condición.

Cuando incluimos una regla en nuestro documento combinado, Word solicitará los datos en el momento de llevar a cabo la combinación.

Resumen

Siguiendo los pasos e instrucciones del asistente para combinar correspondencia, es sencillo preparar cualquier tipo de carta modelo.

Además, las opciones para combinar correspondencia ayudan a ahorrar mucho tiempo cuando necesitamos enviar información a un gran número de personas. El ejemplo más típico son los mailing donde todas las cartas suelen ser iguales, salvo la dirección y el espacio en el que aparece el nombre del destinatario.

ndice analítico